여러분을 위해 준비하는

해커스공무원 특별 혜택

FREE 공무원 국어 **동영상강의**

해커스공무원(gosi.Hackers.com) 접속 후 로그인 ▶ 상단의 [무료강좌] 클릭 ▶
좌측의 [교재 무료특강] 클릭

해커스공무원 온라인 단과강의 **20% 할인쿠폰**

788AA3FE6896D54B

해커스공무원(gosi.Hackers.com) 접속 후 로그인 ▶ 상단의 [나의 강의실] 클릭 ▶
좌측의 [쿠폰등록] 클릭 ▶ 위 쿠폰번호 입력 후 이용

* 쿠폰 이용 기한: 2022년 12월 31일까지(등록 후 7일간 사용 가능) * 쿠폰 이용 관련 문의: 1588-4055

 해커스 회독증강 콘텐츠 **5만원 할인쿠폰**

B2AC52B3D6436D5F

해커스공무원(gosi.Hackers.com) 접속 후 로그인 ▶ 상단의 [나의 강의실] 클릭 ▶
좌측의 [쿠폰등록] 클릭 ▶ 위 쿠폰번호 입력 후 이용

* 쿠폰 이용 기한: 2022년 12월 31일까지(등록 후 7일간 사용 가능)
* 월간 학습지 회독증강 행정학/행정법총론 개별상품은 할인쿠폰 할인대상에서 제외

해커스 매일국어 **어플 이용권**

1LH5MDMHIEUF9XH7

구글 플레이스토어/애플 앱스토어에서 [해커스 매일국어] 검색 ▶
어플 다운로드 ▶ 어플 이용 시 노출되는 쿠폰 입력란 클릭 ▶ 쿠폰번호 입력 후 이용

▲ 매일국어 어플 바로가기

* 쿠폰 이용 기한 : 2022년 12월 31일까지
* 해당 자료는 [해커스공무원 국어 기본서] 교재 내용으로 제공되는 자료로, 공무원 시험 대비에 도움이 되는 유용한 자료입니다.

단기 합격을 위한

해커스 커리큘럼

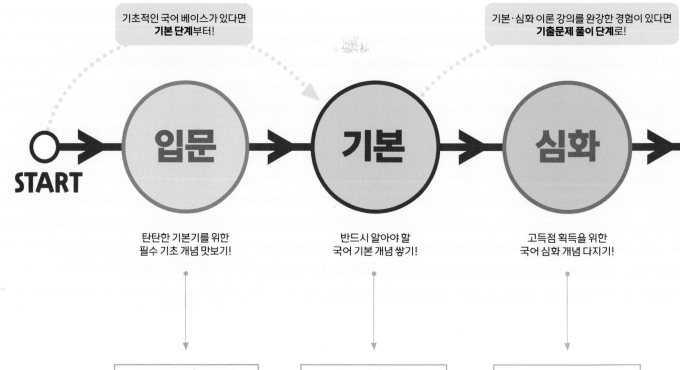

기초적인 국어 베이스가 있다면
기본 단계부터!

기본·심화 이론 강의를 완강한 경험이 있다면
기출문제 풀이 단계로!

START

입문

기본

심화

탄탄한 기본기를 위한
필수 기초 개념 맛보기!

반드시 알아야 할
국어 기본 개념 쌓기!

고득점 획득을 위한
국어 심화 개념 다지기!

강의 **쌩기초 입문반**

반드시 알아야 할 공무원 국어의 기초
개념을 학습하는 강의로, 공무원 시험
공부를 이제 막 시작한 수험생들을
위한 강의

사용교재

· 해커스공무원 쌩기초 입문서 국어

강의 **기본이론반**

합격에 꼭 필요한 국어의 기본 개념을
체계적·효율적으로 학습하는 강의

사용교재

· 해커스공무원 국어 기본서 (세트)

강의 **심화이론반**

기본 개념을 확실하게 자기 것으로
완성하고, 더불어 고득점 획득을
목표로, 심화 개념을 학습하는 강의

사용교재

· 해커스공무원 국어 기본서 (세트)
· 해커스공무원 단권화 핵심정리 국어

* QR코드를 스캔하시면, 레벨별 수강신청 및 사용교재 확인이 가능합니다.

gosi.Hackers.com

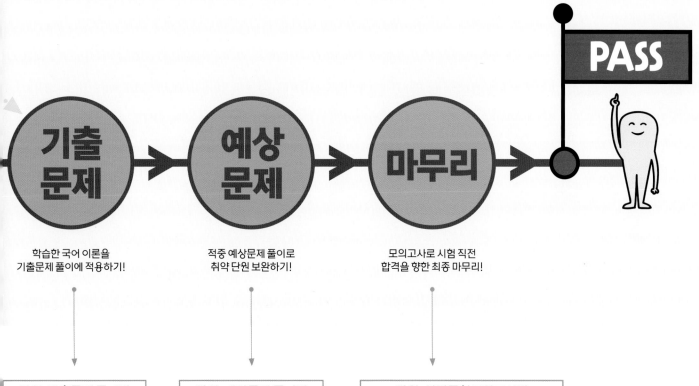

기출
문제

예상
문제

마무리

PASS

학습한 국어 이론을
기출문제 풀이에 적용하기!

적중 예상문제 풀이로
취약 단원 보완하기!

모의고사로 시험 직전
합격을 향한 최종 마무리!

강의 기출문제 풀이반

기본·심화 이론반에서 학습한 내용
들을 실제 기출문제 풀이에 적용
하면서 문제풀이 감각을 기르는 강의

사용교재

· 해커스공무원 단원별 기출문제집
  국어 (세트)

· 해커스공무원 6개년 기출문제집 국어

· 해커스공무원 최신 1개년 기출문제집 국어

· 해커스공무원 8개년 기출문제집
  공통과목 통합 국어+영어+한국사

강의 예상문제 풀이반

학습 막바지에 단원별 적중 예상 문제
를 풀어 보고, 취약한 단원을 파악하여
약점을 보완하는 강의

사용교재

· 해커스공무원 국어 비문학 독해 333 Vol. 1, 2

· 해커스공무원 단원별 적중 700제 국어

강의 실전동형모의고사반

최신 출제 경향을 반영한 모의고사를 풀어 보며 실전
감각을 극대화하는 강의

사용교재

· 해커스공무원 실전동형모의고사 국어 1, 2

강의 봉투모의고사반

시험 직전, 실제 시험과 동일한 형태의 봉투모의고사를
풀어보며 실전 감각을 완성하는 최종 마무리 강의

사용교재

· 해커스공무원 FINAL 봉투모의고사 국어

· 해커스공무원 FINAL 봉투모의고사 필수과목
  통합 국어+영어+한국사

해커스공무원
단원별
기출문제집
국어

2권 | 비문학

해커스공무원 단원별 기출문제집 국어 **비문학**

CONTENTS

만점이 보이는 회독 학습 가이드

> 30일 맞춤 회독 학습 플랜

- 공무원 국어 시험은 주요 출제 포인트가 반복 출제되므로 기출문제를 회독 학습하여 각 출제 포인트의 유형과 대비 방법을 익히는 것이 만점의 비법입니다.
- 단원별 난이도와 문항 수 등을 고려하여 수립한 해커스의 '30일 맞춤 회독 학습 플랜'과 '회독별 학습 방법'을 활용하여 효과적으로 학습하세요.

1일	2일	3일	4일	5일	6일	7일	8일	9일	10일
1. 언어 일반 2. 필수 문법 01	2. 필수 문법 02		2. 필수 문법 03	2. 필수 문법 04	1. 언어 일반 2. 필수 문법 – 복습	3. 옛말의 문법 4. 어문 규정 01	4. 어문 규정 02		4. 어문 규정 03~06
11일	**12일**	**13일**	**14일**	**15일**	**16일**	**17일**	**18일**	**19일**	**20일**
5. 언어 생활 6. 한문	3. 옛말의 문법 ~ 6. 한문 – 복습	1. 작문·화법	2. 비문학 이론 3. 여러 가지 글 4. 사실적 독해 01	4. 사실적 독해 02	4. 사실적 독해 03~04	5. 추론적 독해 01	5. 추론적 독해 02~03	1. 작문·화법 ~ 5. 추론적 독해 – 복습	1. 문학 이론 2. 문학사
21일	**22일**	**23일**	**24일**	**25일**	**26일**	**27일**	**28일**	**29일**	**30일**
3. 운문 문학 01~03	3. 운문 문학 04~06	1. 문학 이론 ~ 3. 운문 문학 – 복습	4. 산문 문학 01~04	4. 산문 문학 05~07	4. 산문 문학 – 복습	1. 어휘 일반 2. 관용 표현	3. 한자어·고유어 01	3. 한자어·고유어 02~04	1. 어휘 일반 ~ 3. 한자어·고유어 – 복습

* 학습 플랜은 'Section(1., 2., 3.) – Chapter(01, 02, 03)'의 순서로 표시하였습니다.

> 회독별 학습 방법

1회독 개념 정리 단계

- 상단의 '30일 맞춤 회독 학습 플랜'에 맞춰 기출문제 풀이를 진행합니다.
- 기출문제를 풀어보며 단원별로 어떤 유형의 문제들이 출제되었는지 확인합니다.
- 문제 풀이 후 「2022 해커스공무원 국어 기본서」와 함께 개념 학습을 진행하고자 할 경우 '회독 학습 점검표'의 기본서 페이지를 참고하여 학습합니다.

2회독 실력 향상 단계

- 상단의 '30일 맞춤 회독 학습 플랜'을 활용하되, 1회독 때보다 학습 시간을 단축하여 학습합니다.
- '난이도 상' 문제를 중점적으로 풀어보고, 자주 출제되지 않았던 생소한 어법 개념, 문학 작품, 어휘 등을 정리합니다.
- 문제 풀이 후 보충·심화 학습을 진행하고자 할 경우 '회독 학습 점검표'의 기본서 페이지를 참고하여 학습합니다.

3회독 약점 극복 단계

- 1, 2회독 때 틀렸거나 어려웠던 문제 위주로 학습을 진행합니다.
- 반복해서 틀리는 문제는 해설과 오답 분석, 이것도 알면 합격을 한 번 더 꼼꼼히 읽고 모르는 부분이 없을 때까지 학습합니다.
- 3회독 이후에도 헷갈리거나 어려운 부분은 '회독 학습 점검표'의 기본서 페이지를 확인하여 관련 내용을 다시 한번 정독하도록 합니다.

> 회독 학습 점검표

- 기출문제를 풀면서 학습이 부족한 부분이 있다면 「2022 해커스공무원 국어 기본서」의 페이지를 참고해 꼭 보충하셔야 합니다.
- 회독 후 학습일을 기록하면 전체적인 학습 상황을 확인할 수 있습니다.

단원	기본서	1회독		2회독		3회독	
Section 1. 작문·화법							
01 작문	2권 10p ~ 13p	월	일	월	일	월	일
02 화법	2권 14p ~ 23p	월	일	월	일	월	일
Section 2. 비문학 이론							
01 논지 전개 방식	2권 46p ~ 49p	월	일	월	일	월	일
02 논리적 사고	2권 50p ~ 57p	월	일	월	일	월	일
Section 3. 여러 가지 글							
01 다양한 유형의 글	2권 70p ~ 76p	월	일	월	일	월	일
Section 4. 사실적 독해							
01 주제 및 중심 내용 파악	2권 90p ~ 96p	월	일	월	일	월	일
02 세부 내용 파악	2권 97p ~ 102p	월	일	월	일	월	일
03 관점과 태도 파악	2권 103p ~ 106p	월	일	월	일	월	일
04 글의 전략 파악	2권 107p ~ 111p	월	일	월	일	월	일
Section 5. 추론적 독해							
01 글의 구조 파악	2권 128p ~ 133p	월	일	월	일	월	일
02 내용 추론	2권 134p ~ 141p	월	일	월	일	월	일
03 적용하기	2권 142p ~ 146p	월	일	월	일	월	일

Section 1
작문·화법

 1분 만에 파악하는 **7개년 기출 트렌드**

● Section별 출제율
최근 7개년(2015~2021년) 국가직/지방직/서울시 7·9급

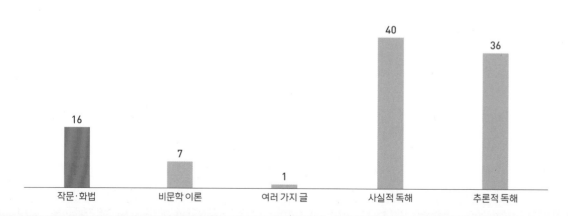

작문·화법	비문학 이론	여러 가지 글	사실적 독해	추론적 독해
16	7	1	40	36

Chapter 01 작문

Chapter 02 화법

● **Section 기출 트렌드**

- 최근 공무원 시험에서 작문·화법의 출제 비중이 높아지는 추세입니다.

- 작문에서는 개요를 수정하거나 주어진 글을 바르게 고쳐 쓰는 문제가 가장 많이 출제됩니다. 화법
  에서는 토의나 토론 등 대화문에서 사용된 말하기 전략을 파악하거나 화법의 원리를 묻는 문제가
  주로 출제됩니다.

- 작문·화법은 관련된 이론을 알아야 문제를 해결할 수 있으므로 관련 이론을 틈틈이 정리하고 암기
  해야 합니다. 특히 화법은 수능형 문제와 같이 새로운 유형의 문제가 출제되기도 하므로 다양한 유
  형의 문제를 풀어 보며 변화에 확실하게 대비해야 합니다.

---

1. 글의 구성 단위

01

[2018년 국가직 9급]

〈보기〉를 근거로 판단할 때, ㉠~㉢ 중 적절하지 않은 것은?

> ─────〈보기〉─────
>
> 통일성은 글의 내용이 하나의 주제로 긴밀하게 관련되는 특성을 말한다. 초고의 적절성을 평가할 때에는 글의 내용이 하나의 주제를 드러낼 수 있도록 선정되었는지, 그리고 중심 내용에 부합하는 하위 내용들로 선정되었는지를 검토한다.

> 사람들은 대개 수학 과목이 어렵다고 한다. 하지만 나는 수학 시간이 재미있다. ㉠바로 수업을 재미있게 진행하시는 수학 선생님 덕분이다. 수학 선생님은 유머로 딱딱한 수학 시간을 웃음바다로 만들곤 한다. ㉡졸리는 오후 시간에 뜬금없이 외국으로 수학여행을 가자고 하여 분위기를 부드럽게 만든 후 어려운 수학 문제를 쉽게 설명한 적도 있다. 그래서 우리 학교에서는 수학 선생님의 인기가 시들 줄 모른다. ㉢그리고 수학 선생님의 아들이 수학을 굉장히 잘한다는 소문이 나 있다. ㉣내 수학 성적이 좋아진 것도 수학 선생님의 재미있는 수업 덕택이다.

① ㉠　　　　　　② ㉡

③ ㉢　　　　　　④ ㉣

---

2. 계획하기

02

[2020년 지방직 7급]

㉠~㉣에 들어갈 내용으로 적절하지 않은 것은?

> ○ 제목: 인터넷 범죄 증가의 원인
> 1. 국가적 측면: ㉠ 때문에 인터넷 범죄를 처벌하는 관련 규정이 신속하게 제정되지 않는다.
> 2. 개인적 측면
>   (1) ㉡ 때문에 개인 컴퓨터의 백신 프로그램 설치가 미흡하다.
>   (2) ㉢ 때문에 인터넷상에서 개인 신상 정보 취급이 소홀하게 다루어진다.
> 3. 기술적 측면: ㉣ 때문에 컴퓨터 보안 프로그램 개발이 미흡하다.

① ㉠: 인터넷 범죄 처벌 규정의 제정 과정이 지나치게 복잡하기

② ㉡: 인터넷 사용 시 백신 프로그램을 중요하게 생각하지 않기

③ ㉢: 자신의 개인 정보는 범죄에 이용되지 않을 것이라고 안이하게 생각하기

④ ㉣: 컴퓨터 판매량을 늘리기 위한 인프라가 제대로 구축되어 있지 않기

03

[2019년 지방직 7급]

다음을 고려한 보고서 작성 방안으로 적절하지 않은 것은?

> 주제: 주거지의 관광 명소화에 따른 문제점과 개선 방안
> 목적: 북촌 한옥 마을, 이화 마을 등의 주거 지역에 관광객이 몰리면서 기존 거주민의 쾌적한 주거 환경이 위협받는 문제에 대한 개선 방안을 마련하고자 한다.

① 외국의 유사한 정책 사례를 조사하고 시사점을 도출한다.

② 대상 지역에 주소지를 둔 관광 업체의 경영 실태 및 매출 실적을 분석한다.

③ 전문가 자문 회의와 주민 토론회를 열어 개선 방안에 대한 다양한 의견을 수렴한다.

④ 대상 지역 주민들과의 면담을 통해 피해 사례를 조사하고 일정한 기준에 따라 유형화한다.

01

난이도 ★☆☆

해설 ③〈보기〉는 글의 통일성에 대한 설명으로, ㉠~㉣ 중 통일성을 근거로 판단할 때 적절하지 않은 것은 ㉢이다. 제시문의 중심 내용은 '수학 선생님의 재미있는 수업'인데, ㉢은 수학 선생님의 아들에 관한 내용이므로 중심 내용에 부합하지 않는다.

오답 분석 ① 수학 시간이 흥미로운 이유이므로 중심 내용에 부합한다.

② 재미있는 수학 수업의 사례이므로 중심 내용에 부합한다.

④ 재미있는 수학 수업으로 인한 결과이므로 중심 내용에 부합한다.

이것도 알면 합격

문단의 구성 원리에 대해 알아두자.

완결성	한 문단 안에서 소주제를 나타내기 위해 필요한 내용이 빠짐없이 제시되어야 함
통일성	한 문단은 하나의 생각만을 다뤄야 하고, 주제와 관련 없는 문장이 있어서는 안 됨
단계성	처음, 중간, 끝의 단계에 따라 써야 하고 각 단계가 명확히 구분되어야 함
일관성	한 문단의 문장들은 논리적 오류가 없이 자연스럽게 연결되어야 하며, 내용은 순서대로 배열되어야 함

02

난이도 ★★☆

해설 ④ 컴퓨터 판매량을 늘리기 위한 인프라가 제대로 구축되어 있지 않다는 내용은 ㉣ 뒤에 이어지는 '컴퓨터 보안 프로그램 개발이 미흡함'의 원인으로 적절하지 않다.

오답 분석 ①②③ 모두 뒤에 이어지는 내용의 원인으로 적절하다.

03

난이도 ★★☆

해설 ② 제시문은 주거지가 관광 명소화 되면서 기존 거주민의 주거 환경이 위협받는 문제에 대한 개선 방안을 마련하고자 하는 보고서의 주제와 목적을 설명하고 있다. 이때 관광 업체의 경영 실태와 매출 실적을 분석하는 것은 거주민의 주거 환경 위협 문제에 대한 개선 방안을 마련하는 것과 관련이 없으므로 보고서의 주제와 목적에 부합하지 않는다. 따라서 보고서 작성 방안으로 적절하지 않은 것은 ②이다.

오답 분석 ① 거주민의 쾌적한 주거 환경 유지와 관련된 외국의 유사한 정책 사례를 조사하고 시사점을 도출하는 것은 주거지의 관광 명소화 문제에 대한 개선 방안을 작성할 때 활용할 수 있다.

③ 전문가 자문 회의와 주민 토론회를 통해 의견을 수렴하는 것은 공동의 문제를 해결하기 위한 다양한 방면의 개선 방안을 도출하는 데 활용할 수 있다.

④ 지역 주민들과의 면담을 통해 피해 사례를 조사하고 일정한 기준에 따라 유형화하는 것은 주거지의 관광 명소화에 따른 문제점을 체계적이고 상세하게 파악하는 데 활용할 수 있다.

04

[2017년 국가직 7급 (10월)]

다음 개요에서 알 수 있는 글쓰기 전략으로 가장 적절한 것은?

> Ⅰ. 서론
>   1. 재능 기부 현황과 재능 기부에 대한 인식 실태
>   2. 재능 기부의 의의와 필요성
>
> Ⅱ. 재능 기부의 장애 요인
>   1. 홍보 부족
>   2. 참여 의식 부족
>   3. 프로그램 영역의 편중
>   4. 기부자와 수혜자의 연계 채널 미비
>
> Ⅲ. 재능 기부 활성화 방안
>   1. 홍보 강화
>   2. 국민의 공감대 형성
>   3. 프로그램 영역의 다양화
>   4. 연결망 구축
>
> Ⅳ. 결론

① 재능 기부의 활성화 방안을 간접적으로 제시한 후 재능 기부가 이루어지지 못하는 현실을 개탄하는 내용으로 마무리한다.

② 재능 기부의 필요성을 알리고 재능 기부가 잘 이루어지도록 하기 위해 논의의 초점을 재능 기부의 장애 요인에 맞춘다.

③ 재능 기부의 현황을 토대로 의의와 필요성을 밝히고 재능 기부의 장애 요인을 해결하는 방향으로 활성화 방안을 제시한다.

④ 재능 기부의 필요성과 활성화 방안이 초점이므로 재능 기부의 의의와 필요성을 토대로 재능 기부의 현황과 인식 실태 파악을 이끌어 낸다.

05

[2017년 지방직 9급 (6월)]

다음의 개요를 기초로 하여 글을 쓸 때, 주제문으로 가장 적절한 것은?

> 서론: 최근의 수출 실적 부진 현상
>
> 본론: 수출 경쟁력의 실태 분석
>   1. 가격 경쟁력 요인
>   ㄱ. 제조 원가 상승
>   ㄴ. 고금리
>   ㄷ. 환율 불안정
>   2. 비가격 경쟁력 요인
>   ㄱ. 기업의 연구 개발 소홀
>   ㄴ. 품질 개선 부족
>   ㄷ. 판매 후 서비스 부족
>   ㄹ. 납기의 지연
>
> 결론: 분석 결과의 요약 및 수출 경쟁력 향상 방안 제시

① 정부가 수출 분야 산업을 적극 지원해야 한다.

② 내수 시장의 기반을 강화하는 데 역량을 모아야 한다.

③ 기업이 연구 개발비 투자를 늘리고 품질 향상에 많은 노력을 기울여야 한다.

④ 수출 경쟁력을 좌우하는 요인을 분석한 후 그에 맞는 방안을 마련해야 한다.

06

[2015년 지방직 7급]

다음은 보고서의 목차이다. 내용상 적절하지 않은 것은?

제목: 세계화 시대의 한국어 발전 방안

Ⅰ. 세계화의 개념 및 사업의 배경
　1. 세계화의 정의 및 유관 개념
　2. 세계 문자사와 한글의 창제 원리 ·················· ㉠
　3. 한국어 세계화 사업의 필요성 ···················· ㉡

Ⅱ. 한국어 세계화 사업의 실태
　1. 정부 기관에 의한 세계화 사업
　2. 민간 기관에 의한 세계화 사업 ···················· ㉢

Ⅲ. 기존 사례들의 문제점 검토
　1. 예산의 부족과 전문가 확보의 미비
　2. 한류 중심의 편향적 사업 계획
　3. 장기적 전망이 결여된 사업 진행 ·················· ㉣

Ⅳ. 한국어 세계화를 위한 개선 방안
　　　　　　　　　：

① ㉠　　　　　　　　　　　　② ㉡

③ ㉢　　　　　　　　　　　　④ ㉣

04

난이도 ★☆☆

해설 ③ 제시된 개요를 통해 알 수 있는 글쓰기 전략으로 가장 적절한 것은 ③이다.
- Ⅰ. **서론**: 재능 기부의 현황을 토대로 재능 기부의 의의와 필요성을 밝히고 있다.
- Ⅱ.~Ⅲ. **본론**: 재능 기부의 장애 요인을 밝히고 이를 해결하기 위한 재능 기부 활성화 방안을 제시하고 있다.

오답 분석 ① Ⅲ.에서 재능 기부 활성화 방안을 직접적으로 제시하고 있으며 현실을 개탄하는 내용은 개요에 드러나지 않는다.

② 재능 기부의 필요성을 알리고 재능 기부를 활성화하는 것이 목적이므로 논의의 초점은 재능 기부의 장애 요인이 아닌 재능 기부의 활성화 방안에 맞춰져 있다.

④ 재능 기부의 필요성과 활성화 방안이 초점인 것은 맞으나, 재능 기부의 현황과 인식 실태 파악을 토대로 의의와 필요성을 이끌어 내야 하므로 선후 관계가 맞지 않는다.

05

난이도 ★★☆

해설 ④ 제시된 개요는 본론에서 수출 경쟁력의 가격 · 비가격 경쟁력 요인을 분석하고, 결론에서 수출 경쟁력 향상 방안을 제시하고 있으므로 글의 주제문으로는 이를 모두 포괄할 수 있는 ④가 적절하다.

06

난이도 ★★☆

해설 ① 보고서의 제목인 '세계화 시대의 한국어 발전 방안'과 상위 내용인 'Ⅰ. 세계화의 개념 및 사업의 배경'을 고려할 때, '세계 문자사'와 '한글의 창제 원리'는 무관한 내용이므로 ㉠은 내용상 적절하지 않다. 따라서 답은 ①이다.

· 3. 표현하기

07

[2020년 지방직 9급]

'청소년 인터넷 중독의 현황과 문제 해결'에 대한 글을 작성하고자 한다. 글의 내용으로 포함하기에 적절하지 않은 것은?

① 국내 최대 게임 업체의 고객 개인 정보가 유출되어 청소년들에게 성인 광고 문자가 대량 발송된 사건을 예로 제시한다.

② 인터넷에 중독되는 청소년의 비율이 해마다 증가한다는 통계를 활용하여 해당 사안이 시급히 해결되어야 할 문제임을 강조한다.

③ 사회성 결여, 의사소통 장애, 집중력 저하 등 인터넷 중독이 야기할 수 있는 부정적 현상들을 열거하여 문제의 심각성을 환기한다.

④ 청소년 대상 인터넷 중독 상담 프로그램의 개발 및 운영을 위해 할당된 예산이 부족하다는 전문가의 의견을 인용하여 해당 문제에 대한 대처가 미온적임을 지적한다.

08

[2020년 국회직 8급]

'사이버 윤리 규범의 필요성'을 논제로 하여 글의 서론을 〈보기〉와 같은 방법에 따라 썼을 때, 적절한 문장은?

———— 〈보기〉 ————

사건이나 현상 제시하기
↓
문제점 이끌어 내기
↓
논제 제시하기

① 최근 들어 사이버 공간에서의 비윤리적 행동들이 문제가 되고 있다. 허위 사실 유포, 인신공격 등이 그것이다.

② 사이버 윤리 규범의 필요성이 강하게 제기되고 있다. 사이버 공간의 익명성으로 인해 비윤리적 행동들이 나타나기 때문이다. 그렇다면 사이버 윤리 규범은 어떤 내용이 되어야 하는가?

③ 사이버 공간에 대한 관심이 높아지고 있다. 그러나 사이버 공간에 대한 높은 관심은 일부 젊은 계층에 한정된 것이다. 이러한 사이버 공간에 대한 관심을 바람직한 현상으로만 보아야 하는지에 대해 논의할 필요가 있다.

④ 최근 인터넷 사용 인구가 늘어나면서 여러 가지 부작용이 나타나고 있다. 왜냐하면 사이버 공간은 현실 세계와 달리 행동이 자유롭고 규제가 적기 때문이다. 사이버 공간의 중요성을 생각해 볼 때, 이러한 상황의 개선이 필요하다.

⑤ 사이버 공간이 새로운 자유 공간으로 환영받고 있다. 그런데 사이버 공간에서 무제한의 자유로 인해 여러 비윤리적 행동이 나타나고 있다. 이를 막기 위해서는 사이버 공간에서의 자유를 적절히 제한할 수 있는 장치가 필요하다.

09

다음은 '직원들의 기부 참여도, 어떻게 높일 것인가?'라는 제목으로 글을 쓰기 위한 계획이다. ㉠에 들어갈 내용으로 가장 옳은 것은?

〈조건〉

〈글쓰기 계획〉

○ 현상: 우리 회사 직원들의 기부 참여도가 낮음
○ 문제 의식: 관심이 없어서일까? 방법을 몰라서일까?
○ 조사 내용: 기부에 대한 직원들의 인식, 직원들의 기부 참여 유형
○ 조사 결과: 기부 활동의 필요성과 당위성에 대한 직원들의 인식은 높으나 직원들이 참여하는 기부 유형은 두세 가지로 한정되어 있음
○ 결과 분석: 인식과 참여의 괴리는 기부 유형에 대한 직원들의 정보 부족 때문임
○ 서술 방향: (㉠   )

① 직원들의 실제 기부 참여도가 낮은 것을 지적하고, 그 이유로 특정 기부 유형에 대한 개인적 선호를 제시한다.
② 기부에 대한 직원들의 무관심을 지적하고, 기부가 개인과 사회에 미치는 긍정적 영향을 환기한다.
③ 기부 참여도가 낮았던 이유는 직원들이 다양한 기부 유형을 알지 못하기 때문임을 밝히고, 구체적인 참여 프로그램을 소개한다.
④ 직원들이 생각은 있지만 기부에 적극적으로 참여하지 않는 현실을 지적하고, 의식과 실천의 합일을 촉구한다.

07

난이도 ★☆☆

해설 ① '국내 최대 게임 업체의 고객 개인 정보 유출 사례'는 청소년 인터넷 중독의 현황과 문제 해결에 대한 내용을 뒷받침할 수 없는 자료이다. 따라서 답은 ①이다.

08

난이도 ★★☆

해설 ⑤ '사이버 공간이 새로운 자유 공간으로 환영받고 있다'라는 사건이나 현상을 제시하고, '사이버 공간에서 무제한의 자유로 인해 발생하는 여러 비윤리적 행동'을 문제점으로 이끌어 내고 있다. 마지막으로 앞서 언급한 문제점을 막기 위해 '사이버 공간의 자유를 적절히 제한할 장치가 필요하다'라는 논제를 제시하고 있다. 따라서 답은 ⑤이다.

오답분석 ① '사건이나 현상 제시하기(사이버 공간에서의 비윤리적 행동들이 문제가 되고 있음)'와 '문제점 이끌어내기(허위 사실 유포, 인신공격 등)'만 제시되어 있을 뿐, 논제가 제시되어 있지 않다.

② '사건이나 현상 제시하기(사이버 윤리 규범의 필요성이 강하게 제기됨)'와 '문제점 이끌어 내기(익명성으로 인한 비윤리적 행동들이 나타남)'만 제시되어 있을 뿐, 논제가 제시되어 있지 않다. 참고로 논제는 긍정의 평서문 형태로 진술되어야 한다.

③ '사건이나 현상 제시하기(사이버 공간에 대한 관심의 증가)', '문제점 이끌어 내기(사이버 공간에 대한 관심은 일부 젊은 계층에 한정됨)'만 제시되어 있을 뿐, '사이버 윤리 규범의 필요성'과 관련된 논제가 포함되어 있지 않다.

④ '사건이나 현상 제시하기(사이버 공간은 규제가 적기 때문에 여러 가지 부작용이 발생함)'와 '논제 제시하기(상황의 개선 필요함)'만 제시되어 있을 뿐, 문제점은 제시되어 있지 않다.

09

난이도 ★★☆

해설 ③ '조사 결과'와 '결과 분석'을 통해 직원들의 기부 참여도가 낮았던 이유는 기부 유형에 대한 정보가 부족하기 때문임을 알 수 있으므로, 서술 방향으로 가장 적절한 것은 ③이다.

오답분석 ① 직원들의 기부 참여도가 낮은 것은 특정 기부 유형에 대한 개인적 선호 때문이 아니라 기부 유형에 대한 정보가 부족하기 때문이므로 적절하지 않다.

② '조사 결과'에서 기부 활동의 필요성과 당위성에 대한 직원들의 인식은 높다고 하였으므로, 기부에 대한 직원들의 무관심을 지적하는 것은 적절하지 않다.

④ 의식과 실천의 합일은 '기부 유형에 대한 직원들의 정보 부족'에 대한 해결 방안이 아니므로 적절하지 않다.

10

다음 조건을 모두 참조하여 쓴 글은?

> ○ 대구(對句)의 기법을 사용할 것
> ○ 삶에 대한 통찰을 우의적으로 표현할 것

① 낙엽: 낙엽은 항상 패배한다. 시간이 지나고 낙엽이 지는 것은 어쩔 수 없는 일이다. 그리고 계절의 객석에 슬픔과 추위가 찾아온다. 하지만 이 패배가 없더라면, 어떻게 봄의 승리가 가능할 것인가.

② 비: 프랑스어로 '비가 내린다'는 한 단어라고 한다. 내리는 것은 비의 숙명인 것이다. 세월이 아무리 흘러도, 비는 주룩주룩 내리고, 토끼는 깡충깡충 뛴다. 자연은 모두 한 단어이다. 우리의 삶도 자연을 닮는다면 어떨까.

③ 하늘: 하늘은 언젠가 자기 얼굴이 알고 싶었다. 하지만 어디에도 자신을 비춰줄 만큼 큰 거울을 발견할 수 없었다. 그러다 어느 날 어떤 소녀를 발견했다. 포근한 얼굴로 자신을 바라보는 소녀의 눈동자를 하늘은 바라보았다. 거기에 자신이 있었다.

④ 새: 높이 나는 새는 낮게 나는 새를 놀려 댔다. "어째서 그대는 멀리 보는 것을 선택하지 않는가? 기껏 날개가 있는 존재로 태어났는데." 그러자 낮게 나는 새가 대답했다. "높은 곳의 구름은 멀리를 바라보고, 낮은 곳의 산은 세심히 보듬는다네."

11

다음을 모두 만족시키는 표어로 적절한 것은?

> ○ 공중도덕 지키기를 홍보한다.
> ○ 대구의 표현 방식을 활용한다.
> ○ 행위의 긍정적 효과를 비유적으로 표현한다.

① 신호 위반, 과속 운전 / 모든 것을 앗아 갑니다
② 아파트를 뒤흔드는 음악 소리 / 이웃들을 괴롭히는 고문 장치
③ 노약자에게 양보하는 한 자리 / 당신에게 찾아오는 행복의 문
④ 공공장소에서 실천하는 금연 / 우리의 건강을 지켜 줍니다

12

(가) ~ (다)의 자료를 이용하여 글을 쓰기 위해 정리한 것으로 적절하지 않은 것은?

> (가) 최근 홈쇼핑 시장을 이용하는 소비자가 폭발적으로 증가하면서 홈쇼핑에 대한 불만 건수도 급증하고 있다. 소비자 보호원에 따르면 가장 많은 불만은 TV 방영 내용과 실제 상품이 상이하다는 것으로 전체의 46.5%이며, 다음으로는 상품의 품질 불량이 25%, 색상, 사이즈 등 주문한 것과 다른 상품이 배달된 것이 12%에 달했으며, 이외에도 교환·반품 등 AS 지연 등이었다. - ○○○ 신문 기사
>
> (나) 홈쇼핑 업계 현황
>
> (단위: %)
>
> | | 2010년 | 2012년 | 2014년 |
> |---|---|---|---|
> | 홈쇼핑 업체 수 | 100 | 260 | 520 |
> | 홈쇼핑 매출 총액 | 100 | 135 | 157 |
> | 홈쇼핑 업체별 수익률 | 100 | 87 | 76 |
>
> - 2015년 국가 경제 현황 지표
>
> (다) 홈쇼핑에서 물건을 구매한 동기
>
> | 이유 | 빈도(%) |
> |---|---|
> | 우연히 프로그램을 보다가 필요할 것 같아서 | 42.8 |
> | 가격이 저렴하고 구입이 편리해서 | 30.1 |
> | 무이자 할부, 사은품 등 여러 가지 혜택이 있어서 | 20.2 |
> | 시중에서는 좀처럼 구하기 힘든 물건이어서 | 6.9 |
>
> - 소비자 보호원

① (가)와 (나)를 활용해서 홈쇼핑 소비 증가 때문에 무분별한 쇼핑 중독자가 양산되고, 이로 인하여 가정불화 등 각종 사회 문제가 발생한다는 점을 지적한다.

② (가)와 (나)를 활용해서 최근 홈쇼핑 구매가 증가하면서 업체가 많이 생겨났으며, 이는 필연적으로 소비자의 불만과 업체의 수익 악화를 야기한다는 점을 지적한다.

③ (나)와 (다)를 활용해서 소비자의 충동구매, 그리고 홈쇼핑 업체 수 증가에 의한 업체의 수익 악화를 홈쇼핑의 문제점으로 지적한다.

④ (나)와 (다)를 활용해서 홈쇼핑의 문제점을 개선하기 위해 소비자에게는 상품 구매 전 충분한 정보를 탐색하도록 권유하고, 업체에는 과잉 경쟁을 자제하도록 촉구한다.

10

난이도 ★★☆

해설 ④ '높은 곳의 구름은 멀리를 바라보고, 낮은 곳의 산은 세심히 보듬는다네'에서 '~의 ~은'의 구조를 통해 대구의 기법이 사용되었음을 확인할 수 있다. 또한 높이 나는 새와 낮게 나는 새의 대화를 통해 모든 존재는 고유한 존재 가치를 지니고 있다는 삶의 통찰을 우의적으로 표현하였다.

오답분석 ① 낙엽의 패배 이후 찾아오는 봄의 승리를 통해 시련의 유의미함이라는 통찰을 우의적으로 표현하고 있다. 그러나 대구의 기법을 사용한 부분은 찾을 수 없다.

② '비는 주룩주룩 내리고, 토끼는 깡충깡충 뛴다'를 통해 대구의 기법이 사용되었음을 확인할 수 있다. 그러나 삶에 대한 통찰을 우의적으로 표현한 부분은 찾을 수 없다.

③ '하늘'을 의인화한 표현이 사용되었으나 이를 통해 삶에 대한 통찰을 우의적으로 나타내지는 않았다. 또한 대구의 기법을 사용한 부분도 찾을 수 없다.

11

난이도 ★☆☆

해설 ③ '노약자에게 자리를 양보해야 한다'라는 공중도덕 지키기를 홍보하고 '~에게 ~는'의 구조상 대구를 이루면서 행위의 긍정적 효과를 '행복의 문'에 비유하고 있으므로 ③은 조건을 모두 만족한다.

오답분석 ① 교통 법규를 지키지 않으면 모든 것을 잃는다는 내용이므로 첫 번째 조건은 만족하지만, 대구와 비유적 표현이 나타나지 않으므로 두 번째, 세 번째 조건은 만족하지 않는다.

② 아파트에서 소음을 내지 말라는 내용이며 '~를(을) ~는'과 같은 문장 구조의 대구가 나타나므로 첫 번째, 두 번째 조건은 만족하지만, 행위의 부정적 효과를 '고문 장치'에 비유하였으므로 세 번째 조건은 만족하지 않는다.

④ 공공장소에서 금연해야 한다는 내용이므로 첫 번째 조건은 만족하지만, 대구와 비유적 표현이 나타나지 않으므로 두 번째, 세 번째 조건은 만족하지 않는다.

12

난이도 ★★☆

해설 ① (가)는 홈쇼핑에 대한 불만 사항이, (나)는 홈쇼핑 업계의 현황이 정리되어 있다. 이는 쇼핑 중독자 양산과 가정불화 등의 사회 문제를 지적할 수 있는 근거가 되지 못하므로, ①은 (가), (나)의 자료를 이용하여 쓸 글의 내용으로 적절하지 않다.

오답분석 ② (나)를 통해 최근 홈쇼핑 구매가 증가하면서 업체가 많이 생겨 수익이 악화되었음을, (가)를 통해 소비자 불만도 늘었음을 지적할 수 있다.

③ (다)를 통해 소비자의 충동 구매를, (나)를 통해 홈쇼핑 업체 수 증가에 의한 업체의 수익 악화를 홈쇼핑의 문제점으로 지적할 수 있다.

④ (다)의 정보는 소비자의 상품 구매 동기가 충동적임을 드러내므로, 이를 활용해 소비자에게 상품 구매 전 충분한 정보를 탐색하도록 권유하는 내용의 글을 쓸 수 있다. 또한 (나)의 정보는 업체 수가 증가하면서 수익률이 점차 떨어진다는 점을 보여 주므로, 이를 활용해 업체에 과잉 경쟁을 자제하도록 촉구할 수 있다.

이것도 알면 합격

내용 생성을 위한 자료의 요건에 대해 알아두자.
1. 주제를 뒷받침할 수 있는 내용이어야 함
2. 사실과 의견이 분명하게 구분되어야 함
3. 객관적이고 구체적이며 근거가 확실해야 함
4. 독자의 관심을 끌 수 있도록 독창적이며 새로워야 함
5. 내용이 풍부하고 다양해야 함

13

[2015년 국가직 9급]

리더십 부재와 잘못된 정책을 '등산'에 빗대어 설명한 것으로 가장 적절한 것은?

① 사공이 많으면 배가 산으로 간다는 속담처럼 말이 많으면 어느 산을 오를 것인지 결정할 수 없습니다.

② 등산로를 잘 알지 못하더라도 길잡이가 용기 있는 결단을 내리면 많은 사람들이 등산에 성공할 수 있습니다.

③ 길잡이가 방향을 잘못 가리키고 혼자 가 버리면 많은 사람들이 산 정상에 오를 수 없어 등산의 기쁨을 맛볼 수 없습니다.

④ 등산의 목적은 다른 사람들보다 먼저 봉우리에 올랐다는 기쁨 그 자체이므로 길잡이는 항상 등산하는 사람들이 경쟁할 수 있도록 도와야 합니다.

14

[2015년 국가직 9급]

다음 자료를 활용하여 글을 쓰려고 할 때, 적절하지 않은 것은?

(단위: %, 중복 응답)

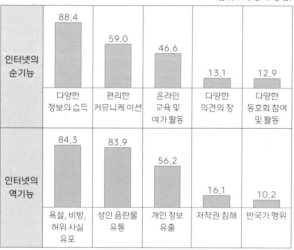

① 인터넷을 이용하면 필요한 정보를 다양하게 얻을 수 있음을 서술한다.

② 자신의 권리가 침해되지 않도록 보안 강화 방안을 적극적으로 제안한다.

③ 타인의 권리를 침해하지 않도록 인터넷 윤리 교육의 필요성을 강조한다.

④ 인터넷이 잘못된 여론을 형성할 수 있으므로 인터넷 사용을 금지할 것을 주장한다.

4. 고쳐쓰기

15

[2020년 지방직 9급]

다음 글의 ㉠~㉣에 대한 고쳐쓰기 방안으로 적절하지 않은 것은?

현재 리셋 증후군이 인터넷 중독의 한 유형으로 ㉠꼽혀지고 있다. 리셋 증후군 환자들은 현실에서 잘못을 하더라도 버튼만 누르면 해결될 수 있다고 생각해서 아무런 죄의식이나 책임감 없이 행동한다. ㉡'리셋 증후군'이라는 말은 1990년 일본에서 처음 생겨났는데, 국내에선 1990년대 말부터 쓰이기 시작했다. 리셋 증후군 환자들은 현실과 가상을 구분하지 못하여 게임에서 실행했던 일을 현실에서 저지르고 뒤늦게 후회하는 경우가 많다. 특히, 이러한 특성을 지닌 청소년들은 무슨 일이든지 쉽게 포기하고 책임감 없는 행동을 하며, 마음에 들지 않는 사람이 있으면 ㉢막다른 골목으로 몰 듯 관계를 쉽게 끊기도 한다.

리셋 증후군은 행동 양상이 명확히 나타나지 않는 편이라 쉽게 판별하기 어렵고 진단도 쉽지 않다. ㉣이와 같이 예방을 위해 지속적으로 주위 사람들과 대화를 나누고, 현실과 인터넷 공간을 구분하는 능력을 길러야 한다.

① 불필요한 이중 피동 표현으로 어법에 맞게 ㉠을 '꼽고'로 수정한다.

② 글의 맥락상 자연스럽지 않으므로 ㉡은 첫 번째 문장 뒤로 옮긴다.

③ 앞뒤 문맥을 고려할 때 ㉢은 '칼로 무를 자르듯'으로 수정한다.

④ 앞 문장과의 연결을 고려하여 ㉣을 '그러므로'로 수정한다.

13
난이도 ★★☆

해설 ③ 발문에서 제시한 조건에 맞게 설명한 것으로 가장 적절한 것은 ③이다.
- '등산'에 빗대어 설명: 사람들이 길잡이와 함께 산을 오르는 상황을 제시함
- 리더십의 부재: 길잡이가 혼자 가 버림
- 잘못된 정책: 길잡이가 방향을 잘못 가리킴

오답 분석 ① '등산'에 빗대어 설명하고 있지만 의견이 하나로 모아지지 않는다는 문제를 제시하고 있으므로 적절하지 않다.

② '등산'에 빗대어 설명하고 있지만 길잡이가 리더십을 발휘하여 좋은 결과를 도출하였으므로 적절하지 않다.

④ '등산'에 빗대어 설명하고 있지만 등산의 목적과 그에 따른 길잡이의 역할을 제시하고 있으므로 적절하지 않다.

14
난이도 ★☆☆

해설 ④ '욕설, 비방, 허위 사실 유포'라는 인터넷의 역기능이 자료에 제시되어 있으므로 인터넷이 잘못된 여론을 형성할 수 있다는 내용은 적절하다. 하지만 인터넷의 순기능도 자료에 드러나 있으므로 제시된 자료를 활용하여 인터넷 사용을 금지해야 한다고 주장하는 글을 쓰는 것은 적절하지 않다.

오답 분석 ① 인터넷의 순기능 중 '다양한 정보의 습득'을 활용하여 쓸 수 있는 내용이다.

② 인터넷의 역기능 중 '개인 정보 유출', '저작권 침해' 등을 활용하여 쓸 수 있는 내용이다.

③ 인터넷의 역기능 중 '욕설, 비방, 허위 사실 유포', '저작권 침해' 등을 활용하여 쓸 수 있는 내용이다.

15
난이도 ★★☆

해설 ① ㉠ '꼽혀지고'는 '꼽다'의 어간 '꼽-'에 피동 접미사 '-히-'와 피동 표현 '-어지다'가 결합한 이중 피동 구성이다. 하지만 문맥상 리셋 증후군은 인터넷 중독의 한 유형으로 선택된 것이므로 ㉠은 능동 표현인 '꼽고'가 아닌 피동 표현 '꼽히고'로 고쳐야 한다.

오답 분석 ② ㉡은 '리셋 증후군'의 유래로, 글의 맥락상 첫 번째 문장 뒤로 옮기는 것이 적절하다.

③ ㉢이 포함된 문장은 마음에 들지 않는 사람이 있으면 관계를 쉽게 끊는다는 내용이므로 앞뒤 문맥을 고려하여 '칼로 무를 자르듯'으로 수정하는 것이 적절하다.

④ ㉣의 앞 문장은 리셋 증후군의 판별이나 진단이 쉽지 않다는 내용이고, ㉣의 뒷 문장은 리셋 증후군의 예방을 위한 방안에 대한 내용이므로 앞뒤 문장을 인과 관계로 연결하는 '그러므로'로 수정하는 것이 적절하다. 참고로 '이와 같이'는 앞서 말한 내용을 정리하여 재진술하고, 같은 방향의 논의를 전개해 나갈 때에 쓴다.

이것도 알면 합격
고쳐쓰기의 원칙에 대해 알아두자.

부가(보완)의 원칙	주제가 충분히 드러나지 않거나 중요한 내용이 서술되지 않은 경우 내용을 추가함
삭제의 원칙	주제에서 벗어나는 내용이나 중복되어 서술된 부분을 삭제함
재구성의 원칙	글의 순서나 제목과 주제, 제재의 연결이 어색한 경우 재배열함

16

[2020년 소방직 9급]

㉠~㉣을 고쳐 쓰기 위한 방안으로 적절하지 않은 것은?

사회가 발달하면서 화법과 작문의 윤리에 대한 관심과 요구가 점점 커지고 있다. 화법과 작문의 윤리를 잘 지키지 않으면 사회적 의사소통의 바탕이 되는 상호 신뢰가 깨질 수 있으므로 이를 준수하기 위해 ㉠노력한다.

㉡그런데 청자나 독자를 존중하고 배려하는 자세를 갖추어야 한다. 말을 하거나 글을 쓸 때에는 상대방의 인격을 모욕하거나 상대방에게 상처를 주는 언어 표현을 사용하지 않아야 한다. 상대방을 존중하고 배려하는 표현을 사용함으로써 화법과 작문의 윤리를 지킬 수 있다.

다음으로, 다른 사람의 글이나 아이디어 등을 표절하거나 도용하지 않아야 한다. 다른 사람의 글이나 아이디어 등을 인용할 때에는 저작자의 허락을 얻거나 인용의 출처를 ㉢제출해야 하며, 내용의 과장·축소·왜곡 없이 정확하게 인용해야 한다. 또한 출처를 명시하더라도 과도하게 인용하지 않아야 한다. 과도한 인용은 출처 명시와는 무관하게 화법과 작문의 윤리를 어기는 것이기 때문이다.

화법과 작문의 윤리를 준수한다면 화자나 필자는 청자나 독자로부터 더욱 큰 신뢰를 얻을 수 있다. 그러므로 화자나 필자는 화법과 작문의 윤리를 잘 인식하고 있어야 하며, 말을 하거나 글을 쓸 때 이를 ㉣지키고 준수하는 태도를 가져야 한다.

① ㉠: 문장의 호응을 고려하여 '노력해야 한다'로 수정한다.

② ㉡: 앞뒤 내용을 자연스럽게 이어 주지 못하므로 '우선'으로 바꾼다.

③ ㉢: 문맥을 고려하여 '생략'으로 교체한다.

④ ㉣: 뒤의 단어와 의미상 중복되므로 삭제한다.

17

[2017년 국가직 7급 (8월)]

㉠~㉣을 고쳐 쓰기 위한 방안으로 적절하지 않은 것은?

초등학교 앞에는 어린이 교통사고를 예방하기 위해 스쿨존이 지정되어 있다. 구청에서는 ㉠도로 노면에 노란색 띠줄을 표시하거나 ㉡어린이 보호 또는 속도 제한 표지판을 설치하여 운전자가 주의하도록 하고 있다. 그리고 많은 운전자들이 이를 지키지 않아 스쿨존에서 어린이 교통사고가 줄어들지 않고 있다. ㉢어린이 교통사고는 맑은 날 많이 일어난다고 한다. 어린이는 성인에 비해 판단력과 ㉣예지력(豫知力)이 떨어져서 위급한 사태에 대처하는 능력이 부족하다. 때문에 운전자들은 스쿨존에서 운전할 때는 더욱 주의해야 한다.

① ㉠: 의미가 중복되므로 '도로 노면'을 '노면'으로 수정한다.

② ㉡: 앞뒤 문장이 자연스럽게 연결되도록 '그리고'를 '그러나'로 수정한다.

③ ㉢: 중심 화제에서 벗어난 문장이므로 삭제한다.

④ ㉣: 문맥에 맞지 않으므로 '예지력(豫知力)'을 '추진력'으로 바꾼다.

18

[2017년 국가직 9급 (10월)]

다음 글을 고쳐 쓰기 위한 방안으로 적절하지 않은 것은?

산업 폐기물 처리장이 들어서게 될 지역 주민들도 그 시설의 필요성은 인정하고 있다. ㉠그리고 그런 시설이 자기 고장에 들어서는 것을 받아들이려는 사람은 많지 않다. ㉡그 필요성은 인정하지만, 내 고장에는 안 된다는 것이다. 이러한 태도는 공공의 이익을 외면하는 ㉢지역 이기주의에 다름 아니다. 잊지 말아야 할 사실은 폐기물 처리장 건설을 뒤로 미루면 그로 인한 피해가 결국 ㉣우리 모두에게 돌아온다. 나와 내 이웃이 공존할 수 있는 사회를 만들기 위해서는 지역 이기주의를 타파해야 한다.

① ㉠은 앞뒤 문장을 자연스럽게 연결하기 위해 '그러나'로 바꾼다.

② ㉡은 주제와 상관없는 내용이므로 문단의 통일성을 위해 삭제한다.

③ ㉢은 우리말답지 않은 표현으로 '지역 이기주의이다'로 순화한다.

④ ㉣은 주어와 호응하지 않으므로 '우리 모두에게 돌아온다는 것이다'로 고친다.

16   난이도 ★★☆

해설 ③ⓒ이 포함된 3문단의 중심 내용은 타인의 글이나 아이디어 등을 인용할 때 지켜야 할 윤리이다. 이때 ⓒ이 포함된 문장은 문맥상 타인의 저작물을 인용할 때 출처를 반드시 기재해야 한다는 것을 의미한다. 따라서 ⓒ을 '전체에서 일부를 줄이거나 뺌'을 의미하는 '생략'으로 교체하는 것은 적절하지 않다.

오답분석 ① ㉠이 포함된 문장은 화법과 작문 윤리를 지키지 않으면 상호 신뢰가 깨질 수 있으므로 이를 준수해야 한다고 주장하고 있다. 이때 문장의 호응을 고려하면 까닭을 나타내는 '-으므로' 뒤에는 주장을 나타내는 서술어 '-해야 한다'를 쓰는 것이 자연스러우므로 ①의 수정 방안은 적절하다.

② ㉡이 포함된 문장은 1문단에서 주장한 화법과 작문 윤리를 준수하기 위한 노력 중 하나를 제시하고 있다. 따라서 앞뒤 내용이 상반됨을 나타내는 '그런데'를 쓰는 것은 문맥상 적절하지 않다. 또한 뒤이은 3문단이 '다음으로'라는 접속어로 시작하므로 2문단의 접속어는 순서를 나타내는 '우선'으로 바꾸는 것이 적절하다.

④ ㉣은 뒤의 단어인 '준수하다'와 의미상 중복되므로 삭제하는 것이 적절하다.
- **준수하다**: 전례나 규칙, 명령 등을 그대로 좇아서 지키다.

17   난이도 ★☆☆

해설 ④ ㉣에는 문맥상 위급한 사태에 대처하는 능력을 뜻하는 단어가 와야 한다. 그런데 ㉣ '예지력'을 '추진력'으로 바꾸어도 여전히 문맥에 맞지 않으므로 ④는 고쳐 쓰기 위한 방안으로 적절하지 않다.
- **예지력(豫知力)**: 미래의 일을 미리 아는 능력
- **추진력(推進力)**: 1. 물체를 밀어 앞으로 내보내는 힘 2. 목표를 향하여 밀고 나아가는 힘

오답분석 ① ㉠ '도로 노면'에서 '도로'는 '사람, 차 등이 잘 다닐 수 있도록 만들어 놓은 비교적 넓은 길'을 의미하고, '노면'은 '길바닥'을 의미한다. 따라서 ㉠ '도로 노면'은 '길'이라는 의미가 중복되므로 '노면'으로 수정하는 것이 적절하다.

② ㉡의 두 문장 중 앞 문장은 표지판을 설치하여 운전자가 주의하도록 한다는 내용이고 뒤 문장은 많은 운전자들이 표지판의 법규를 지키지 않아 사고가 줄어들지 않는다는 내용이다. 따라서 앞뒤 내용이 상반되므로 접속 부사 '그러나'를 쓰는 것이 적절하다.

③ 제시문의 중심 화제는 '스쿨존 내 어린이 교통사고 예방'인데, ㉢은 '어린이 교통사고가 일어나는 날씨'를 언급하고 있어 중심 화제에서 벗어나므로 삭제하는 것이 적절하다.

18   난이도 ★☆☆

해설 ② 제시문은 지역 이기주의를 가진 주민들의 태도를 밝히고, 공공의 이익을 외면하는 지역 이기주의를 타파해야 한다고 말하고 있다. 이때 ㉡은 지역 이기주의를 가진 사람들의 태도를 나타내므로 문단의 통일성을 위해 삭제한다는 ②의 설명은 적절하지 않다.

오답분석 ① ㉠의 앞에는 산업 폐기물 처리장이 필요하다는 것을 지역 주민들이 인정한다는 내용이고 ㉠의 뒤에는 산업 폐기물 처리장이 자기가 사는 지역에 설치되는 것은 반대한다는 내용이므로, ㉠ '그리고'를 역접의 접속어 '그러나'로 바꾸는 것이 자연스럽다.

③ '~에 다름 아니다'는 일본어 번역 투 표현이므로 '지역 이기주의이다', '지역 이기주의나 다름없다' 등으로 고쳐 쓰는 것이 적절하다.

④ 주어부인 '잊지 말아야 할 사실은'과 서술부 '우리 모두에게 돌아온다'가 호응하지 않으므로 서술부를 '~는 것이다'로 고쳐 쓰는 것이 적절하다.

19

[2017년 지방직 9급 (12월)]

㉠~㉣의 고쳐 쓰기로 적절하지 않은 것은?

> 봄이면 어김없이 나타나 우리를 괴롭히는 황사가 본래 나쁘기만 한 것은 아니었다. ㉠황사의 이동 경로는 매우 다양하다. 황사는 탄산칼슘, 마그네슘, 칼륨 등을 포함하고 있어 봄철의 산성비를 중화시켜 토양의 산성화를 막는 역할을 했다. 또 황사는 무기물을 포함하고 있어 해양 생물에게도 도움을 줬다. ㉡그리고 지금의 황사는 생태계에 심각한 해를 끼치는 애물단지가 되어 버렸다. 이처럼 황사가 재앙의 주범이 된 것은 인간의 환경 파괴 ㉢덕분이다.
> 현대의 황사는 각종 중금속을 포함하고 있는 독성 황사이다. 황사에 포함된 독성 물질 중 대표적인 것으로 다이옥신을 들 수 있다. 다이옥신은 발암 물질이며 기형아 출산을 일으킬 수도 있는 것이다. 이러한 독성 물질을 다수 포함하고 있는 ㉣황사를 과거보다 자주 발생하고 정도도 훨씬 심해지고 있어 문제이다.

① ㉠은 글의 논리적인 흐름을 방해하고 있으므로 삭제한다.

② ㉡은 앞뒤 내용을 자연스럽게 연결해 주지 못하므로 '그러므로'로 바꾼다.

③ ㉢은 어휘가 잘못 사용된 것이므로 '때문이다'로 고친다.

④ ㉣은 서술어와 호응하지 않으므로 '황사가'로 고친다.

20

[2017년 지방직 7급]

다음 글의 고쳐 쓰기에 대한 설명으로 적절하지 않은 것은?

> ㉠'클래식 입문' – 두려워하지 마세요.
> 클래식이라고 하면 너무 어렵게 생각하는 사람들이 있다. 그러나 클래식은 결코 그런 것이 아니다. ㉡티케트를 구한 후 별도의 준비 없이도 공연 현장에서 곧바로 감상할 수 있는 것이 클래식이다.
> 물론 좀 더 쉽고 재미있게 즐기기 위해서는 어느 정도의 '예습'이 필요하다. 가장 좋은 방법은 공연장에 가기 전에 감상할 음악의 전곡(全曲) 음반을 구해 ㉢미리 들어볼 수 있어야 한다. 물론 작곡가나 연주자 그리고 지휘자 등에 대해 미리 살펴보는 것도 좋다. 같은 곡을 다른 사람이 연주한 것을 들어보는 것도 좋다.
> 그리고 공연장에서 연주가 끝날 때에는 뜨거운 갈채를 보낸다. 연주가 만족스럽게 느껴졌을 때도 박수를 칠 수 있다. 매우 감동한 경우에는 '앙코르!', '브라보!' 등의 환호를 보내도 ㉣올바르다.

① ㉠: 제목을 '클래식 예절 – 꼭 지켜야 할 것들'로 바꾸자.

② ㉡: '외래어 표기법'에 맞게 '티케트'를 '티켓'으로 고치자.

③ ㉢: 서술어를 '미리 들어 보는 것이다.'로 고쳐야겠어.

④ ㉣: '올바르다'는 '무방하다'로 바꾸는 것이 좋겠어.

21

[2017년 지방직 7급]

글의 통일성을 고려할 때, 삭제하는 것이 바람직한 문장은?

> '천재'라는 말은 18세기에 갑자기 영예로운 칭호가 되었다. 천재는 예술의 창조자이며, 예술의 창조는 과학처럼 원리나 법칙에 의거하지 않는다. ⊙과학은 인간의 이성과 감성 사이에 분열을 가져왔다. ⓒ예술에는 전래의 비방이 있을 수 없으며 있다 하더라도 전수될 수 없다. ⓒ예술가 스스로도 자신이 완성한 작품의 진정한 비밀이 무엇인지 명확히 알지 못한다. ⓔ마침내, 사람들은 천재라는 개념으로 예술 창조의 비밀을 표현하였다.

① ⊙ 　　　　　　　　② ⓒ

③ ⓒ 　　　　　　　　④ ⓔ

19

난이도 ★☆☆

해설 ② ⓒ의 앞에서는 황사가 토양의 산성화를 막고, 해양 생물에게 도움을 준다는 황사의 긍정적 효과를 설명하고 있다. 반면 ⓒ의 뒤에서는 황사가 생태계에 악영향을 준다는 부정적 효과에 대해 설명하고 있다. ⓒ을 기준으로 황사의 영향에 대한 관점이 상반되고 있으므로 ⓒ에는 역접의 접속어인 '그러나'가 들어가는 것이 적절하다.

오답분석 ① ⊙의 앞에서는 황사가 나쁘기만 한 것은 아니며, 황사에도 긍정적인 효과가 있음을 암시하고 있다. 이어서 ⊙의 뒤에서는 황사의 긍정적인 효과를 구체적으로 열거하고 있다. 황사의 이동 경로의 다양성을 이야기하는 문장 ⊙은 이러한 내용 전개의 논리적 흐름을 방해하므로 삭제하는 것이 적절하다.

③ 덕분이다(×) → 때문이다(○): ⓒ이 포함된 문장은 황사가 재앙의 주범이 되었다는 부정적 현상에 대한 내용이므로 '덕분이다'를 '때문이다'로 고쳐 쓰는 것이 적절하다.

④ 황사를(×) → 황사가(○): ⓔ은 서술어 '발생하고'와 '문제이다'에 호응하는 주어가 존재해야 하므로 '황사를'을 주격 조사가 결합한 '황사가'로 고쳐 쓰는 것이 적절하다.

20

난이도 ★☆☆

해설 ① 제시문은 클래식을 더 쉽고 재미있게 즐기기 위한 방법을 설명하고 있는데, 제목을 '클래식 예절 – 꼭 지켜야 할 것들'로 바꿀 경우 제목과 내용이 부합하지 않게 된다. 따라서 고쳐 쓰기에 대한 설명으로 적절하지 않은 것은 ①이다.

오답분석 ② 'ticket[tikit]'에서 단모음 다음의 어말 무성 파열음 [t]는 받침 'ㅅ'으로 적으므로 '티케트'를 '티켓'으로 고치는 것이 적절하다.

③ 주어부 '가장 좋은 방법은'과 서술부 '미리 들어볼 수 있어야 한다'가 호응되지 않으므로 서술부를 '미리 들어 보는 것이다'로 고치는 것이 적절하다.

④ 연주에 감동한 경우 환호를 보내도 괜찮다는 의미이므로 ⓔ '올바르다'를 '무방하다'로 바꾸는 것이 적절하다.

 • 무방하다: 거리낄 것이 없이 괜찮다.

21

난이도 ★★☆

해설 ① 제시문은 예술이 과학의 원리나 법칙에 의거하지 않는 특수성을 가지므로 예술의 창조자를 가리키는 '천재'가 영예로운 칭호가 되었다는 내용인데, ⊙은 과학이 초래한 결과에 대해 이야기하고 있으므로 글의 통일성에 위배된다. 따라서 ⊙은 삭제하는 것이 바람직하다.

22

[2016년 국가직 9급]

㉠~㉢을 고친 내용으로 적절하지 않은 것은?

> 자본주의 체제에서 모든 계층의 사람이 똑같이 많이 벌고 잘살기를 바랄 수는 없다. 어느 정도의 소득 격차는 경쟁을 유발하는 동기가 될 수 있다는 것을 부인할 수 없다. ㉠따라서 우리와 같은 양극화 현상의 심화 추세를 그대로 방치한 채 자연 치유되도록 기다릴 수만은 없다. 그동안 단편적인 대책이 나오기는 했으나 ㉡떡 먹은 입 쓸어 치듯 개선은 되지 않고 오히려 악화되어 가고 있음이 역력히 드러나고 있다.
>
> 과거의 실패를 거울삼아 저소득층 소득 향상을 통한 근본적인 빈부 격차 개선책을 제시하여 빈자에게 희망을 불어넣어야 한다. 그렇다고 고소득자와 대기업을 욕하거나 ㉢경원되어서는 안 된다. 무엇보다 기업 투자와 내수 경기를 일으키는 일이 긴요하다. 그래야 일자리가 생기고 서민 소득도 늘어나게 된다. ㉣또한 자본의 원활한 흐름을 위해 고소득층의 해외 소비 활동도 촉진해야 한다. 그리고 세제 개혁을 통한 재분배 정책을 추진할 필요가 있다. 세제만큼 유효한 재분배 정책 수단도 없다. 동시에 장기적인 관점에서 각 부문의 양극화 개선을 위해 경제 체질과 구조 개선을 서두르지 않으면 안 된다.

① ㉠ – 문맥에 맞도록 '그러나'로 수정한다.

② ㉡ – 의미가 통하도록 '아랫돌 빼서 윗돌 괴듯'으로 수정한다.

③ ㉢ – 어법에 맞도록 '경원을 사서는'으로 수정한다.

④ ㉣ – 문단의 통일성에 어긋나므로 삭제한다.

23

[2016년 지방직 9급]

다음 글을 고쳐 쓰기 위한 생각으로 적절하지 않은 것은?

> 창의적 사고는 기존의 사고방식을 ㉠돌파하는 데서 출발한다. 기본적으로 기존의 이론과 법칙을 비판적으로 살펴보고 자신만의 독창적 아이디어를 만들어 내는 일이 중요하다. ㉡그러나 이러한 창의적 사고가 단순히 개인의 독특함에서만 비롯되는 것은 아니다. 더욱 중요한 것은 창의적 사고가 사회적·문화적 환경과 적절한 교육을 통해 ㉢길러진다. 따라서 ㉣자신의 창의성을 계발하기 위해 주변의 사물을 비판적이고 새로운 시각으로 보는 노력을 게을리해서는 안 된다.

① ㉠: 단어의 쓰임이 어색하므로 '탈피하는'으로 고친다.

② ㉡: 앞뒤 문장을 자연스럽게 잇지 못하므로 '또한'으로 고친다.

③ ㉢: 주술 호응이 되지 않으므로 '길러진다는 점이다'로 고친다.

④ ㉣: 주장을 포괄하지 못하므로 '환경과 교육의 중요성'을 강조하는 내용으로 고친다.

22

난이도 ★★☆

해설 ③ ⓒ 경원되어서는(×) → 경원해서는/경원시해서는(○): '경원되어서는'은 목적어 '고소득자와 대기업을'과 호응하지 않으므로 목적어와 서술어의 호응이 자연스럽도록 서술어(ⓒ)를 '경원해서는/경원시해서는'으로 수정해야 한다.
- **경원하다(敬遠-):** 1. 공경하되 가까이하지는 않다. 2. 겉으로는 공경하는 체하면서 실제로는 꺼리어 멀리하다.
- **경원시하다(敬遠視-):** 겉으로는 가까운 체하면서 실제로는 멀리하고 꺼림칙하게 여기다.

오답분석 ① ㉠ 뒤에 앞의 내용과 반대되는 내용이 나오므로 역접의 기능을 가진 접속어 '그러나'로 수정하는 것이 적절하다. 접속어 '따라서'는 앞과 뒤의 내용을 원인과 결과의 관계로 이어 주는 기능을 한다.
② ㉡이 포함된 문장은 양극화 현상을 해결하기 위한 단편적 대책이 나오기는 했으나, 임시방편이었을 뿐이라는 내용이므로 ㉡은 '아랫돌 빼서 윗돌 괴듯'으로 수정하는 것이 적절하다.
- **아랫돌 빼서 윗돌 괴듯:** 일이 몹시 급하여 임시변통으로 이리저리 둘러맞추어 일함을 비유적으로 이르는 말
- **떡 먹은 입 쓸어 치듯:** 떡을 먹고도 안 먹은 듯이 입을 쓸어내며 시치미를 뚝 뗀다는 말

④ 2문단에서는 '양극화 현상을 해결하기 위한 방안'을 제시하고 있는데, ㉣의 내용은 '자본의 원활한 흐름을 위한 방안'이다. 따라서 문단의 통일성에 어긋나므로 삭제하는 것이 자연스럽다.

23

난이도 ★★☆

해설 ② ㉡ '그러나'의 앞 문장에서는 자신만의 독창적 아이디어가 중요하다고 언급하고, 뒤 문장에서는 창의적 사고가 개인의 독특함(독창적 아이디어)에서만 비롯되는 것이 아니라고 하였으므로, 상반되는 내용을 이어 주는 접속사 '그러나'로 앞뒤 문장을 잇는 것이 자연스럽다.

오답분석 ① 돌파하는(×) → 탈피하는(○): 첫 번째 문장은 창의적 사고가 기존의 사고방식을 벗어나는 데에서 출발한다는 의미이므로, '돌파(突破)하는' 대신 '탈피(脫皮)하는'으로 고쳐 쓰는 것이 적절하다.
- **탈피하다(脫皮-):** 일정한 상태나 처지에서 완전히 벗어나다.
- **돌파하다(突破-):** 1. 쳐서 깨뜨려 뚫고 나아가다. 2. 일정한 기준이나 기록 등을 지나서 넘어서다.

③ 더욱 중요한 것은 ~ 길러진다(×) → 더욱 중요한 것은 ~ 길러진다는 점이다(○): 주어부인 '더욱 중요한 것은'과 서술부인 '길러진다'가 호응되지 않으므로 서술부를 '~는 점이다'로 고쳐 쓰는 것이 적절하다.
④ ㉣의 앞 문장인 '창의적 사고가 사회적·문화적 환경과 적절한 교육을 통해 길러진다(는 점이다)'는 제시문의 중심 내용으로 필자가 주장하는 바이다. 따라서 주장하는 내용이 드러나도록 ㉣을 '환경과 교육의 중요성'을 강조하는 내용으로 고쳐 쓰는 것이 적절하다.

1. 화법의 기능

01

[2016년 국가직 7급]

다음 광고 문안에 포함된 담화의 기능이 아닌 것은?

> 이 선풍기는 바람을 차게 하는 장치가 부착되어 있습니다. 사람이 방 안에 없을 때에는 자동으로 멈춥니다. 그리고 물건이 와 닿으면 소리가 나서 어린이를 보호할 수가 있습니다. 일 년 이내에 고장이 나면 즉시 새 물건으로 교환해 드립니다.

① 호소 기능
② 정보 제공 기능
③ 약속 기능
④ 오락 기능

2. 화법의 전략

02

[2020년 국가직 7급]

다음에서 설명한 공감적 대화로 가장 적절한 것은?

> 대화는 화자와 청자 간에 이루어지는 상호 교섭적 행위이다. 공감적 대화를 하기 위해서는 상대방이 무엇을 생각하고 느끼고 필요로 하는지에 대해 귀 기울여 들을 수 있어야 한다. 진정한 공감은 상대방에게 잘못을 지적하거나 해결책을 제시하거나 조언을 해 주는 것이 아니라 상대방의 경험을 존중하고 이해해 주는 것이다.

① 가: 요즘 집중력이 떨어지는 것 같아.
　나: 음, 요즘 날씨 때문에 더 그렇지? 네가 중요하다고 생각하는 시기에 집중력이 떨어진다니 속이 상하겠구나.
② 가: 시험 날짜가 다가오니 불안한 마음이 들어.
　나: 안정감을 가져 봐. 많이 지쳐서 그럴 수 있으니 며칠 쉬면서 생각해 보면 어떨까?
③ 가: 계속 공부를 하니 지치는 것 같아.
　나: 몸이 지치면 공부를 하기가 더 힘들어지지. 고민만 하지 말고 좋은 방법을 찾아봐.
④ 가: 이번에는 좋은 결과가 나오지 않을 것 같아.
　나: 지금이 얼마나 중요한 시기인데 그런 얘길 하니? 마음을 다잡고 일단 최선을 다해 봤으면 좋겠구나.

03

[2021년 지방직 9급]

다음 대화에 대한 설명으로 적절한 것은?

> A: 지난번 제안서 프레젠테이션을 마친 후 "검토하고 연락드리겠습니다."라고 답변을 받았는데 아직 별다른 연락이 없어서 고민이에요.
> B: 어떤 연락을 기다리신다는 거예요?
> A: 해당 사업에 관하여 제 제안서를 승낙했다는 답변이 잖아요. 그런데 후속 사업 진행을 위해 지금쯤 연락이 와야 할 텐데 싶어서요.
> B: 글쎄요. 보통 그런 상황에서는 완곡하게 거절하는 의사 표현이라 볼 수 있어요. 그리고 해당 고객이 제안서 내용은 정리가 잘되었지만, 요즘 같은 코로나 시기에는 이전과 동일한 사업적 효과가 있을지 궁금하다고 말한 것을 보면 알 수 있죠.
> A: 네, 기억납니다. 하지만 궁금하다고 말한 것이지 사업을 수용하지 않는다는 것은 아니지 않나요? 답변을 할 때도 굉장히 표정도 좋고 박수도 쳤는데 말이죠. 목소리도 부드러웠고요.

① A와 B는 고객의 답변에 대해 제안서 승낙이라는 의미로 동일하게 이해한다.
② A는 동일한 사업적 효과가 있을지 궁금하다는 표현을 제안한 사업에 대한 부정적 평가라고 판단한다.
③ B는 고객이 제안서에 의문을 제기한 내용을 근거로 고객의 답변에 대해 판단한다.
④ A는 비언어적 표현을 바탕으로 하여 고객의 답변을 제안서에 대한 완곡한 거절로 해석한다.

01

난이도 ★★☆

해설 ④ 제시된 광고 문안에서 오락 기능은 확인할 수 없다.

오답분석
① 상품의 정보를 소비자에게 알림으로써 소비자가 상품을 구매하도록 호소하고 있다.

② 선풍기에 부착된 장치, 선풍기의 기능 등의 정보를 제공하고 있다.

③ 1년 이내에 고장이 나면 새 물건으로 교환해 준다고 하였으므로 약속의 기능을 확인할 수 있다.

02

난이도 ★☆☆

해설 ① 제시문을 통해 공감적 대화(듣기)는 상대방의 잘못을 지적하거나 상대방에게 해결책을 제시하고, 조언을 하는 것이 아니라 상대방의 말을 경청하며, 상대방의 경험을 존중하고 이해해 주는 것임을 알 수 있다. ①의 대화에서 '나'는 '가'의 감정을 이해하고 공감하는 모습을 보이고 있으므로 공감적 대화로 적절한 것은 ①이다.

오답분석 ② ③ ④ 모두 상대방의 잘못을 지적하거나 상대방에게 해결책을 제시하거나 조언을 하고 있으므로 제시문에서 설명한 공감적 대화로 적절하지 않다.

이것도 알면 합격

공감적 듣기에 대해 알아두자.

1. **개념**: 상대방의 관점에서 상대방을 이해하려는 열린 마음을 가지고, 감정을 이입하여 상대방의 말을 듣는 방법

2. **방법**

소극적인 들어주기	상대방이 계속 말을 이어갈 수 있도록 관심을 표현하거나 상대의 말에 맞장구를 쳐 주고 격려하는 방법
적극적인 들어주기	상대방이 객관적인 관점에서 문제에 접근할 수 있도록 상대방의 말을 요약, 정리하거나 스스로 문제를 해결할 수 있도록 돕는 방법

03

난이도 ★☆☆

해설 ③ B는 고객이 제안서를 보고 코로나 시기에도 이전과 동일한 사업적 효과가 있을지 의문을 제기한 것을 근거로, 고객이 완곡하게 거절 의사를 표현하였다고 판단한다.

오답분석
① '검토하고 연락드리겠습니다'라는 고객의 답변에 대해 A는 제안서를 승낙한 것이라고 이해한 반면에 B는 완곡하게 거절한 것으로 이해하고 있다.

② A가 마지막 발화에서 '궁금하다고 말한 것이지 사업을 수용하지 않는다는 것은 아니지 않나요?'라고 반문한 것으로 보아, A는 고객의 의문을 부정적 평가로 판단하지 않는다.

④ A는 고객의 비언어적 표현(표정, 박수, 목소리)을 언급하며, 고객이 제안서를 승낙한 것으로 해석하고 있다.

04

다음 대화에서 '정민'의 의사소통 방식으로 가장 적절한 것은?

> 상수: 요즘 짝꿍이랑 사이가 별로야.
>
> 정민: 왜? 무슨 일이 있었어?
>
> 상수: 그 애가 내 일에 자꾸 끼어들어. 사물함 정리부터 내 걸음걸이까지 하나하나 지적하잖아.
>
> 정민: 그런 일이 있었구나. 짝꿍한테 그런 말을 해 보지 그랬어.
>
> 상수: 해 봤지. 하지만 그때뿐이야. 아마 나를 자기 동생처럼 여기나 봐.
>
> 정민: 나도 그런 적이 있어. 작년의 내 짝꿍도 나한테 무척이나 심했거든. 자꾸 끼어들어서 너무 힘들었어. 네 얘기를 들으니 그때가 다시 생각난다. 그런데 생각을 바꿔 보니 그게 관심이다 싶더라고. 그랬더니 마음이 좀 편해졌어. 그리고 짝꿍과 솔직하게 얘기를 해 봤더니, 그 애도 자신의 잘못된 점을 고치더라고.
>
> 상수: 너도 그랬구나. 나도 생각을 바꾸려고 노력해 보고, 짝꿍하고 진솔한 대화를 나눠 봐야겠어.

① 상대방의 입장을 고려해 용서함으로써 갈등을 해결하고 있다.

② 자신의 경험을 들어 상대방이 해결점을 찾을 수 있도록 돕고 있다.

③ 상대방의 약점을 비판하면서 자신의 장점을 최대한 부각하고 있다.

④ 상대방이 말하는 내용을 경청하면서 그 타당성을 평가하고 있다.

05

다음 진행자 'A'의 대화 진행 전략으로 적절하지 않은 것은?

> A: 여러분, 안녕하세요? 한 지방 자치 단체가 의료 취약 계층을 위한 의약품 공급 정보망 구축 사업을 진행해 오고 있는데요. 오늘은 그 관계자 한 분을 모시고 말씀을 들어 보기로 하겠습니다. 과장님, 안녕하세요?
>
> B: 네, 안녕하세요.
>
> A: 의약품 공급 정보망이라는 말이 다소 생소한데 이게 무슨 말인가요?
>
> B: 네, 약국이나 제약 회사가 의약품을 저희에게 기탁하면, 이 약품을 필요한 사회 복지 시설이나 국내외 의료 봉사 단체에 무상으로 줄 수 있도록 연결하는 사이버 상의 네트워크입니다.
>
> A: 그렇군요. 그동안 이 사업에 성과가 있었다면 그럴 만한 이유가 있을 텐데요, 이에 대해 말씀해 주세요.
>
> B: 그렇습니다. 약국이나 제약 회사에서는 판매되지 않은 의약품을 기탁하고 세금 혜택을 받습니다. 그리고 복지 시설이나 봉사 단체에서는 필요한 의약품을 무상으로 지원받을 수 있습니다.
>
> A: 그렇군요. 혹시 이 사업에 걸림돌은 없나요?
>
> B: 의약품을 의사의 처방에 따라서 주는 것이 아니라 수요자가 요구하면 주는 방식이어서 전문 의약품을 제공하는 과정에 어려움이 있습니다. 처방전 발급을 부탁할 수도 없고…….
>
> A: 그러니까 앞으로 이런 문제를 해결하기 위한 제도 정비나 의료 전문가의 지원이 좀 더 필요하다는 말씀인 것 같군요. 끝으로 이 사업에 참여하려면 어떻게 해야 하나요?
>
> B: 그건 생각보다 쉽습니다. 저희 홈페이지에 접속하셔서 회원으로 가입하시면 기부하실 때나 받으실 때나 모두 쉽게 참여하실 수 있습니다.
>
> A: 네, 간편해서 좋군요. 모쪼록 이 의약품 공급 정보망 사업이 확대되어 국내외 의료 취약 계층에 많은 도움이 되기를 바랍니다. 감사합니다.

① 상대방의 말을 들었다는 반응을 보인다.

② 상대방의 대답에서 모순점을 찾아 논리적으로 대응한다.

③ 대화의 화제가 된 일을 홍보할 수 있는 대답을 유도한다.

④ 상대방의 말을 대화의 흐름에 맞게 해석하여 상대방의 말을 보충한다.

06

[2019년 국가직 9급]

토론자들의 말하기 방식에 대한 설명으로 적절한 것은?

> 사회자: 학교 폭력 문제가 나날이 심각해지고 있습니다. 이와 관련해 오늘은 '학교 폭력을 방관한 학생에게도 책임을 물어야 한다'를 주제로 토론을 해 보도록 하겠습니다. 먼저 찬성 측 말씀해 주시죠.
> 찬성 측: 친구가 학교 폭력에 의해 희생되고 있는데도 자신에게 피해가 올까 두려워 아무런 조치를 취하지 않는 학생들이 많다고 합니다. 이러한 행동으로 인해 학교 폭력은 점점 확산되고 있습니다. 학교 폭력을 행하는 것을 목격했음에도 어떤 조치도 취하지 않은 것은 폭력에 대해 묵시적으로 동의한 것과 같습니다. 폭력을 직접 행사 하는 행위뿐 아니라, 불의에 저항하지 않는 정의롭지 못한 행위에 대해서도 합당한 책임을 물어야 할 것입니다.
> 사회자: 다음으로 반대 측 의견 말씀해 주시죠.
> 반대 측: 특정 학생에게 폭력을 직접 행사해서 피해를 준 사실이 명백할 때에만 책임을 물을 수 있을 것입니다. 또한 사건에 대한 개입과 방관은 개인의 자율적 의지에 달린 문제이므로 외부에서 규제할 성질의 문제가 아닙니다.
> 사회자: 그럼 이번에는 반대 측부터 찬성 측에 대해 반론해 주시지요.
> 반대 측: 과연 누구까지를 학교 폭력의 방관자라고 규정지을 수 있을까요? 집에 가는 길에 우연히 폭력을 목격했을 경우, 자신의 친구로부터 폭력에 관련된 소문을 접했을 경우 등 방관자라고 규정하기에는 애매한 경우가 많습니다. 어떠한 행위를 처벌하려면 확고한 기준이 필요한데, 방관자의 범위부터 규정하기가 불명확하다고 볼 수 있습니다.
> 찬성 측: 불의를 방관한 행위에 대해 사회가 책임을 묻지 않는다면 이후로도 사람들은 아무런 죄책감 없이 불의를 모른 체하고 방관할 것입니다. 결국 이는 사회 전체의 건전성과 도덕성을 떨어뜨릴 것이고, 정의에 근거한 시민의 고발정신까지 약화시킬 것입니다.

① 찬성 측은 친숙한 상황을 빗대어 자신의 견해를 펼치고 있다.
② 찬성 측은 자신의 경험을 제시하여 논지를 보충하고 있다.
③ 반대 측은 윤리적 방법으로 해결책을 제시하고 있다.
④ 반대 측은 논제에 의문을 제기하여 주장을 강화하고 있다.

04

난이도 ★☆☆

해설 ② '정민'은 작년에 짝꿍과 사이가 좋지 않았던 자신의 경험을 바탕으로 '상수'가 직면한 문제를 해결할 수 있도록 돕고 있다. 따라서 답은 ②이다.

05

난이도 ★☆☆

해설 ② 진행자 'A'는 상대방인 'B'가 '의약품 공급 정보망 구축 사업'에 대한 여러 가지 정보를 제공할 수 있도록 질문하여 답변을 유도할 뿐, 'B'의 대답에서 모순점을 찾거나 이에 논리적으로 대응하는 모습은 보이지 않는다.

오답분석 ① 'A'는 '그렇군요', '네, 간편해서 좋군요'와 같이 답하는 것을 통해 상대방의 말을 듣고 있다는 반응을 보이고 있다.
③ 제시된 대화의 화제는 '의약품 공급 정보망 구축 사업'이다. 'A'는 화제와 관련된 용어의 개념, 사업 성과의 이유, 사업에 참여하는 방법 등을 질문하여 'B'가 진행하는 사업을 홍보할 수 있도록 대답을 유도하고 있다.
④ 'A'는 '의약품 공급 정보망 구축 사업'의 걸림돌에 대한 'B'의 답변 내용을 대화의 흐름에 맞게 해석하고 보충하고 있다.
[관련 부분] 그러니까 앞으로 이런 문제를 해결하기 위한 제도 정비나 의료 전문가의 지원이 좀 더 필요하다는 말씀인 것 같군요.

06

난이도 ★☆☆

해설 ④ 반대 측은 '학교 폭력을 방관한 학생에게도 책임을 물어야 한다'라는 논제에 대해 '과연 누구까지를 학교 폭력의 방관자라고 규정지을 수 있을까요?'라고 의문을 제기하며 학교 폭력을 방관한 학생에게 책임을 물을 수 없다는 주장을 강화하고 있다. 따라서 토론자들의 말하기 방식에 대한 설명으로 가장 적절한 것은 ④이다.

07

[2020년 군무원 7급]

다음 중 인성적 설득 전략에 해당하는 것은?

① 청자의 어떤 감정에 호소할 것인가?

② 신뢰성을 높이기 위해 어떤 태도로 말할 것인가?

③ 주장이 분명하고 근거가 이를 논리적으로 뒷받침하는가?

④ 구체적 사례, 객관적 통계 자료, 전문가의 의견 등을 어떻게 근거로 활용할 것인가?

08

[2019년 국가직 9급]

두 사람의 대화에 적용된 공감적 듣기의 방법이 아닌 것은?

> "수빈 씨, 나 처음 한 프레젠테이션인데 엉망이었어."
> "정말? 무슨 일이 있었는지 자세히 말해 봐."
> "너무 긴장해서 팀장님 질문에 대답을 못했어."
> "팀장님 질문에 대답을 못했구나. 처음 하는 프레젠테이션이라 정아 씨가 긴장을 많이 했나 보다."

① 수빈은 정아의 말에 자신이 주의 집중하고 있음을 보여 주고 있다.

② 수빈은 정아가 계속 말을 할 수 있도록 격려하고 있다.

③ 수빈은 정아의 혼란스러운 감정을 정아 스스로 정리하게끔 도와주고 있다.

④ 수빈은 정아의 말을 자신의 처지로 바꾸어 의미를 재구성하고 있다.

09

[2018년 지방직 9급]

다음 대화 상황에서 의사소통에 장애가 일어났다고 한다면, 그 이유로 가장 적절한 것은?

> 교사: 동아리 보고서를 오늘까지 내라고 하지 않았니?
> 학생1: 네, 선생님. 다정이가 다 가지고 있는데, 아직 안 왔어요.
> 교사: 이거, 큰일이네. 오늘이 마감인데.
> 학생1: 그러게요. 큰일이네요. 다정이가 집에도 없는 것 같아요.
> 학생2: 어떡해? 다정이 때문에 우리 모두 점수 깎이는 거 아니야? 네가 동아리 회장이니까 네가 책임져.
> 학생1: 아니, 뭐라고? 다정이가 보고서 작성하기로 지난 회의에서 결정한 거잖아.
> 교사: 자, 그만들 해. 이럴 때가 아니잖아. 어서 빨리 다정이한테 연락이나 해 봐. 지금 누구 잘잘못을 따질 상황이 아니야.
> 학생3: 제가 다정이 연락처를 아니까 연락해 볼게요.

① 교사가 권위적인 태도로 상황을 무마하려 하고 있다.

② 학생1이 자신의 책임을 면하기 위해 변명으로 일관함으로써 의사소통이 단절되고 있다.

③ 학생2가 대화 맥락을 고려하지 않고 끼어들어 책임을 언급함으로써 갈등이 생겨나고 있다.

④ 학생3이 본질과 관계없는 말을 언급함으로써 상황을 무마하려고 하고 있다.

10

[2018년 지방직 9급]

화자의 진정한 발화 의도를 파악할 때, 밑줄 친 부분을 고려하지 않아도 되는 것은?

> 일상 대화에서는 직접 발화보다는 간접 발화가 더 많이 사용되지만, 그 의미는 맥락에 의해 파악될 수 있다. 화자는 상대방이 충분히 그 의미를 파악할 수 있다고 판단될 때 간접 발화를 전략적으로 사용함으로써 의사소통을 원활하게 하기도 한다.

① (친한 사이에서 돈을 빌릴 때) 돈 가진 것 좀 있니?

② (창문을 열고 싶을 때) 애야, 방이 너무 더운 것 같구나.

③ (갈림길에서 방향을 물을 때) 김포공항은 어느 쪽으로 가야 합니까?

④ (선생님이 과제를 내주고 독려할 때) 우리 반 학생들은 선생님 말씀을 아주 잘 듣습니다.

07

난이도 ★★☆

해설 ② '인성적 설득 전략'은 화자의 사람 됨됨이와 메시지의 신뢰성을 바탕으로 청중을 설득하는 방법으로, 주제에 대한 경험, 전문성, 성실하고 진지한 태도로 청중의 신뢰를 얻는다. 따라서 '인성적 설득 전략'에 해당하는 것은 ②이다.

오답분석 ① '감성적 설득 전략'에 해당한다.
③④ '이성적 설득 전략'에 해당한다.

 이것도 알면 **합격**

아리스토텔레스의 3가지 설득 전략을 알아두자.

인성적 설득 전략 (Ethos)	화자의 사람 됨됨이와 그가 전하는 메시지에 대한 신뢰성을 바탕으로 청중을 설득하는 인격적 설득 방법에 기반을 둔 전략
감성적 설득 전략 (Pathos)	청중의 욕망과 분노심, 자긍심, 동정심 등과 같은 감정에 호소하여 청중의 마음을 움직이는 감성적 설득 방법에 기반을 둔 전략
이성적 설득 전략 (Logos)	논리적이고 이성적인 방법으로 화자의 주장을 뒷받침하는 전략. 연역적·귀납적 주장, 전문가의 말이나 공신력 있는 기관의 통계 자료를 인용하는 등의 방법을 활용함

08

난이도 ★★☆

해설 ④ 수빈은 정아의 말에 공감하며 마음을 위로할 뿐, 정아의 말을 자신의 처지로 바꾸어 의미를 재구성하고 있지는 않으므로 ④의 설명은 적절하지 않다.

오답분석 ① '정말?'과 같이 맞장구치는 표현과 '팀장님 질문에 대답을 못했구나'와 같이 상대의 말을 재진술하는 표현을 통해 수빈은 정아의 말에 주의 집중하고 있음을 알 수 있다.
② '무슨 일이 있었는지 자세히 말해 봐'를 통해 수빈은 정아가 계속해서 말을 할 수 있도록 격려하고 있음을 알 수 있다.
③ '처음 하는 프레젠테이션이라 정아 씨가 긴장을 많이 했나 보다'를 통해 수빈은 정아가 긴장한 원인을 추측하여 위로함으로써 혼란스러운 감정을 스스로 정리하게끔 도와주고 있음을 알 수 있다.

09

난이도 ★★☆

해설 ③ 제시된 대화는 보고서 마감 당일에 담당자인 '다정'이 오지 않은 것에 대한 선생님과 학생들의 이야기를 다루고 있다. 그런데 '학생2'는 '학생1'이 회장이기 때문에 책임져야 한다고 하며 대화 맥락에 맞지 않는 언급을 하고 있다. 따라서 답은 ③이다.

오답분석 ① 교사는 학생들의 싸움을 저지하고 보고서를 가지고 있는 '다정'에게 연락을 해보라는 방안을 제시함으로써 상황을 해결하려 하고 있다. 따라서 교사가 권위적인 태도로 상황을 무마하려 한다는 설명은 적절하지 않다.
② 동아리 회장인 '학생1'은 회장이기 때문에 책임을 지라는 '학생2'의 말에 보고서 작성자를 회의를 통해 결정한 사실을 밝히고 있다. 따라서 '학생1'이 책임을 면하기 위해 변명으로 일관했다는 설명은 적절하지 않다.
④ '학생3'은 교사의 말에 따라 보고서를 가지고 있는 '다정'에게 연락하고자 하므로 '학생3'이 본질과 관계없는 말을 언급하여 상황을 무마한다는 설명은 적절하지 않다.

10

난이도 ★★☆

해설 ③ 제시문의 밑줄 친 '맥락'을 고려하지 않아도 되는 것은 발화 의도가 겉으로 드러나는 직접 발화이다. ③은 공항을 가는 방향을 직접적으로 묻는 질문이므로 간접 발화가 아닌 직접 발화에 해당한다.

오답분석 ① '돈을 빌려달라'는 의도가 담긴 간접 발화에 해당하므로 발화 맥락을 고려해야 한다.
② '창문을 열어달라'는 의도가 담긴 간접 발화에 해당하므로 발화 맥락을 고려해야 한다.
④ '과제를 해라'라는 의도가 담긴 간접 발화에 해당하므로 발화 맥락을 고려해야 한다.

11

진행자의 말하기 방식에 대한 설명으로 적절하지 않은 것은?

> 진행자: 안녕하십니까? 오늘은 고령자의 운전면허 자진 반납 제도에 대해 홍○○ 교수님 모시고 말씀 들어 보겠습니다.
>
> 홍 교수: 네, 반갑습니다.
>
> 진행자: 나와 주셔서 감사합니다. 우선 이 제도가 어떤 제도인가요?
>
> 홍 교수: 지자체마다 조금씩 다르기는 하지만 고령 운전 자들이 운전면허를 자발적으로 반납하게 유도하여 고령 운전자에 의한 교통사고를 줄이고자 하는 제도입니다.
>
> 진행자: 고령 운전자에 의한 교통사고가 심각한가요? 뒷받침할 만한 자료가 있나요?
>
> 홍 교수: 네. 도로교통공단의 통계에 따르면, 전체 교통 사고 대비 고령 운전자에 의한 교통사고 비율이 2014 년에는 9.0%였으나 매년 조금씩 증가하여 2017년에는 12.3%를 차지하고 있습니다.
>
> 진행자: 그렇군요. 아무래도 고령화 사회로 진입하다 보니 전체 운전자 중에서 고령 운전자에 해당하는 비율이 늘었기 때문인 것 같은데요.
>
> 홍 교수: 네, 그렇습니다. 이전보다 차량 성능이 월등히 좋아진 점도 하나의 요인이 될 것입니다.
>
> 진행자: 그렇다고 해도 무작정 운전면허를 반납하라고만 할 수는 없을 테고, 뭔가 보완책이 있나요?
>
> 홍 교수: 네. 지자체마다 차이가 있지만 소정의 교통비를 지급함으로써 대중교통 이용을 권장하고 있습니다.
>
> 진행자: 취지 자체만으로는 긍정적으로 평가할 수 있을 것 같은데, 혹시 제도 시행상의 문제점은 없나요?
>
> 홍 교수: 일회성이 문제라고 생각합니다.
>
> 진행자: 아, 운전면허를 반납한 당시에만 교통비가 한 차례 지원된다는 말씀이군요.
>
> 홍 교수: 네. 이분들이 더 이상 운전을 하지 않아도 이동 권을 확보할 수 있도록 지속적인 지원이 이루어져야 이 제도가 효과를 얻을 수 있습니다.
>
> 진행자: 그에 더해 장기적으로는 고령자 친화적인 대중 교통 인프라를 구축하는 일도 필요할 듯합니다. 교수님, 오늘 말씀 감사합니다.

① 상대방의 의견이 합리적이지 않음을 지적하며 인터뷰를 마무리 짓는다.

② 상대방이 인용한 통계 자료에 대해 자기 나름대로의 해석을 제시한다.

③ 상대방이 제시한 정보 이외에 추가적인 정보를 요구한다.

④ 상대방에게 해당 제도의 시행 배경에 대한 객관적인 근거를 요구한다.

12

진행자의 말하기 방식에 대한 이해로 가장 적절한 것은?

> 진행자: 최근 사회적으로 이슈가 되고 있는 노키즈 존 (No Kids Zone)에 대한 의견을 들어 보겠습니다. 먼저, 한국 대학교 홍○○ 교수입니다. 안녕하세요? 우선 노키즈 존이 정확하게 뭔가요?
>
> 홍 교수: 사업체마다 조금씩 다르긴 하겠지만 특정 연령 이하 아이들의 출입을 제한하는 공간을 말합니다.
>
> 진행자: 공공 목적을 가진 곳에서는 그럴 수도 있겠다 싶지만, 상업 시설에서도 그런가요?
>
> 홍 교수: 네. 음식점이나 카페 같은 곳도 해당됩니다. 서비스의 형평성 문제나 불만으로 인해 전체 매출에 좋지 않은 영향을 끼치는 걸 미연에 방지하고자 하는 거죠.
>
> 진행자: 아, 어린이 동반 손님을 받다 보면 오히려 다른 손님들을 더 많이 못 받을 수 있다?
>
> 홍 교수: 네. 아무래도 경영을 하시는 분 입장에서는 그런 취지겠죠.
>
> 진행자: 피해가 발생하니까 이런 생각을 하시는 것이겠지만 언뜻 특정인들을 위한 전용 버스 운행과 같이 또 다른 차별의 예를 떠올리게 하네요.
>
> 홍 교수: 많은 분들이 걱정하는 것도 그 부분입니다. 한국 사회가 시장주의 위주로 성장해 오면서 특정 집단에 대한 차별 같은 부분은 깊이 생각해 오지 못한 것은 아닌가 합니다.
>
> 진행자: 네, 그렇군요. 물론 특정 집단의 차별에 대해 일부 사람들 때문에 피해를 경험했던 분들은 다른 생각을 하실 수도 있을 것 같습니다. 교수님, 오늘 말씀 감사합니다.

① 상대방의 발언에 직극 동조하며 다음 인터뷰를 기약한다.

② 예상되는 반론 가능성을 차단하며 자기의 주장을 관철한다.

③ 사례를 언급하며 상대방이 생각을 더 할 수 있도록 유도한다.

④ 지속적인 질문을 통해 상대방의 태도에 문제가 있음을 환기시킨다.

13

[2018년 지방직 7급]

다음 글에서 토의 참여자의 말하기 방식에 대한 이해로 가장 적절한 것은?

> 사회자: 우리나라의 교통 체증 문제는 매우 심각합니다. 이에 대한 해결 방안을 마련하고자 여러 분야의 권위자를 모셨습니다. 각자의 의견을 말씀해 주시겠습니까?
>
> 김 국장: 교통 체증 문제는 승용차 10부제 실시로 해결할 수 있지 않을까요?
>
> 윤 사장: 그것은 사업자 입장에서 아주 불만스러운 제도입니다. 재정이 좋은 사업자는 번호판이 다른 차를 하나 더 구입하면 되겠지만, 영세한 사업자들은 그렇게 하기 힘듭니다.
>
> 박 위원: 버스 전용 차로제가 어떨까요? 이 제도가 잘 활용되면 승용차 이용자도 출퇴근 시간에 대중교통 수단을 이용할 것입니다.
>
> 김 국장: 승용차 10부제가 실시되면 대중교통을 이용하는 사람이 늘 것으로 기대됩니다. 승용차 이용을 제한하지 않고서는 교통 체증 문제를 해결하기 어렵습니다.
>
> 윤 사장: 자본주의 국가에서 재산권의 침해가 과연 옳은지 생각해 봐야 합니다.
>
> 사회자: 서로 주장을 조금씩 양보하면 어떨까요? 예를 들어, 승용차 10부제에서 상업용은 제외하는 방안이 그것입니다.
>
> 윤 사장: 상업용 승용차가 따로 있는 것은 아니지요. 사업하는 사람이 타고 다니는 승용차는 어떤 의미에서 다 상업용이지요.
>
> 김 국장: 어려움을 같이 감수해야 합니다. 모두 손해를 보지 않겠다고 한다면 어떤 해결 방안도 찾기 어렵습니다.
>
> 박 위원: 두 분 말씀 모두 일리가 있다고 생각합니다. 대중교통 이용이 승용차 이용보다 훨씬 편리하다고 생각 하면 굳이 승용차를 이용하지 않을 것입니다. 명절 귀성길에 시행했던 고속버스 전용 차로제의 효과가 그것을 증명합니다.
>
> 사회자: 버스 전용 차로제에 대해서는 이의가 없군요. 이번 토의는 좋은 방안을 생각해 보자는 데 그 의의를 두었습니다. 승용차 10부제와 같이 미진한 안건에 대해서는 다음 번에 논의하도록 하겠습니다. 감사합니다.

① 사회자: 참여자의 의견을 수용하여 주제를 전환하고 있다.

② 김 국장: 상대방의 주장을 수긍하면서도 자신의 생각을 적극적으로 관철하고자 한다.

③ 윤 사장: 당면한 문제점을 부각하면서 타협의 가능성을 열어놓고 있다.

④ 박 위원: 참여자의 의견을 경청하며 구체적인 대안을 제시하고 있다.

11

난이도 ★☆☆

해설 ① 진행자는 '고령자 친화적인 대중교통 인프라 구축의 필요성'에 대해 언급하며 인터뷰를 마무리하고 있을 뿐 상대방의 의견이 합리적이지 않음을 지적하고 있지 않다.

오답분석

② 진행자는 네 번째 말에서 상대방인 홍 교수가 인용한 고령 운전자에 의한 교통사고 비율 통계 자료에 대해 전체 운전자 중에서 고령 운전자에 해당하는 비율이 늘었기 때문인 것 같다는 자기 나름대로의 해석을 제시하고 있다.

③ 진행자는 다섯 번째 말에서 '뭔가 보완책이 있나요?'와 같이 물으며 상대방인 홍 교수가 제시한 정보 이외에 추가적인 정보를 요구하고 있다.

④ 진행자는 세 번째 말에서 '뒷받침할 만한 자료가 있나요?'와 같이 물으며 상대방인 홍 교수에게 고령자의 운전면허 자진 반납 제도 시행 배경에 대한 객관적인 근거를 요구하고 있다.

12

난이도 ★★☆

해설 ③ 진행자는 네 번째 발언에서 '특정인들을 위한 전용 버스 운행'을 차별의 사례로 언급하였다. 이를 통해 홍 교수의 '특정 집단에 대한 차별 같은 부분은 깊이 생각해 오지 못한 것은 아닌가 합니다'라는 발언을 이끌어 내었으므로 ③은 진행자의 말하기 방식을 이해한 것으로 가장 적절하다.

오답분석

① 진행자는 홍 교수의 발언에 적극 동조하기보다는 '노키즈 존이 정확하게 뭔가요?', '상업 시설에서도 그런가요?' 등의 질문을 통해 답변을 유도하고 있다. 또한 다음 인터뷰를 기약한 부분도 찾아볼 수 없다.

②④ 예상되는 반론 가능성을 차단하여 자기의 주장을 관철한 부분과 상대방의 태도에 문제가 있음을 환기시킨 부분은 찾아볼 수 없다.

13

난이도 ★★☆

해설 ④ '박 위원'은 토의 참여자인 '김 국장'과 '윤 사장'의 의견을 경청하면서 '버스 전용 차로제' 시행이라는 구체적인 대안을 제시하고 있다. 따라서 토의 참여자의 말하기 방식에 대한 이해로 가장 적절한 것은 ④이다.

오답분석

① '사회자'는 참여자들의 의견을 수용하여 승용차 10부제에서 상업용은 제외하는 방안을 제안하였다. 그러나 이는 대안을 제시한 것일 뿐, 주제를 전환한 것은 아니다.

② '김 국장'은 교통 체증을 해결하기 위해서는 개인의 승용차 이용을 제한할 수밖에 없다는 자신의 생각을 적극적으로 관철하고자 한다. 그러나 개인의 승용차 제한을 반대하는 상대의 주장을 수긍하고 있지는 않다.

③ '윤 사장'은 상대방이 제시한 해결 방안에 대해 자신의 의견을 말 할 뿐, 당면한 문제인 '우리나라의 교통 체증 문제'를 부각하고 있지는 않다. 또한, 타협안을 제시하는 사회자의 대안에도 불구하고 자신의 의견만을 이야기하는 것으로 보아, 타협의 가능성을 열어놓고 있는 것도 아님을 알 수 있다.

14

[2016년 국가직 9급]

다음 대담에 대한 설명으로 적절하지 않은 것은?

> 진행자: 오늘은 우리의 전통 선박에 대해 재미있게 설명한 책인 《우리나라 배》에 대해 교수님과 이야기를 나눠 보겠습니다. 김 교수님, 우리나라 전통 선박에 담긴 선조들의 지혜를 설명한 책 내용이 참 흥미롭던데요, 구체적인 사례 하나만 소개해 주시겠습니까?
>
> 김 교수: 판옥선에 담긴 선조들의 지혜를 소개해 드릴까 합니다. 혹시 판옥선에 대해 들어 보셨나요?
>
> 진행자: 자세히는 모르지만 임진왜란 때 사용된 선박이라고 들었습니다.
>
> 김 교수: 네, 판옥선은 임진왜란 때 활약한 전투함인데, 우리나라 해양 환경에 적합한 평저 구조로 만들어졌습니다.
>
> 진행자: 아, 그렇군요. 교수님, 평저 구조가 무엇인지 말씀해 주시겠습니까?
>
> 김 교수: 네, 그건 밑부분이 넓고 평평하게 만든 구조입니다. 그 때문에 판옥선은 수심이 얕은 바다에서는 물론, 썰물 때에도 운항이 가능했죠. 또한 방향 전환도 쉽게 할 수 있었습니다.
>
> 진행자: 결국 섬이 많고 수심이 얕으면서 조수 간만의 차가 큰 우리나라 바다 환경에 적합한 구조라는 말씀이시군요?
>
> 김 교수: 네, 그렇습니다.
>
> 진행자: 선조들의 지혜가 참 대단합니다. 이런 특징을 가진 판옥선이 전투 상황에서는 얼마나 위력적이었는지 궁금한데, 더 설명해 주시겠습니까?

① 진행자는 김 교수에게 추가 설명을 요청하고 있다.
② 김 교수는 진행자의 의견에 동조하며 자신의 견해를 수정하고 있다.
③ 김 교수는 진행자의 부탁에 따라 소개할 내용을 선정하여 제시하고 있다.
④ 진행자는 김 교수의 설명을 듣고 자신의 이해가 맞는지 질문을 하고 있다.

15

[2017년 지방직 9급 (12월)]

다음 글을 참고할 때, 〈보기〉에서 아이의 말에 대한 엄마의 말이 '반영하기'에 해당하는 것은?

> 적극적인 듣기의 방법에는 '요약하기'와 '반영하기'가 있다. 화자가 자신의 상태에 대해 직접적으로 말하는 경우에는 요약하기와 같은 재진술이 가능하지만 그렇지 않으면 불가능하다. 한편 반영하기는 상대의 생각을 수용하고 상대의 현재 상태에 감정 이입을 하여 의미를 재구성하는 방법으로, 상대를 이해하고 있다는 청자의 적극적인 표현이기 때문에 원활한 의사소통에 도움이 된다.

> ───── 〈보기〉 ─────
>
> 아이: 엄마, 모레가 시험인데 내일 꼭 치과에 가야 하나요?
>
> 엄마: _____

① 너, 치과에 가기가 싫어서 그러지?
② 네가 치료보다 시험에 집중하고 싶구나.
③ 내일 꼭 치과에 가야 하는지가 궁금했구나.
④ 약속은 지켜야 하는 거니까 치과에 가야겠지.

3. 화법의 원리

16

[2020년 지방직 9급]

다음 대화에서 밑줄 친 부분의 표현 효과에 대한 설명으로 적절한 것은?

> 김 대리: 늦어서 죄송합니다. 일이 좀 많았습니다.
>
> 이 부장: 괜찮아요. <u>오랜만에 최 대리하고 오붓하게 대화도 나누고 시간 가는 줄 몰랐네요.</u> 허허허.
>
> 김 대리: 박 부장님은 오늘 못 나오신다고 전해 달라셨어요.
>
> 이 부장: 그럼, 우리끼리 출발합시다.

① 자신과 상대방의 의견 차이를 최소화한다.
② 상대방에게 부담이 되는 표현을 최소화한다.
③ 화자 자신에게 혜택을 주는 표현을 최소화한다.
④ 상대방에 대한 비방을 최소화하고 칭찬을 최대화한다.

14

난이도 ★☆☆

해설 ② 김 교수의 마지막 말에서 진행자의 의견(판옥선의 평저 구조는 우리나라 바다 환경에 적합함)에 '네'라고 대답하며 동조하는 것은 확인할 수 있으나, 자신의 견해를 수정하는 모습은 나타나 있지 않으므로 ②는 적절하지 않다.

오답분석 ① 진행자의 첫 번째, 세 번째, 마지막 말에서 진행자가 질문을 통해 김 교수에게 추가 설명을 요청하고 있음을 확인할 수 있다.

[관련 부분]
• 구체적인 사례 하나만 소개해 주시겠습니까?
• 교수님, 평저 구조가 무엇인지 말씀해 주시겠습니까?
• 이런 특징을 가진 판옥선이 전투 상황에서는 얼마나 위력적이었는지 궁금한데, 더 설명해 주시겠습니까?

③ 우리나라 전통 선박에 담긴 선조들의 지혜에 해당하는 사례를 소개해 달라는 진행자의 부탁에 따라, 김 교수는 소개할 내용을 '판옥선'으로 선정하여 제시하고 있다.

④ 진행자가 평저 구조에 대한 김 교수의 설명을 듣고 질문함으로써, 자신의 이해가 맞는지 확인하고 있다.

[관련 부분] 결국 섬이 많고 수심이 얕으면서 조수 간만의 차가 큰 우리나라 바다 환경에 적합한 구조라는 말씀이시군요?

15

난이도 ★☆☆

해설 ② 제시문의 설명에 따르면 '반영하기'는 상대의 생각을 수용하고 상대의 현재 상태에 감정 이입을 하여 의미를 재구성하는 방법이다. 〈보기〉에 제시된 아이의 말에는 시험을 앞두고 있어서 치과에 가기 싫다는 생각이 담겨 있다. 이러한 아이의 생각을 수용하고 감정 이입하여 의미를 재구성한 것은 ②이다.

오답분석 ① 아이의 생각을 부분적으로 수용하였으며, 아이의 현재 상태에 감정 이입하지 않은 대답이다.

③ 아이의 현재 상태에 감정 이입하려고 하였으나, 아이의 생각을 제대로 파악하지 못한 채 수용한 대답이다.

④ 치과에 가기 싫어하는 아이의 생각을 수용하지 않았으며, 아이의 현재 상태에도 감정 이입하지 않은 대답이다.

16

난이도 ★☆☆

해설 ② 제시된 대화는 김 대리가 약속 시간에 늦어 이 부장과 최 대리에게 사과를 하고 있는 상황임을 보여 준다. 밑줄 친 부분에서 이 부장은 김 대리를 기다리는 동안 최 대리와 대화를 나눌 수 있었다며 상대(김 대리)에게 부담을 주는 표현을 최소화하고 있다. 따라서 답은 공손성의 원리 중 '요령의 격률'에 해당하는 ②이다.

오답분석 ① 자신과 상대방의 의견 차이를 최소화하는 것은 '동의의 격률'이다.

③ 화자 자신에게 혜택을 주는 표현을 최소화하는 것은 '관용의 격률'이다.

④ 상대방에 대한 비방을 최소화하고 칭찬을 최대화하는 것은 '칭찬의 격률'이다.

17

[2021년 국가직 9급]

㉠~㉣은 '공손하게 말하기'에 대한 설명이다. ㉠~㉣을 적용한 B의 대답으로 적절하지 않은 것은?

> ㉠ 자신을 상대방에게 낮추어 겸손하게 말해야 한다.
> ㉡ 상대방의 처지를 고려하여 상대방이 부담을 갖지 않도록 말해야 한다.
> ㉢ 상대방이 관용을 베풀 수 있도록 문제를 자신의 탓으로 돌려 말해야 한다.
> ㉣ 상대방의 의견에서 동의하는 부분을 찾아 인정해 준 다음에 자신의 의견을 말해야 한다.

① ㉠ ┌ A: "이번에 제출한 디자인 시안 정말 멋있었어."
　　　└ B: "아닙니다. 아직도 여러모로 부족한 부분이 많습니다."

② ㉡ ┌ A: "미안해요. 생각보다 길이 많이 막혀서 늦었어요."
　　　└ B: "괜찮아요. 쇼핑하면서 기다리니 시간 가는 줄 몰랐어요."

③ ㉢ ┌ A: "혹시 내가 설명한 내용이 이해 가니?"
　　　└ B: "네 목소리가 작아서 내용이 잘 안 들렸는데 다시 한 번 크게 말해 줄래?"

④ ㉣ ┌ A: "가원아, 경희 생일 선물로 귀걸이를 사주는 것은 어때?"
　　　└ B: "그거 좋은 생각이네. 하지만 경희의 취향을 우리가 잘 모르니까 귀걸이 대신 책을 선물하는 게 어떨까?"

18

[2017년 국가직 7급 (8월)]

다음에서 설명한 '겸양의 격률'을 사용한 대화문은?

> '공손성의 원리'는 대화 참여자들 사이에서 공손하고 예의 바르게 말을 주고받는 태도를 중시하는 이론이다. 이 원리는 '요령', '관용', '찬동', '겸양', '동의'의 격률로 구성되어 있는데, 이 중 우리 선조들은, 상대방의 칭찬을 그대로 받아들이기보다는 자신을 낮추어 말하는 것을 미덕으로 여긴 '겸양의 격률'을 중요하게 생각했다.

① 가: 집이 참 좋네요. 구석구석 어쩌면 이렇게 정돈이 잘 되어 있는지…. 사모님 살림 솜씨가 대단하신데요.
　나: 그렇게 말씀해 주시니 고맙습니다.

② 가: 정윤아, 날씨도 좋은데 우리 놀이공원이나 갈래?
　나: 놀이공원? 좋지. 그런데 나는 오늘 뮤지컬 표를 예매해 둬서 어려울 것 같아.

③ 가: 제가 귀가 안 좋아서 그러는데 죄송하지만 조금만 더 크게 말씀해 주시겠어요?
　나: 제 목소리가 너무 작았군요. 죄송합니다.

④ 가: 유진아, 너는 노래도 잘하고 운동도 잘하고 못하는 게 없구나.
　나: 아니에요. 특별히 잘하는 것도 없는데요. 아직 많이 부족합니다.

19

[2016년 국가직 9급]

다음 글을 근거로 할 때, 〈보기〉의 대화에서 ㉡의 대답이 갖는 특징으로 적절하지 않은 것은?

그라이스(Grice)는 원활한 대화 진행을 위한 요건으로 네 가지의 '협력의 원리'를 제시한 바 있다. 첫째, 주고받는 대화의 목적에 필요한 만큼만 정보를 제공하고 필요 이상의 정보를 제공하지 말라는 양의 격률이다. 둘째, 진실한 정보만을 제공하도록 노력하고 증거가 불충한 것은 말하지 말라는 질의 격률이다. 셋째, 해당 대화 맥락과 관련되는 말을 하라는 관련성의 격률이다. 넷째, 모호하거나 중의적인 표현을 피하고 간결하고 조리 있게 말하라는 태도의 격률이다. 그러나 모종의 효과를 위해 이 네 가지의 격률을 위배하는 일은 일상 대화에서 빈번하게 이루어지는데, 일반적으로 언중들은 그것을 자연스럽게 받아들일 뿐 아니라 때에 따라서는 협력의 원리를 지키는 것이 예의에 어긋난 경우도 많다.

〈보기〉

대화(1) ㉠: 체중이 얼마나 되니?
　　　　㉡: 55kg인데 키에 비해 가벼운 편입니다.
대화(2) ㉠: 얼마 전 시민 운동회가 있었다며?
　　　　㉡: 응. 백 미터 달리기에서 비행기보다 빠른 사람을 봤어.
대화(3) ㉠: 너 몇 살이니?
　　　　㉡: 형이 열일곱 살이고, 저는 열다섯 살이지요.
대화(4) ㉠: 점심은 뭐 먹을래?
　　　　㉡: 생각해 보고 마음 내키는 대로요.

① 대화(1): 관련성의 격률을 위배하였다.
② 대화(2): 질의 격률을 위배하였다.
③ 대화(3): 양의 격률을 위배하였다.
④ 대화(4): 태도의 격률을 위배하였다.

17

난이도 ★☆☆

해설 ③ ㉢은 공손성의 원리 중 '관용의 격률'에 대한 설명이다. ③에서 B는 상대방인 A의 목소리가 작아서 내용이 잘 안 들렸다고 말하며 문제를 상대방의 탓으로 돌리고 있으므로 ㉢에서 설명하는 '관용의 격률'이 적용되지 않은 대답이다.

오답분석 ① ㉠은 공손성의 원리 중 '겸양의 격률'에 대한 설명이다. ①의 B는 자신을 칭찬하는 A에게 자신이 여러모로 부족한 부분이 많다고 말하며 자신을 낮추어 겸손하게 대답하고 있으므로 ㉠에 해당한다.

② ㉡은 공손성의 원리 중 '요령의 격률'에 대한 설명이다. ②의 B는 약속 시간에 늦은 A에게 쇼핑을 하며 기다리니 시간 가는 줄 몰랐다고 말하며 상대방의 부담을 덜어주고 있으므로 ㉡에 해당한다.

④ ㉣은 공손성의 원리 중 '동의의 격률'에 대한 설명이다. ④의 B는 경희의 생일 선물을 제안하는 A의 의견에 먼저 동의한 후 자신의 생각을 말하고 있으므로 ㉣에 해당한다.

18

난이도 ★☆☆

해설 ④ '가'의 칭찬에 대해 '나'는 아직 자신이 많이 부족하다고 말하며 자신을 낮추고 있다. 따라서 '겸양의 격률'을 사용한 대화문은 ④이다.

오답분석 ① '가'는 '나'의 살림 솜씨를 칭찬하고 있으므로 '찬동(칭찬)의 격률'을 사용하였다.

② '나'는 먼저 놀이공원에 대해 긍정적으로 반응함으로써 '가'의 의견과 일치점을 극대화하고, 이후에 자신의 견해를 밝혀 차이점을 최소화하고 있으므로 '동의의 격률'을 사용하였다.

③ '가'는 소리가 잘 들리지 않는 이유를 화자 본인의 탓으로 돌림으로써 '나'의 부담을 최소화하고 있으므로 '관용의 격률'을 사용하였다.

19

난이도 ★★☆

해설 ① 대화(1)에서 ㉡은 대화의 맥락과 관련된 말을 했으므로 '관련성의 격률'은 위배하지 않았으나, 체중을 물어보는 질문에 '키에 비해 가벼운 편'이라는 필요 이상의 정보를 제공하였으므로 '양의 격률'을 위배하였다. 따라서 답은 ①이다.

오답분석 ② '비행기보다 빠른 사람'이 존재하는 것은 불가능하므로, 이는 진실한 정보가 아니다. 따라서 '질의 격률'을 위배하였다.

③ 나이를 묻는 질문에 '형이 열일곱 살'이라는 필요 이상의 정보를 제공하고 있으므로 '양의 격률'을 위배하였다.

④ 점심으로 무엇을 먹을지를 묻는 질문에 정확히 답변하지 않고 모호한 표현을 사용하고 있으므로 '태도의 격률'을 위배하였다.

20

[2017년 교육행정직 9급]

'손님'의 말에 나타난 공손성 원리로 가장 적절한 것은?

> 손님: 바쁘실 텐데 초대해 주셔서 감사합니다. 음식이 참 맛있네요. 요리 솜씨가 이렇게 좋으시니 정말 부럽습니다.
> 주인: 뭘요, 과찬이세요. 맛있게 드셨다니 감사합니다.

① 상대방에 대한 비난을 최소화하고 칭찬의 표현을 최대화한다.

② 상대방에 대한 부담은 최소화하고 혜택의 표현을 최대화한다.

③ 자신에 대한 혜택은 최소화하고 부담의 표현을 최대화한다.

④ 자신에 대한 칭찬은 최소화하고 비난의 표현을 최대화한다.

4. 화법의 종류

21

[2021년 국가직 9급]

다음 토의에 대한 설명으로 적절하지 않은 것은?

> 사회자: 오늘의 토의 주제는 '통일 시대의 남북한 언어가 나아갈 길'입니다. 먼저 최○○ 교수님께서 '남북한 언어 차이와 의사소통'이라는 제목으로 발표해 주시겠습니다.
> 최 교수: 남한과 북한의 말은 비슷하지만 다른 점이 있습니다. 남한과 북한의 어휘 차이가 대표적입니다. 남한과 북한의 어휘 차이를 분석한 결과, 〈중 략〉 앞으로도 남북한 언어 차이에 대한 연구가 지속되어야 합니다.
> 사회자: 이로써 최 교수님의 발표를 마치겠습니다. 다음은 정○○ 박사님의 '남북한 언어의 동질성 회복 방안'에 대한 발표가 있겠습니다.
> 정 박사: 앞으로 통일을 대비해 남북한 언어의 다른 점을 줄여 나가는 노력이 필요합니다. 실제로도 남한과 북한의 학자들로 구성된 '겨레말큰사전 편찬위원회'에서는 남북한 공통의 사전인 겨레말큰사전을 만들며 서로의 차이를 이해하고 받아들이기 위한 노력을 하고 있습니다. 〈중 략〉
> 사회자: 그러면 질의응답이 있겠습니다. 시간상 간략하게 질문해 주시기 바랍니다.
> 청중 A: 두 분의 말씀 잘 들었습니다. 남북한 언어의 차이와 이를 극복하는 방안을 말씀하셨는데요. 그렇다면 통일 시대에 대비한 언어 정책에는 무엇이 있을까요?

① 학술적인 주제에 대해 발표 형식으로 진행되고 있다.

② 사회자는 발표자 간의 이견을 조정하여 의사결정을 유도하고 있다.

③ 발표자는 주제에 대한 자신의 견해를 밝혀 청중에게 정보를 제공하고 있다.

④ 청중 A는 발표자의 발표 내용을 확인하고 주제와 관련된 질문을 하고 있다.

20

해설 ① 제시된 대화에서 '손님'은 '주인'의 요리 솜씨를 칭찬하고 있으므로 이에 나타난 공손성의 원리는 상대방에 대한 비난을 최소화하고 칭찬의 표현을 최대화하는 '찬동의 격률'이다.

오답 분석 ② '요령의 격률'에 대한 설명이다.

③ '관용의 격률'에 대한 설명이다.

④ '겸양의 격률'에 대한 설명이다.

> **이것도 알면 합격**
>
> 공손성의 원리에 대해 알아두자.

요령의 격률	상대방에게 부담이 되는 표현은 최소화하고 상대방의 이익을 최대화함
관용의 격률	화자 자신에게 주는 혜택은 최소화하고 자신에게 부담을 주는 표현은 최대화함
찬동의 격률	다른 사람에 대한 비방은 최소화하고 칭찬은 최대화함
겸양의 격률	자신에 대한 칭찬은 최소화하고 비방은 최대화함
동의의 격률	자신의 의견과 다른 사람의 의견 사이의 다른 점을 최소화하고, 일치점을 최대화함

21

해설 ② 사회자는 토의 주제와 발표자를 소개하고 발표 순서를 안내할 뿐, 발표자 간의 이견을 조정하여 의사결정을 유도하고 있지는 않다. 참고로 ②는 '패널 토의'에서 사회자가 지니는 역할을 설명한 내용이나, 제시된 토의의 유형은 '심포지엄'에 해당한다.

오답 분석 ① '통일 시대의 남북한 언어가 나아갈 길'이라는 학술적인 주제에 대해 최 교수와 정 박사가 각각 자신의 의견을 발표하고 있다.

③ 발표자인 최 교수와 정 박사는 토의 주제에 대한 각자의 견해를 밝힘으로써 청중에게 정보를 전달하고 있다.

④ 발표자에게 '통일 시대에 대비한 언어 정책에는 무엇이 있는지'를 묻는 것으로 보아 청중 A는 발표를 들은 후 주제와 관련된 질문을 하고 있다.

> **이것도 알면 합격**
>
> 토의의 유형에 대해 알아두자.

유형	특징
심포지엄	• 특정한 문제에 대하여 입장이 다른 두 사람 이상의 권위자나 전문가가 강연식으로 의견을 발표하고 청중의 질의에 응답하는 방식임 • 특정한 결론 도출을 목적으로 하지 않음 • 사회자는 발표 내용을 요약하고 정리하는 역할을 함 • 대표적인 예로 강연회나 학술 대회가 있음
패널 토의	• 특정한 문제에 대해 각각의 입장을 표명하는 3~6명의 전문가 또는 책임자가 청중 앞에서 문제에 대해 의견을 주고받는 방식임 • 정치적인 문제나 시사적인 문제의 해결에 적합함 • 사회자는 이견을 조정하는 안을 도출하는 역할을 함 • 대표적인 예로 공청회가 있음
포럼	• 상충되는 입장을 대표하는 소수의 토의자가 주제를 발표한 후 청중과의 질의응답을 통해 의견을 종합하는 방식임 • 심포지엄이나 패널 토의와 달리 처음부터 청중의 적극적인 참여가 이루어짐
원탁 토의	• 10명 내외의 소수의 사람들이 둥근 탁자에 앉아 자유롭게 의견을 말하는 방식임 • 모두가 동등한 자격으로 이야기할 수 있음
회의	• 공동의 문제를 해결하기 위해 두 사람 이상이 모여 의사를 결정하는 방식임 • 협의를 통해 의제(議題)를 채택하고 참석자들의 동의를 얻어 의제에 관련된 사항들을 결정함 • 결론은 다수결의 방식에 따라 채택됨

22

[2019년 국가직 9급]

다음의 여러 조건에 가장 잘 맞는 토론 논제는?

> ○ 긍정 평서문으로 제시되어야 한다.
> ○ 찬성과 반대의 대립이 분명하게 나타나야 한다.
> ○ 쟁점이 하나여야 한다.
> ○ 찬성이나 반대 어느 한 편에 유리하게 작용하는 정서적 표현을 사용해서는 안 된다.

① 징병제도는 유지해야 한다.

② 정보통신망법을 개선할 수는 없다.

③ 야만적인 두발 제한을 폐지해야 한다.

④ 내신 제도와 논술 시험을 개혁해야 한다.

23

[2016년 지방직 9급]

'샛강을 어떻게 살릴 수 있을까'라는 주제에 대해 토의하고자 한다. 이에 대한 설명으로 적절하지 않은 것은?

> 토의는 어떤 공통된 문제에 대해 최선의 해결안을 얻기 위하여 여러 사람이 의논하는 말하기 양식이다. 패널 토의, 심포지엄 등이 그 대표적 예이다. ㉠패널 토의는 3~6인의 전문가들이 사회자의 진행에 따라, 일반 청중 앞에서 토의 문제에 대한 정보나 지식, 의견이나 견해 등을 자유롭게 주고받는 유형이다. 토의가 끝난 뒤에는 청중의 질문을 받고 그에 대해 토의자들이 답변하는 시간을 갖는다. 이 질의·응답 시간을 통해 청중들은 관련 문제를 보다 잘 이해하게 되고 점진적으로 해결 방안을 모색하게 된다. ㉡심포지엄은 전문가가 참여한다는 점, 청중과 질의·응답 시간을 갖는다는 점에서는 패널 토의와 그 형식이 비슷하다. 다만 전문가가 토의 문제의 하위 주제에 대해 서로 다른 관점에서 연설이나 강연의 형식으로 10분 정도 발표한다는 점에서는 차이가 있다.

① ㉠과 ㉡은 모두 '샛강 살리기'와 관련하여 전문가의 의견을 들은 이후, 질의·응답 시간을 갖는다.

② ㉠과 ㉡은 모두 '샛강을 어떻게 살릴 수 있을까'라는 문제에 대해 최선의 해결책을 얻기 위함이 목적이다.

③ ㉡은 토의자가 샛강의 생태적 특성, 샛강 살리기의 경제적 효과 등의 하위 주제를 발표한다.

④ ㉠은 '샛강 살리기'에 대해 찬반 입장을 나누어 이야기한 후 절차에 따라 청중이 참여한다.

24

[2019년 지방직 9급]

토론에서 사회자가 하는 역할에 대한 설명으로 가장 적절한 것은?

① 토론을 시작하면서 논제가 타당한지 토론자들의 의견을 묻는다.

② 토론자들에게 토론의 전반적인 방향과 유의점에 대해 안내한다.

③ 청중의 의견을 수렴하여 대안을 제시함으로써 쟁점을 약화시킨다.

④ 토론자의 주장과 논거를 비판하는 견해를 개진하여 논쟁의 확산을 꾀한다.

22
난이도 ★☆☆

해설 ① '~해야 한다'라는 긍정 평서문으로 제시되고, 징병제도 유지와 폐지로 찬성과 반대의 대립이 분명하게 나타난다. 또한 쟁점이 '징병 제도 유지' 하나이고, 찬성이나 반대 어느 한 편에 유리하게 작용하는 정서적 표현을 사용하고 있지 않으므로 제시된 조건을 모두 만족하는 토론의 논제는 ①이다.

오답분석 ② 두 번째, 세 번째, 네 번째 조건은 모두 만족하지만, '~을 개선할 수는 없다'와 같이 긍정 평서문으로 제시되어 있지 않으므로 첫 번째 조건에 맞지 않다.

③ 첫 번째, 두 번째, 세 번째 조건은 모두 만족하지만, '야만적인'과 같이 찬성 편에 유리하게 작용하는 정서적 표현을 사용하고 있으므로 네 번째 조건에 맞지 않다.

④ 첫 번째, 두 번째, 네 번째 조건은 모두 만족하지만, '내신 제도'와 '논술 시험' 두 가지 쟁점이 제시되어 있으므로 세 번째 조건에 맞지 않다.

이것도 알면 합격
토론의 논제에 대해 알아두자.

1. **논제의 조건**
   • 긍정과 부정의 두 입장이 뚜렷하게 구분되어야 함
   • 하나의 주장만을 포함하는 긍정 명제여야 함
   • 쟁점은 하나여야 함
   • 긍정과 부정의 두 입장 중 어느 한 편에 유리하게 작용하는 정서적 표현을 사용해서는 안 됨

2. **논제의 종류**

사실 논제	사실의 진위 여부를 논하는 논제 예 강력한 음주 운전 단속은 사고 예방에 효과가 있다.
가치 논제	가치관이나 시각의 차이를 중요시하는 철학적인 논제 예 음주 운전 단속보다 음주 운전 방지 제도가 더 중요하다.
정책 논제	특정 정책을 두고 그것을 시행해야 하느냐 하지 말아야 하느냐에 대해 논하는 논제 예 음주 운전 기습 단속 제도는 폐지해야 한다.

23
난이도 ★☆☆

해설 ④ ㉠은 토의의 유형인데, 찬반 입장을 나누어 이야기하는 것은 토론의 특징이므로 ④는 적절하지 않은 설명이다.

오답분석 ① 끝에서 3~5번째 줄에서 확인할 수 있는 내용이다.
   [관련 부분] 심포지엄은 전문가가 참여한다는 점, 청중과 질의·응답 시간을 갖는다는 점에서는 패널 토의와 그 형식이 비슷하다.

② 1~3번째 줄에서 확인할 수 있는 내용이다.
   [관련 부분] 토의는 어떤 공통된 문제에 대해 최선의 해결안을 얻기 위하여 여러 사람이 의논하는 말하기 양식이다. 패널 토의, 심포지엄 등이 그 대표적 예이다.

③ 끝에서 1~5번째 줄에서 확인할 수 있는 내용이다.
   [관련 부분] 심포지엄은 ~ 토의 문제의 하위 주제에 대해 ~ 발표한다는 점에서는 차이가 있다.

24
난이도 ★☆☆

해설 ② 사회자는 토론의 시작 단계에서 토론자들에게 토론의 배경 및 논제를 소개하는 등 토론의 전반적인 방향과 유의점에 대해 안내하는 역할을 한다. 따라서 토론에서 사회자가 하는 역할에 대한 설명으로 적절한 것은 ②이다.

오답분석 ① 사회자는 토론을 시작할 때 토론의 배경 및 논제를 소개하지만 논제가 타당한지에 대해 토론자들의 의견을 묻지는 않으므로 적절하지 않다.

③ 사회자는 청중의 의견을 수렴하기는 하지만 대안을 제시하여 쟁점을 약화시키지는 않으므로 적절하지 않다.

④ 사회자는 토론자의 주장과 근거가 논제에서 벗어나지 않도록 조정하거나 이를 요약할 뿐, 이에 대한 비판적인 견해를 개진하여 논쟁의 확산을 꾀하지는 않으므로 적절하지 않다.

이것도 알면 합격
토론의 특징 및 사회자의 역할과 태도를 알아두자.

1. **토론의 특징**
   • 규칙과 절차에 따라 진행됨
   • 찬성과 반대의 상반된 두 주장이 명확하게 드러남
   • 첫 발언과 마지막 발언은 찬성 측이 하는 것이 원칙임
   • 토론 당사자는 끝까지 자신의 주장이 정당하다는 입장을 유지하므로, 어느 편이 옳은가를 가리기 위해 제삼자의 판정이 필요함

2. **토론 사회자의 역할과 태도**

역할	• 토론이 열리게 된 배경과 토론의 논제를 소개함 • 토론자들에게 토론의 규칙을 미리 알려 주고, 규칙을 지키도록 함 • 토론 시 질문과 요약을 때때로 삽입하여 토론의 진행을 도움 • 발언이 논제에서 벗어나지 않도록 조정함 • 발언이 모호할 경우 구체적으로 질문하여 의미를 명확히 함
태도	공평성과 공정성을 유지해야 함

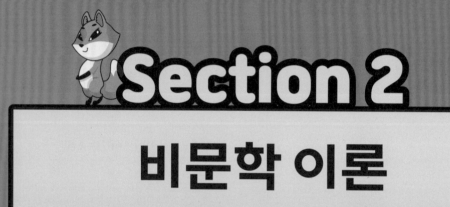

Section 2
비문학 이론

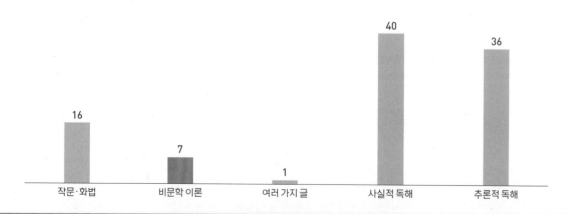

1분 만에 파악하는 **7개년 기출 트렌드**

● Section별 출제율
최근 7개년(2015~2021년) 국가직/지방직/서울시 7·9급

작문·화법	비문학 이론	여러 가지 글	사실적 독해	추론적 독해
16	7	1	40	36

● Section 기출 트렌드

• 비문학 이론은 공무원 시험에서 비중이 높지는 않지만 꾸준히 출제되는 Section입니다.

• 제시문에 쓰인 논지 전개 방식에 대해 묻는 유형이 가장 많이 출제되며, 논증의 방법이나 논증의 오류를 판단하는 유형도 종종 출제됩니다.

• 비문학 이론은 글에 쓰인 논지 전개 방식이나 논증 방법, 논증의 오류 등 관련 개념을 정확하게 알아 두어야 문제를 풀 수 있습니다. 따라서 기본서 학습을 통해 이론적인 부분을 충분히 숙지하고 기출문제 풀이를 통해 실제 사례에 적용해 보는 연습을 해야 합니다.

01

[2021년 국가직 9급]

다음 글의 주된 서술 방식은?

> 변지의가 천 리 길을 마다하지 않고 나를 찾아왔다. 내가 그 뜻을 물었더니, 문장 공부를 하기 위해 나를 찾아왔다고 했다. 때마침 이날 우리 아이들이 나무를 심었기에 그 나무를 가리켜 이렇게 말해 주었다.
>
> "사람이 글을 쓰는 것은 나무에 꽃이 피는 것과 같다. 나무를 심는 사람은 가장 먼저 뿌리를 북돋우고 줄기를 바로잡는 일에 힘써야 한다. 〈중 략〉 나무의 뿌리를 북돋아 주듯 진실한 마음으로 온갖 정성을 쏟고, 줄기를 바로잡듯 부지런히 실천하며 수양하고, 진액이 오르듯 독서에 힘쓰고, 가지와 잎이 돋아나듯 널리 보고 들으며 두루 돌아다녀야 한다. 그렇게 해서 깨달은 것을 헤아려 표현한다면 그것이 바로 좋은 글이요, 사람들이 칭찬을 아끼지 않는 훌륭한 문장이 된다. 이것이야말로 참다운 문장이라고 할 수 있다."

① 서사
② 분류
③ 비유
④ 대조

02

[2020년 국가직 9급]

다음에서 제시한 글의 전개 방식의 예로 가장 적절한 것은?

> '인과'는 원인과 결과를 서술하는 전개 방식이다. 어떤 현상이나 결과가 나타나게 된 원인이나 힘을 제시하고 그로 말미암아 초래된 결과를 나타내는 서술 방식이다.

① 온실 효과로 지구의 기온이 상승할 때 가장 심각한 영향은 해수면의 상승이다. 이러한 현상은 바다와 육지의 비율을 변화시켜 엄청난 기후 변화를 유발하며, 게다가 섬나라나 저지대는 온통 물에 잠기게 된다.

② 이 사회의 경제는 모두가 제로섬 요소로 구성되어 있다. 제로섬(zero-sum)이란 어떤 수를 합해서 제로가 된다는 뜻이다. 어떤 운동 경기를 한다고 할 때 이기는 사람이 있으면 반드시 지는 사람이 있게 마련이다.

③ 다음날도 찬호는 학교 담을 따라 돌았다. 그리고 고무신을 벗어 한 손에 한 짝씩 쥐고는 고양이 걸음으로 보초의 뒤를 빠져 팽이처럼 교문 안으로 뛰어들었다.

④ 벼랑 아래는 빽빽한 소나무 숲에 가려 보이지 않았다. 새털구름이 흩어진 하늘 아래 저 멀리 논과 밭, 강을 선물 세트처럼 끼고 들어앉은 소읍의 전경은 적막해 보였다.

03　　　　　　　　　　　　　　　[2020년 서울시 9급]

〈보기〉의 주된 설명 방식이 사용된 것으로 가장 옳은 것은?

───〈보기〉───

우리는 좋지 않은 사람을 곧잘 동물에 비유한다. 욕에 동물이 많이 등장하는 것도 동물을 나쁘게 보기 때문이다. 하지만 정말 인간이 동물보다 좋은(선한) 것일까? 베르그는 오히려 "나는 인간을 알기 때문에 동물을 사랑한다."고 말하며 이를 부정한다. 인간은 인간을 속이지만 동물은 인간을 속이지 않는다는 것을 알고 인간에게 실망한 사람들이 동물에게 더 많은 애정을 보인다. 인간보다 더 잔인한 동물이 없다는 것은 인간의 역사가 증명하고 있다. 필요 없이 다른 동물을 죽이는 일을 인간 외 어느 동물이 한단 말인가?

① 교사의 자기계발, 학부모의 응원, 교육 당국의 지원 등이 어우러져야 좋은 교육이 가능해진다. 이는 신선한 재료, 적절한 조리법, 요리사의 정성이 합쳐져 맛있는 음식이 만들어지는 것과 같다.

② 의미를 지닌 부호를 체계적으로 배열한 것을 기호라고 한다. 수학, 신호등, 언어 등이 모두 여기에 속한다. 꿀이 있음을 알리는 벌들의 춤사위도 기호라고 할 수 있는 것이다.

③ 바이러스는 세균에 비해 크기가 작으며 핵과 이를 둘러싼 단백질이 전부여서 세포라고 할 수 없다. 먹이가 있는 곳이라면 어디에서라도 증식할 수 있는 세균과 달리, 바이러스는 살아있는 생명체를 숙주로 삼아야만 번식을 할 수 있다.

④ 나물로 즐겨 먹는 고사리는 꽃도 피지 않고 씨앗도 만들지 않는다. 고사리는 홀씨라고도 하는 포자로 번식한다. 고사리와 고비 등을 양치식물이라 하는데 생김새가 양(羊)의 이빨과 비슷하다고 하여 붙은 이름이다.

01　　　　　　　　　　난이도 ★☆☆

해설 ③ 필자는 '글쓰기'를 나무에 꽃이 피는 과정에 빗대어 표현하고 있으므로 제시문에 사용된 서술 방식은 ③ '비유'이다.

[관련 부분]
- 사람이 글을 쓰는 것은 나무에 꽃이 피는 것과 같다.
- 나무의 뿌리를 북돋아 주듯 진실한 마음으로 온갖 정성을 쏟고, 줄기를 바로잡듯 부지런히 실천하며 수양하고, 진액이 오르듯 독서에 힘쓰고, 가지와 잎이 돋아나듯 널리 보고 들으며 두루 돌아다녀야 한다.

오답분석
① 서사: 일정한 시간 내에 일어나는 일련의 행동이나, 시간의 흐름에 따라 전개되는 사건에 초점을 두는 방식

② 분류: 어떤 대상이나 생각들을 비슷한 특성에 따라 하위 항목을 상위 항목으로 묶어 나가는 방식

④ 대조: 둘 이상의 사물들에 대해 서로 다른 점을 밝혀내어 설명하는 방식

02　　　　　　　　　　난이도 ★☆☆

해설 ① 온실 효과로 기온이 상승하면(원인) 해수면이 상승하여 기후가 변하거나 섬나라와 저지대가 물에 잠기게 됨(결과)을 '인과'의 방법으로 설명하고 있다.

오답분석
② • 정의: 핵심 용어인 제로섬(zero-sum)의 개념을 설명함
　 • 예시: 제로섬(zero-sum)에 대해 운동 경기를 예로 들어 설명함

③ 서사: 시간에 흐름의 따른 찬호의 행동에 초점을 두어 진술함

④ 묘사: 소읍의 전경을 그림을 그리듯이 구체적으로 진술함

03　　　　　　　　　　난이도 ★★☆

해설 ③ 〈보기〉와 ③에는 모두 대상들의 차이점을 밝혀 설명하는 '대조'의 방식이 사용되었으므로 답은 ③이다. 참고로 〈보기〉에는 '대조'뿐만 아니라 베르그의 견해를 빌려 진술하는 '인용'의 방식도 사용되었다.
- 〈보기〉: 인간과 동물의 차이점을 밝혀 설명하고 있다.
- ③: 세균과 바이러스의 크기나 번식 방법 등의 차이점을 밝혀 설명하고 있다.

오답분석
① 비교: 좋은 교육과 맛있는 음식이 가능해지는 조건의 유사성을 밝혀 설명하고 있다.

② • 정의: '기호'의 뜻을 분명하게 규정하여 설명하고 있다.
　 • 구분: 상위 항목인 '기호'를 하위 항목인 '수학, 신호등, 언어, 벌들의 춤사위'로 나누어 설명하고 있다.

④ 분류: 하위 항목인 '고사리'와 '고비'를 상위 항목인 '양치식물'로 묶어 설명하고 있다.

04

㉠과 ㉡에 대한 진술 방식으로 적절하지 않은 것은?

㉠예술의 본질은 무엇인가를 표현하는 것이다. 이 말은 예술이 ㉡과학과 마찬가지로 일종의 설명적 기능을 하고 있다는 것이다. 예술가는 자신의 언어를 통해서 대상에 대한 자신의 생각이나 느낌을 전달한다. 특히 낭만적인 예술가들은 예술의 기능을 본질적으로 표현에 있다고 보고, 예술의 기능이 과학의 기능과 질적으로 다르지 않다고 하였다. 과학이나 예술은 다 같이 우리들이 경험하고 있는 사물 현상에 질서를 주는 방법이라는 것이다. 과학이나 예술의 목적이 진리를 밝히는 데 있으며, 그들의 언어가 갖는 의미는 그 언어가 가리키는 지시 대상에서 찾아진다는 것이다.

그러나 예술의 언어가 과학의 언어처럼 지시적 기능을 갖고 있다는 사실은 예술에 대한 오해에서 비롯된 것이다. 다빈치의 『모나리자』는 모나리자라는 여인을 모델로 했다고 하더라도, 그러한 인물을 지시하고 표현했기 때문에 예술이 되는 것은 아니다. 이 예술 작품은 실재 인물과 상관없이 표현의 결과물로서 존재한다. 이처럼 예술 작품은 의미를 갖는 언어 뭉치로서 존재하는 것이다. 예술이 '말할 수 없는 것을 말하는 것'이라는 견해도 여기에서 비롯된다.

① ㉠에 대한 예시를 들고 있다.
② ㉠에 대한 개념을 밝히고 있다.
③ ㉠과 ㉡의 공통점을 기술하고 있다.
④ ㉠과 ㉡을 인과적으로 분석하고 있다.

05

〈보기〉의 설명에 활용된 방식과 가장 가까운 것은?

〈보기〉

유학자들은 자신이 먼저 인격자가 될 것을 강조하지만 궁극적으로는 자신뿐 아니라 백성 또한 올바른 행동을 할 수 있도록 이끌어야 한다는 생각을 원칙으로 삼는다. 주희도 자신이 명덕(明德)을 밝힌 후에는 백성들도 그들이 지닌 명덕을 밝혀 새로운 사람이 될 수 있도록 가르쳐야 한다고 본다. 백성을 가르쳐 그들을 새롭게 만드는 것이 바로 신민(新民)이다. 주희는 『대학』을 새로 편찬하면서 고본(古本) 『대학』의 친민(親民)을 신민(新民)으로 고쳤다. '친(親)'보다는 '신(新)'이 백성을 새로운 사람으로 만든다는 취지를 더 잘 표현한다고 보았던 것이다. 반면 정약용은, 친민을 신민으로 고치는 것은 옳지 않다고 본다. 정약용은 친민을 백성들이 효(孝), 제(弟), 자(慈)의 덕목을 실천하도록 이끄는 것이라 해석한다. 즉 백성들로 하여금 자식이 어버이를 사랑하여 효도하고 어버이가 자식을 사랑하여 자애의 덕행을 실천하도록 이끄는 것이 친민이다. 백성들이 이전과 달리 효, 제, 자를 실천하게 되었다는 점에서 새롭다는 뜻은 있지만 본래 글자를 고쳐서는 안 된다고 보았다.

① 시는 서정시, 서사시, 극시로 나뉜다.
② 소는 식욕의 즐거움조차 냉대할 수 있는 지상 최대의 권태자다.
③ 언어는 사고를 반영한다는 말이 있는데, 그 예로 무지개 색깔을 가리키는 7가지 단어에 의지하여 무지개 색깔도 7가지라 판단한다는 것을 들 수 있다.
④ 곤충의 머리에는 겹눈과 홑눈, 더듬이 따위의 감각 기관과 입이 있고, 가슴에는 2쌍의 날개와 3쌍의 다리가 있으며, 배에는 끝에 생식기와 꼬리털이 있다.

06

[2021년 국가직 9급]

다음 글의 설명 방식으로 적절하지 않은 것은?

> 빛 공해란 인공조명의 과도한 빛이나 조명 영역 밖으로 누출되는 빛이 인간의 건강하고 쾌적한 생활을 방해하거나 환경에 피해를 주는 상태를 말한다. 국제 과학 저널인 『사이언스 어드밴스』의 '전 세계 빛 공해 지도'에 따르면, 우리나라는 빛 공해가 심각한 국가이다. 빛 공해는 멜라토닌 부족을 초래해 인간에게 수면 부족과 면역력 저하 등의 문제를 유발하고, 농작물의 생산량 저하, 생태계 교란 등의 문제를 일으킨다.

① 빛 공해의 정의를 제시하고 있다.

② 빛 공해의 주요 요인인 인공조명의 누출 원인을 제시하고 있다.

③ 자료를 인용하여 빛 공해가 심각한 국가로 우리나라를 제시하고 있다.

④ 사례를 들어 빛 공해의 악영향을 제시하고 있다.

04

난이도 ★★☆

해설 ④ 제시문에서 ㉠'예술'과 ㉡'과학'을 인과적으로 분석하고 있지는 않다.

- 인과: 어떤 결과를 가져온 원인과 그로 인해 초래된 결과에 초점을 두는 진술 방식

오답 분석 ① 2문단 3~5번째 줄에서 ㉠'예술'의 언어가 과학의 언어처럼 지시적 기능을 갖고 있다는 오해를 설명하기 위해 다빈치의 '모나리자'를 예로 들고 있다.

[관련 부분] 다빈치의 『모나리자』는 모나리자라는 여인을 모델로 했다고 하더라도, 그러한 인물을 지시하고 표현했기 때문에 예술이 되는 것은 아니다.

② 1문단 1번째 줄에서 ㉠'예술'의 개념을 밝혀 설명하는 '정의'가 사용되었다.

[관련 부분] 예술의 본질은 무엇인가를 표현하는 것이다.

③ 1문단에서 ㉠'예술'과 ㉡'과학'의 공통점을 밝혀 설명하는 '비교'가 사용되었다.

[관련 부분]

- 예술이 과학과 마찬가지로 일종의 설명적 기능을 하고 있다는 것이다.
- 과학이나 예술은 다 같이 우리들이 경험하고 있는 사물 현상에 질서를 주는 방법이라는 것이다.
- 과학이나 예술의 목적이 진리를 밝히는 데 있으며, 그들의 언어가 갖는 의미는 그 언어가 가리키는 지시 대상에서 찾아진다는 것이다.

05

난이도 ★☆☆

해설 ③ 〈보기〉와 ③에는 모두 '예시'의 설명 방식이 사용되었으므로 답은 ③이다.

- 〈보기〉: 주희와 정약용의 사례를 들어 유학자들의 생각을 설명함
- ③: 무지개 색깔을 사례로 들어 언어는 사고를 반영한다는 말을 설명함

오답 분석 ① 구분: 상위 항목인 '시'를 하위 항목인 '서정시, 서사시, 극시'로 나누어 설명하였다.

② 비유: '소'를 '지상 최대의 권태자'에 빗대어 간접적으로 설명하였다.

④ 분석: 곤충을 머리, 가슴, 배로 나누어 설명하였다.

06

난이도 ★☆☆

해설 ② 1~2번째 줄을 통해 인공조명의 과도한 빛이나 조명 영역 밖으로 누출되는 빛이 빛 공해의 주요 요인임은 알 수 있으나 인공조명의 누출 원인은 제시문을 통해 확인할 수 없다.

오답 분석 ① 1~3번째 줄에서 빛 공해의 정의를 제시하고 있다.

③ 3~5번째 줄에서 '전 세계 빛 공해 지도'라는 자료를 인용하여 우리나라가 빛 공해가 심각한 국가임을 밝히고 있다.

④ 끝에서 1~4번째 줄에서 인간의 수면 부족과 면역력 저하, 농작물의 생산력 저하, 생태계 교란 등의 사례를 들어 빛 공해의 악영향을 제시하고 있다.

07

밑줄 친 부분의 주된 설명 방식은?

> 보살은 자기 자신이 불경의 체험 내용인 보리를 구하려고 노력하는 동시에 일체의 타인에게도 그의 진리를 체득시키고자 정진하는 인간이다. 그러므로 보살은 나한과 같은 자리(自利)를 위하여 보리를 구하는 자가 아니고 어디까지든지 이타(利他)를 위하여 활동하는 것이다. 나한이 개인적 자각인 데 대하여 보살은 사회적 자각에 입각한 것이니, 나한은 언제든지 개인 본위이고 개인 중심주의인데 대하여 보살은 사회 본위이고 사회 중심주의인 것이다.

① 유추
② 묘사
③ 예시
④ 대조

08

다음 글의 주된 설명 방식이 적용된 것으로 가장 적절한 것은?

> 문학이 구축하는 세계는 실제 생활과 다르다. 즉 실제 생활은 허구의 세계를 구축하는 데 필요한 재료가 되지만 이 재료들이 일단 한 구조의 구성 분자가 되면 그 본래의 재료로서의 성질과 모습은 확연히 달라진다. 건축가가 집을 짓는 것을 떠올려 보자. 건축가는 어떤 완성된 구조를 생각하고 거기에 필요한 재료를 모아서 적절하게 집을 짓게 되는데, 이때 건물이라고 하는 하나의 구조를 완성하게 되면 이 완성된 구조의 구성 분자가 된 재료들은 본래의 재료와 전혀 다른 것이 된다.

① 르네상스 시대의 화가들은 원근법을 사용하여 세상을 향한 창과 같은 사실적인 그림을 그렸다. 현대 회화를 출발시켰다고 평가되는 인상주의자들이 의식적으로 추구한 것도 이러한 사실성이었다.

② 소설을 구성하는 요소는 물론 많지만 그중에서도 인물, 배경, 사건을 들 수 있다. 인물은 사건의 주체, 배경은 인물이 행동을 벌이는 시간과 공간, 분위기 등이고, 사건은 인물이 배경 속에서 벌이는 행동의 세계이다.

③ 목적을 지닌 인생은 의미 있다. 목적 없이 살아가는 사람은 험난한 인생의 노정을 완주하지 못한다. 목적을 갖고 뛰어야 마라톤에서 완주가 가능한 것처럼 우리의 인생에서도 목표를 가지고 꾸준히 노력하는 사람이 성공한다.

④ 신라의 육두품 출신 가운데 학문적으로 출중한 자들이 많았다. 가령, 강수, 설총, 녹진, 최치원 같은 사람들은 육두품 출신이었다. 이들은 신분적 한계 때문에 정계보다는 예술과 학문 분야에 일찌감치 몰두하게 되었다.

09

다음 글과 논증 방식이 가장 가까운 것은?

> 기존의 틀을 벗어나려면 새로운 가치가 필요하다. 운동 선수가 뜀틀을 넘으려면 도약대가 있어야 하듯, 낡은 사고, 인습, 그리고 변화에 저항하는 틀을 뛰어넘기 위해서는 믿고 따를 분명한 디딤판이 필요하다. 또한, 기존의 틀을 벗어나려면 운동선수가 뜀틀을 향해 달려가는 것처럼 변화하고자 하는 의지도 필요하다. 도전하려는 의지가 수반될 때에 뜀틀 너머의 새로운 사회를 만날 수 있다.

① 미국 헌법은 미국 시민의 투표권을 보장한다. 미국 여성은 미국 시민이다. 그러므로 미국 헌법은 미국 여성의 투표권을 보장한다.

② 나는 유해한 모든 일을 피하려고 한다. 전자파가 유해하다는 것은 널리 알려진 사실이다. 전자레인지는 전자파를 방출하는 대표적인 기기이다. 따라서 나는 전자레인지 사용을 자제하려고 한다.

③ 전선을 통한 전기의 흐름은 도관을 통한 물의 흐름과 유사하다. 지름이 큰 도관은 지름이 작은 도관에 비해 많은 양의 물을 전달할 수 있다. 따라서 큰 지름의 전선은 작은 지름의 전선보다 많은 양의 전기를 전달할 수 있을 것이다.

④ 주말이면 동네에서 크고 작은 문화 행사를 한다. 박물관에는 다양한 문화재들이 항상 전시되어 있으며, 대학로의 소극장이나 예술의 전당 같은 문화 공간에서는 다양한 공연이 열리고 있다. 문화는 우리 생활 구석구석에 스며들어 있다.

10

다음 중 〈보기〉와 같은 서술 방식이 쓰인 문장은?

> ─────〈보기〉─────
> 포장한 지 너무 오래되어 길에는 흙먼지가 일고 돌이 여기저기 굴러 있었다. 길 양쪽에 다 쓰러져가는 집들, 날품팔이 일꾼들이 찾아가는 장국밥집, 녹슨 함석지붕이 찌그러져 있었고, 흙먼지가 쌓인 책방, 조선기와를 올린 비틀어진 이층집, 복덕방 포장이 찢기어 너풀거린다.

① 탈피 후 조금 쉬었다가 두 번째 먹이를 먹고 자리를 떠났다.

② 잎은 어긋나게 붙고 위로 올라갈수록 작아지면서 윗줄기를 감싼다.

③ 사람을 접대하는 것은 글을 잘 짓는 것과 같다.

④ 성장이 둔화되어 일자리가 늘지 않았기 때문이다.

07   난이도 ★★☆

해설 ④ 제시문의 밑줄 친 부분에서 '보살'은 이타(利他)를 위하여 활동하고 사회적 자각에 입각한 사회 본위의 사회 중심주의인 반면, '나한'은 자리(自利)를 위하여 활동하고 개인적 자각에 입각한 개인 본위의 개인 중심주의라고 설명하고 있다. 이때 '보살'과 '나한'의 특성을 차이점을 중심으로 설명하고 있으므로 밑줄 친 부분의 주된 설명 방식은 '대조'이다.
- 대조: 둘 이상의 사물들에 대해 차이점을 밝혀내어 설명하는 방식

오답분석 ① 유추: 두 대상의 유사성을 바탕으로 한 쪽의 특징을 다른 한 쪽도 가질 것이라 추론하는 설명 방식

② 묘사: 대상에 대한 시각적 이미지를 사용하여 그림을 그리듯이 표현하는 방법

③ 예시: 일반적이고 추상적인 진술을 구체화하기 위해 세부적인 예를 들어 설명하는 방법

08   난이도 ★★★

해설 ③ 제시문과 ③ 모두 '유추'의 방식이 사용되었다.
- 제시문: 건축 ≒ 문학
  - 완성된 건물은 구성 재료와 전혀 다른 것이 됨
  - 이와 마찬가지로 문학이 구축하는 세계도 실제 상황과 다름
- ③: 마라톤 ≒ 인생
  - 목적을 갖고 뛰어야 마라톤 완주가 가능함
  - 이와 마찬가지로 인생도 당사자가 목표를 가지고 꾸준히 노력해야 성공함

오답분석 ① 르네상스 시대의 화가와 인상주의자들의 공통점을 중심으로 설명하는 '비교'의 방식을 사용하였다.

② 소설을 구성하는 요소를 인물, 배경, 사건으로 나누어 진술하는 '분석'의 방식을 사용하였다.

④ 신라의 육두품 출신 중 학문적으로 훌륭했던 인물들을 예로 드는 '예시'의 방식을 사용하였다.

09   난이도 ★☆☆

해설 ③ 제시문과 ③은 모두 두 사물 간의 유사성에 근거하여 결론을 이끌어 내는 '유비 추론'의 논증 방식을 사용하였다.
- 제시문: 기존의 틀을 벗어나는 것과 운동 선수가 뜀틀을 넘는 것의 유사성에 근거하여 기존의 틀을 벗어나려면 새로운 가치가 필요하다는 결론을 이끌어 냈다.
- ③: 전선을 통한 전기의 흐름과 도관을 통한 물의 흐름의 유사성에 근거하여 큰 지름의 전선이 작은 지름의 전선보다 많은 양의 전기를 전달할 수 있을 것이라고 판단하였다.

오답분석 ① '연역 추론'의 논증 방식을 사용하였다.
- 미국 헌법은 미국 시민의 투표권을 보장한다. (대전제)
- 미국 여성은 미국 시민이다. (소전제)
- 그러므로 미국 헌법은 미국 여성의 투표권을 보장한다. (결론)

② '연역 추론'의 논증 방식을 사용하였다.
- 전자파가 유해하다는 것은 널리 알려진 사실이다. (대전제)
- 전자레인지는 전자파를 방출하는 대표적인 기기이다. (소전제)
- 따라서 나는 전자레인지 사용을 자제하려고 한다. (결론)

④ 동네의 박물관, 소극장, 예술의 전당과 같은 곳에서 크고 작은 문화 행사가 열렸던 경험을 통해 '문화는 우리 생활 구석구석에 스며들어 있다'라는 결론을 내린 것으로 보아 '귀납 추론'의 논증 방식을 사용하였음을 알 수 있다.

10   난이도 ★★☆

해설 ② 〈보기〉와 ②에는 모두 '묘사'의 서술 방식이 쓰였다.
- 〈보기〉: 황폐한 풍경을 그림 그리듯이 표현하였다.
- ②: 잎이 붙은 모양을 그림 그리듯이 표현하였다.

오답분석 ① 서사: 시간의 흐름에 따라 사건을 서술하였다.

③ 유추: 생소한 대상을 그와 일부 속성이 비슷한 친숙한 대상과 비교하여 설명하였다.

④ 인과: '성장 둔화'가 원인, '일자리가 늘지 않음'이 결과로 제시되었다.

11

[2015년 국가직 9급]

다음 글과 같은 방식으로 논리를 전개한 것은?

> 진리가 사상의 체계에 있어 제일의 덕이듯이 정의는 사회적 제도에 있어 제일의 덕이다. 하나의 이론은 그것이 아무리 멋지고 간명한 것이라 하더라도 만약 참되지 않다면 거부되거나 수정되어야 한다. 이와 마찬가지로 법과 제도는 그것이 아무리 효율적으로 잘 정비되어 있다고 하더라도 만약 정의롭지 않다면 개혁되거나 폐기되어야 한다.

① 의지의 자유가 없는 사람에게는 책임을 물을 수 없다. 그런데 인간에게는 책임을 물을 수 있다. 그러므로 인간의 의지는 자유롭다고 보아야 한다.

② 여자는 생각하는 것이 남자와 다른 데가 있다. 남자는 미래를 생각하지만 여자는 현재의 상태를 더 소중하게 여긴다. 남자가 모험, 사업, 성 문제를 중심으로 생각한다면 여자는 가정, 사랑, 안정성에 비중을 두어 생각한다.

③ 우리 강아지는 배를 문질러 주면 등을 바닥에 대고 누워 버려. 그리고 정말 기분 좋은 듯한 표정을 짓지. 그런데 내 친구 강아지도 그렇더라고. 아마 모든 강아지가 그런 속성을 가지고 있는 것 같아.

④ 인생은 여행과 같다. 간혹 험난한 길을 만나기도 하고, 예상치 않은 일을 당하기도 한다. 우연히 누군가를 만나고 그들과 관계를 맺기도 한다. 여행을 끝내고 집으로 돌아왔을 때 편안함을 느끼는 것처럼 생을 끝내고 죽음을 맞이할 때 우리는 더없이 편안해질 것이다.

11

애설 ④ 제시문과 ④ 모두 유추의 방식이 사용되었다.
- **제시문: 진리 ≒ 정의**
  - 사상의 체계에 있어 제일의 덕은 진리이므로, 하나의 이론이 참되지 않다면 거부되거나 수정되어야 함
  - 이와 마찬가지로 사회적 제도에 있어 제일의 덕은 정의이므로, '법과 제도'가 정의롭지 않다면 개혁되거나 폐기되어야 함
- **④: 여행 ≒ 인생**
  - 여행을 끝내고 집에 돌아오면 편안함을 느낌
  - 이와 마찬가지로 생을 끝내고 죽음을 맞을 때 우리는 편안함을 느낄 것임

오답분석 ① 연역 추론의 삼단 논법이 사용되었다.
- 만약 그 사람이 의지의 자유가 없다면, 책임을 물을 수 없다. → 대전제
- 인간에게는 책임을 물을 수 있다. → 소전제
- 그러므로 인간의 의지는 자유롭다. → 결론

② **대조**: 여자가 생각하는 것과 남자가 생각하는 것을 차이점을 바탕으로 설명하고 있다.

③ **성급한 일반화의 오류**: 불충분한 자료와 대표성이 결여된 사례(우리 강아지와 친구 강아지의 사례)를 가지고 성급하게 일반화(모든 강아지의 속성으로 확대)한 오류를 범하고 있다.

이것도 알면 합격

논지 전개 방식을 알아두자.

인과	어떤 결과를 가져온 원인과 그로 인해 초래된 결과에 초점을 두는 진술 방식 예 경제 성장이 둔화되었기 때문에 일자리가 늘지 않았다.
정의	용어의 뜻을 분명하게 규정하는 방식 예 초는 불빛을 내는 데 쓰는 물건이다.
예시	사례를 들어 일반적이거나 추상적인 원리, 법칙, 진술을 구체화하는 방식 예 개미는 냄새로 서로 의사소통을 한다. 예를 들어, 먼 장소에 먹이가 있다면 개미는 '페로몬'이라는 화학 물질을 이용하여 냄샛길을 만들고 다른 개미가 그 길을 따라 오도록 만든다.
서사	일정 시간 내에 일어나는 일련의 행동이나 시간의 흐름에 따라 전개되는 사건에 초점을 두는 진술 방식 예 나는 살금살금 발소리를 죽여 가며 창가로 다가가서, 누군지 모를 여학생의 팔을 살짝 꼬집었다. 그러고는 얼른 창문에 바짝 붙어 섰다.
묘사	대상을 그림 그리듯이 구체적으로 진술하는 방식 예 친구의 얼굴은 달걀형이고 귀가 크며 곱슬머리이다.
비교	사물의 비슷한 점을 밝혀내어 설명하는 방식 예 야구는 축구처럼 공을 가지고 하는 경기이다.
대조	사물의 차이점을 밝혀내어 설명하는 방식 예 동사와 형용사는 모두 용언이지만 동사는 주어의 동작을, 형용사는 주어의 성질을 나타낸다.
분석	하나의 관념이나 대상을 그 구성 요소로 나누어 진술하는 방식 예 식물은 뿌리, 줄기, 잎, 꽃으로 구성되어 있다.
유추	친숙한 대상의 특징을 제시하고 이와 일부 속성이 일치하는 다른 대상도 그러한 특징을 가질 것이라고 비교하여 설명하는 방식 예 척박한 환경에서는 몇몇 특별한 종들만이 득세한다는 점에서 자연 생태계와 우리 사회는 닮았다.

01

[2018년 서울시 9급 (3월)]

〈보기〉와 같은 유형의 논리적 오류에 해당하는 것은?

─── 〈보기〉 ───

네가 내게 한 약속을 지키지 않은 것은 곧 나를 사랑하지 않는다는 증거야.

① 항상 보면 이등병들이 말썽이더라.

② 내 부탁을 거절하다니, 넌 나를 싫어하는구나.

③ 김씨는 참말만 하는 사람이다. 왜냐하면 그는 거짓말을 하지 않는 사람이기 때문이다.

④ 거짓말을 하는 것은 죄악이다. 그러므로 의사가 환자에게 거짓말을 하는 것은 당연히 죄악이다.

02

[2017년 서울시 9급]

다음 예문과 같은 유형의 논리적 오류가 나타난 것은?

이 식당은 요즘 SNS에서 굉장히 뜨고 있어. 그러니까 엄청 맛있을 거야.

① 이 식당 음식을 꼭 먹어보도록 해. 만나는 사람들마다 이 집 이야기를 하는 걸 보니 맛이 괜찮은가 봐.

② 누구도 이 식당이 맛없다고 말한 사람은 없어. 그러니까 엄청 맛있는 집이란 소리지.

③ 여기는 유명한 개그맨이 맛있다고 한 식당이니까 당연히 맛있겠지. 그러니까 꼭 여기서 먹어야 해.

④ 이번에는 이 식당에서 밥을 먹자. 내가 얼마나 여기서 먹어 보고 싶었는지 몰라. 꼭 한번 오게 되기를 간절하게 바랐어.

03

[2016년 지방직 7급]

다음 글의 논리적 오류와 같은 종류의 오류가 있는 것은?

규칙적인 생활을 하고 운동을 열심히 하는 사람은 건강합니다. 왜냐하면, 건강한 사람은 규칙적인 생활을 하고 운동을 열심히 하기 때문입니다.

① 분열은 화합으로 극복할 수 있다. 화합한 사회에서는 분열이 일어나지 않는다.

② 미확인 비행 물체(UFO)가 없다는 주장이 입증되지 않았으므로 미확인 비행 물체는 존재한다.

③ 지금 서른 분 가운데 열 분이 손을 들어 반대하셨습니다. 손을 안 드신 분은 모두 제 의견에 찬성하는 것으로 알겠습니다.

④ A 지역에서 생산한 사과도 맛이 없고, B 지역에서 생산한 사과도 맛이 없습니다. 따라서 올해는 맛있는 사과를 맛볼 수 없을 것입니다.

04

[2015년 서울시 7급]

다음 중 〈보기〉에서 보이는 오류의 유형과 같은 오류가 있는 것은?

─── 〈보기〉 ───

"그 놈은 나쁜 놈이니 사형을 당해야 해. 사형을 당하는 걸 보면 나쁜 놈이야."

① 분열은 화합으로 극복할 수 있다. 그러므로 우리는 분열을 치유하기 위해 모두가 하나되는 사회를 만들어야 한다.

② 국민의 67%가 사형 제도에 찬성했다. 그러므로 사형 제도는 정당하다.

③ 하나를 보면 열을 안다고, 국어 성적이 좋은 걸 보니 혜림이는 공부를 잘하는 학생이구나.

④ 이번 학생 회장 선거에서 나를 뽑지 않은 것으로 보아 너는 나를 아주 싫어하는구나.

01
난이도 ★★☆

 ② 〈보기〉는 논증의 오류 중 '의도 확대의 오류'에 해당한다. 의도 확대의 오류란, 의도하지 않은 결과에 대해 본래부터 의도가 있었다고 판단하여 발생하는 오류를 말한다. 이와 같은 논리적 오류에 해당하는 것은 ②이다.
- 〈보기〉: 약속을 지키지 않았다는 결과에 대해 나를 사랑하지 않기 때문이라는 의도가 본래부터 있었다고 판단함
- ②: 부탁을 거절했다는 결과에 대해 나를 싫어하기 때문이라는 의도가 본래부터 있었다고 판단함

 ① **성급한 일반화의 오류**: 제한되거나 불충분한 자료, 또는 대표성이 결여된 사례 등을 근거로 삼아 성급하게 일반화함으로써 발생하는 오류
③ **순환 논증의 오류**: 결론에서 주장하는 내용을 다시 근거로 제시함으로써 발생하는 오류
④ **원칙 혼동의 오류**: 일반적인 원칙을 특수한 경우에도 그대로 적용하여 발생하는 오류

03
난이도 ★★☆

 ① 제시문에는 순환 논증의 오류(결론에서 주장하는 내용을 다시 근거로 제시 하는 오류)가 나타난다. 이와 같은 종류의 오류가 나타나는 것은 ①이다.
- 제시문: 규칙적인 생활을 하고 운동을 열심히 하는 사람이 건강하다는 주장을 다시 근거로 제시함
- ①: '분열은 화합으로 극복할 수 있다'라는 주장을 다시 근거로 제시함

 ② **무지에의 호소**: 반증된 적이 없으므로 어떤 주장을 받아들여야 한다고 말하거나, 증명된 적이 없으므로 어떤 결론이 거절되어야 한다고 주장하는 오류
③ **흑백논리의 오류**: 어떤 주장에 대한 선택지가 두 가지밖에 없다고 생각하거나 다른 가능성이 허용됨에도 불구하고 그를 인정하지 않음으로써 발생하는 오류
④ **성급한 일반화의 오류**: 제한되거나 불충분한 자료, 또는 대표성이 결여된 사례 등을 근거로 삼아 성급하게 일반화함으로써 발생하는 오류

02
난이도 ★★☆

 ① 제시문에는 '대중(여론)에의 호소' 오류(다수가 동의한다는 점을 들어 자신의 주장에 동조하도록 하는 오류)가 나타난다. 이와 같은 종류의 오류가 나타나는 것은 ①이다.
- 제시문: SNS에서 뜨고 있다는 것을 근거로 삼아, 이 식당의 음식이 맛있을 것이라고 말한다.
- ①: 만나는 사람들마다 이야기한다는 것을 근거로 삼아, 이 식당의 음식이 괜찮을 것이라고 말한다.

 ② **무지에의 호소**: 반증된 적이 없으므로 어떤 주장을 받아들여야 한다고 말하거나, 증명된 적이 없으므로 어떤 결론이 거절되어야 한다고 주장하는 오류
③ **부적합한 권위에의 호소**: 논점과 직접적인 상관관계가 없는 권위자의 견해를 근거로 하여, 자신의 주장을 받아들이도록 하는 오류
④ **동정(연민)에의 호소**: 상대방의 동정심이나 연민에 호소하여 자신의 주장을 받아들이게 하는 오류

04
난이도 ★★☆

 ① 〈보기〉와 ①에서는 모두 순환 논증의 오류(결론에서 주장하는 내용을 다시 근거로 제시하는 오류)가 나타난다.
- 〈보기〉: '나쁜 놈'은 사형을 당해야 한다는 주장을 다시 논거로 삼고 있다.
- ①: 분열을 치유하기 위해 하나가 되어야(화합해야) 한다는 주장을 다시 논거로 삼고 있다.

 ② **대중(여론)에의 호소**: 여러 사람이 동의한다는 점을 앞세워 자신의 주장에 동조하도록 하거나 타당한 근거 없이 대중의 감정 또는 군중 심리에 호소하는 오류
③ **성급한 일반화의 오류**: 제한된 경우나 불충분한 자료, 대표성이 결여된 사례 등을 근거로 삼아 전체의 경우로 확대하고 성급하게 일반화함으로써 발생하는 오류
④ **흑백 논리의 오류**: 어떤 주장에 대한 선택의 가능성이 두 가지밖에 없다고 생각하거나 다른 가능성이 허용됨에도 불구하고 그를 인정하지 않음으로써 발생하는 오류

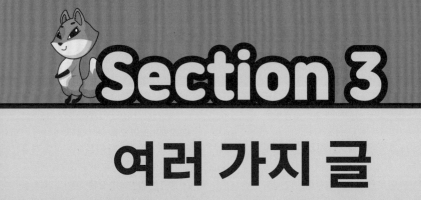

Section 3
여러 가지 글

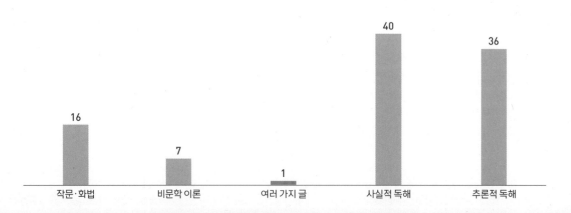

1분 만에 파악하는 **7개년 기출 트렌드**

● **Section별 출제율**
최근 7개년(2015~2021년) 국가직/지방직/서울시 7·9급

작문·화법	비문학 이론	여러 가지 글	사실적 독해	추론적 독해
16	7	1	40	36

Chapter 01 다양한 유형의 글

● **Section 기출 트렌드**

• 여러 가지 글은 비문학에서 가장 출제 비중이 낮습니다.

• 기사문, 보고하는 글과 같이 특수한 목적을 지닌 글을 지문으로 제시하는 유형이 주로 출제됩니다.

• 글의 유형과 관련된 개념을 알아야 풀 수 있는 문제보다는 제시문을 이해하면 충분히 풀 수 있는 문제가 출제되는 편입니다. 따라서 낯선 유형의 제시문이 주어지더라도 당황하지 말고 제시문의 내용을 파악할 수 있도록 연습해야 합니다.

01

[2020년 지방직 9급]

다음 보도 기사별 마무리 표현으로 적절하지 않은 것은?

보도 기사	마무리 표현
소송이나 다툼에 관한 소식	㉠
어느 쪽이 옳다고 말하기 애매한 소식	㉡
사건이 터지고 결과가 드러나기 전 소식	㉢
연예 스캔들 소식	㉣

① ㉠: 모쪼록 원만히 해결되기 바랍니다.

② ㉡: 그 의미를 새삼 돌아보게 됩니다.

③ ㉢: 현재 귀추가 주목되고 있습니다.

④ ㉣: 호사가들의 입방아에 오르내리고 있습니다.

02

[2019년 지방직 7급]

다음은 신문 기사의 일부이다. 〈보기〉를 참고할 때 ㉠~㉣에 대한 설명으로 가장 적절한 것은?

> ㉠별 헤는 밤
> ㉡ ─ 울산과 부산서 11·12일 별 축제 열려 ─
> ㉢11일과 12일 저녁 울산과 부산에서 가을밤 별자리를 관찰할 수 있는 축제가 잇따라 펼쳐진다.
> ㉣울산광역시와 한국천문연구원은 11일 오후 5시부터 한국우주전파관측망(KVN) 울산전파천문대에서 '울산전파천문대와 함께하는 대한민국 별 축제'를 연다. 이 축제는 울산광역시 생활과학교실과 한국아마추어천문학회가 주관해 2010년부터 해마다 여는, 청소년을 위한 과학 문화 축제이다. 〈하 략〉
>
> ─ ○○신문, 20○○. ○○. ○○. ─

> ─────〈보기〉─────
> 신문 기사에서 '전문'은 기사의 내용을 요약하여 제시한 부분으로, 대체로 육하원칙에 의거하여 기사 내용의 뼈대를 제공한다. 이는 본문을 요약하는 전문, 배경을 설명하는 전문, 여론을 환기하는 전문, 결과를 제시하는 전문 등으로 나눌 수 있다.

① ㉠: 기사 내용을 요약 제시한 전문이다.

② ㉡: 사건의 결과와 함께 원인을 제시한다.

③ ㉢: 육하원칙의 몇몇 요소로 기사의 요지를 제시한다.

④ ㉣: 대중의 관심을 환기하는 전문에 해당한다.

03

[2014년 서울시 7급]

다음 중 아래 원칙에 부합하지 않는 설명은 어느 것인가?

> 정보 보고서 작성 기본 10원칙
>
> (1) 결론을 먼저 서술
> (2) 정보의 조직화와 체계화
> (3) 보고서의 형태 이해
> (4) 적합한 언어 사용
> (5) 단어의 경제적 사용
> (6) 생각한 것을 분명하게 표현
> (7) 능동적 표현
> (8) 자기가 작성한 보고서를 스스로 편집
> (9) 정보 사용자의 수요를 분명히 알 것
> (10) 동료의 전문 지식과 경험 활용

① 정보 사용자는 보고서가 무엇을 말하려고 하는지를 빨리 알고 싶어하므로 결론을 먼저 제시하는 것이 좋다.

② 보고 내용에 적합한 언어를 사용해야 하고, 최대한 이해가 가도록 전문적이고 자세한 설명을 제공한다.

③ 직접적이고 확실하게 의미를 전달하는 방식을 선택하며, 자신이 생각한 것이 분명하게 드러나도록 정리한다.

④ 정보 사용자가 알고 싶어 하는 것이 정확히 무엇인지를 끊임없이 생각하면서 기술해 나가야 한다.

⑤ 동료들의 조언을 받되 작성자가 수정을 반복해서 최상의 상태라고 판단했을 때 제출한다.

01

난이도 ★☆☆

해설 ②'그 의미를 새삼 돌아보게 됩니다'와 같은 표현은 어느 쪽이 옳다고 말하기 애매한 소식의 기사에는 적절하지 않으며, 교훈적인 시사점이 있는 기사의 마무리 표현으로 사용하는 것이 더욱 적절하다.

오답분석 ①소송이나 다툼에 관한 소식이므로 원만한 해결을 바란다는 표현이 적절하다.

③사건의 결과가 드러나기 전의 소식이므로 귀추가 주목되고 있다는 표현이 적절하다.
• 귀추: 일이 되어가는 형편

④연예 스캔들 소식이므로 호사가들의 입방아에 오르내린다는 표현이 적절하다.
• 호사가: 남의 일에 특별히 흥미를 가지고 말하기 좋아하는 사람

02

난이도 ★★☆

해설 ③ⓒ은 '전문'의 육하원칙에 해당하는 몇몇 요소인 언제(11일과 12일 저녁), 어디서(울산과 부산), 무엇을(가을밤 별자리를 관찰할 수 있는 축제)에 의거하여 기사의 요지인 '별 축제'에 대한 기사 내용의 뼈대를 제시하고 있으므로 ③의 설명은 적절하다.

오답분석 ①㉠은 별자리 관찰 축제를 '별 헤는 밤'으로 표현하여 내용 전체를 간결하게 나타내고, 본문을 압축한 내용으로 독자의 호기심을 유발하는 '표제'에 해당하므로 적절하지 않다.

②ⓛ은 축제가 언제, 어디에서 열리는지에 대한 내용을 구체적으로 알리는 작은 제목으로 표제를 보완하는 '부제'에 해당하므로 적절하지 않다.

④ⓔ은 기사의 구체적인 내용을 본격적으로 서술한 부분인 '본문'에 해당하므로 적절하지 않다.

03

난이도 ★☆☆

해설 ②적합한 언어를 사용하는 것은 원칙 (4)에 부합하지만, '전문적이고 자세한 설명'은 기본 원칙으로 제시되지 않았다. 따라서 ②는 원칙에 부합하는 설명이 아니다.

오답분석 ①(1) '결론을 먼저 서술'에 부합한다.

③(6) '생각한 것을 분명하게 표현'에 부합한다.

④(9) '정보 사용자의 수요를 분명히 알 것'에 부합한다.

⑤(8) '자기가 작성한 보고서를 스스로 편집'과 (10) '동료의 전문 지식과 경험 활용'에 부합한다.

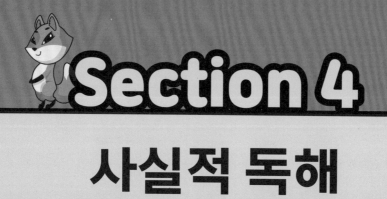

Section 4
사실적 독해

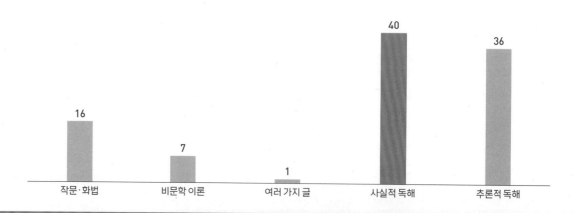

1분 만에 파악하는 **7개년 기출 트렌드**

● Section별 출제율
최근 7개년(2015~2021년) 국가직/지방직/서울시 7·9급

작문·화법	비문학 이론	여러 가지 글	사실적 독해	추론적 독해
16	7	1	40	36

● **Section 기출 트렌드**

• 사실적 독해는 비문학에서 가장 많이 출제되는 Section입니다.

• 글의 주제나 중심 내용, 세부적인 정보나 글에 쓰인 전략 등 글에 드러난 사실을 파악하는 유형이
   주로 출제됩니다.

• 사실적 독해는 반드시 지문에서 정답의 근거를 찾아야 하며, 추론하여 문제를 풀지 않도록 주의해
   야 합니다. 또한 최근 비문학 독해 지문의 길이가 길어지고 있는 만큼 지문을 빠르고 정확하게 읽
   는 연습을 해야 합니다.

01

[2021년 지방직 9급]

다음 글의 결론으로 가장 적절한 것은?

인공지능(AI)은 비즈니스 패러다임을 획기적으로 바꾸고 있다. 인공지능은 생물학 분야에도 광범위하게 영향을 미칠 것이며, 애완동물이 인공지능(AI)으로 대체될 수도 있을 것이다. 인공지능(AI)은 스스로 수학도 풀고 글도 쓰고 바둑을 두며 사람을 이길 수도 있다. 어느 영화에서처럼 실제로 인간관계를 대신할 수도 있다. 인공지능(AI)은 배우면서 성장할 수도 있다. 인공지능(AI)이 사람보다 똑똑해질 수 있을지도 모른다.

인공지능(AI)이 사람보다 똑똑해질 수 있는지는 차치하고, 인공지능(AI)이 사람을 게으르게 만들 수도 있지 않을까? 이 게으름은 우리의 건강과 행복, 그리고 일상생활의 패턴을 바꿔 놓을 수도 있다.

인공지능(AI)이 앱을 통해 좀 더 편리한 삶을 제공하여 사람의 뇌를 어떻게 바꾸는지를 일상에서 보여 주는 대표적 사례가 바로 GPS다. 불과 몇 년 전만 해도 지도를 보고 스스로 거리를 가늠하고 도착 시간을 계산했던 운전자들은 이 내비게이션의 등장으로 어디에서 어떻게 가라는 기계 속 음성에 전적으로 의존하기 시작했다. 예전의 방식으로도 충분히 잘 찾아가던 길에서조차 습관적으로 내비게이션을 켠다. 이것이 없으면 자주 다니던 길도 제대로 찾지 못하고 멀쩡한 어른도 길을 잃는다.

이와 같이 기계에 의존해서 인간이 살아가는 사례는 오늘날 우리의 두뇌가 게을러진 것을 보여 주는 여러 사례 가운데 하나일 뿐이다. 삶을 더 편하게 해 준다며 지름길을 제시하는 도구들이 도리어 우리의 기억력과 창조력을 되보시키고 있다. 인간을 태만하고 니대하게 만들어 뇌의 가장 뛰어난 영역인 상상력을 활용하지 않도록 만드는 것이다.

① 인간의 인공지능(AI)에 대한 독립성은 지속적으로 증가하게 될 것이다.

② 인공지능(AI)으로 인해 인간의 두뇌가 게을러지는 부작용이 발생하게 될 것이다.

③ 인공지능(AI)은 인간을 능가하는 사고력을 가질 것이다.

④ 인공지능(AI)은 궁극적으로 상상력을 가지게 될 것이다.

02

[2021년 국회직 8급]

다음 글의 제목으로 적절한 것은?

철로 옆으로 이사를 가면 처음 며칠 밤은 기차가 지나갈 때마다 잠에서 깨지만 시간이 흘러 기차 소리에 친숙해지면 그러지 않는다. 왜 그럴까? 귀에서 포착한 소리 정보가 뇌에 전달되는 과정에서 물리학적인 음파의 속성은 서서히 의미를 가진 정보로 바뀐다. 이 과정에서 감정을 담당하는 변연계에도 정보가 전달되어 모든 소리는 의식적이든 무의식적이든 감정을 유발한다. 또 소리 정보 전달 과정은 기억중추에도 연결되어 있어서 현재 들리는 모든 소리는 기억된 소리와 비교된다. 친숙하며 해가 없는 것으로 기억되어 있는 소리는 우리의 의식에 거의 도달하지 않는다. 그래서 이미 익숙해진 기차 소음은 뇌에 전달은 되지만 의미없는 자극으로 무시된다. 동물들은 생존하려면 자기에게 중요한 소리를 들을 수 있어야 한다. 특히 즉각적인 반응을 보여야 하는 경우에는 더욱 그렇다. 그래서 동물들은 자신의 천적이나 먹이 또는 짝짓기 상대방이 내는 소리는 매우 잘 듣는다. 사람도 같은 방식으로 반응한다. 아무리 시끄러운 소리에도 잠에서 깨지 않는 사람이라도 자기 아기의 울음소리에는 금방 깬다. 이는 인간이 소리를 듣는다는 것은 외부의 소리가 귀에 전달되는 것을 그대로 듣는 수동적인 과정이 아니라 소리가 뇌에서 재해석되는 과정임을 의미한다. 자기 집을 청소할 때 들리는 청소기의 소음은 견디지만 옆집 청소기 소음은 참기 어려운 것도 그 때문이다.

① 소리의 선택적 지각

② 소리 자극의 이동 경로

③ 소리의 감정 유발 기능

④ 인간의 뇌와 소리와의 관계

⑤ 동물과 인간의 소리 인식 과정 비교

03

[2020년 소방직 9급]

다음 글의 화제로 가장 적절한 것은?

'낯선 그림'의 대명사인 르네 마그리트가 우리에게 아주 친숙한 미술가로 자리 잡았다. 십여 년 전 서울의 한 백화점 새 단장 당시 그의 작품 「골콘다」가 커다란 가림막 그림으로 사용된 것과 〈르네 마그리트〉전이 서울의 미술관에서 대규모로 열려 많은 관람객을 불러 모은 것이 중요한 계기가 되었다.

초현실주의 화가 마그리트가 관심을 끌게 되면서 그의 주된 창작 기법인 데페이즈망(dé paysement)도 덩달아 관심의 대상이 되었다. 특히 창의력과 상상력이 시장과 교육계의 화두가 되어 버린 요즘, 데페이즈망은 창의력과 상상력을 높여 주고 잠재력을 개발해 주는 의미 있는 수단으로 받아들여지고 있다. 어린이 미술 교육에 활용되고 있고, 기업인을 위한 창의력 교육에도 심심찮게 도움을 주고 있다.

데페이즈망은 우리말로 흔히 '전치(轉置)'로 번역된다. 이는 특정한 대상을 상식의 맥락에서 떼어 내 전혀 다른 상황에 배치함으로써 기이하고 낯선 장면을 연출하는 것을 말한다. 초현실주의 문학의 선구자 로트레아몽의 시에 "재봉틀과 양산이 해부대에서 만나듯이 아름다운"이라는 표현이 있는데, 바로 이것이 전형적인 데페이즈망의 표현법이다. 해부대 위에 재봉틀과 양산이 놓여 있다는 게 통념에 맞지 않지만, 바로 그 기이함이 시적·예술적 상상을 낳아 논리와 합리 너머의 세계에 대한 심층의 인식을 일깨운다.

① 르네 마그리트의 생애

② 초현실주의 유파의 탄생

③ 현대미술과 상상력의 소멸

④ 데페이즈망에 대한 관심과 의의

01

난이도 ★☆☆

해설 ② 제시문은 인공지능의 발달이 가져오는 삶의 편리함으로 인해 오히려 인간의 두뇌가 게을러질 수도 있다는 문제를 제기하고 있다. 따라서 글의 결론으로 가장 적절한 것은 ②이다.

오답분석 ① 인공지능에 대한 인간의 독립성이 지속적으로 증가하게 될 것이라는 내용은 제시문의 내용과 상반되므로 적절하지 않다.

③ 1문단에서 인공지능이 인간보다 똑똑해질 수도 있다고 말한다. 그러나 이는 제시문의 일부분에 해당하는 내용이므로 결론으로 적절하지 않다.

④ 제시문을 통해 알 수 없는 내용이다.

02

난이도 ★★☆

해설 ① 제시문은 기차 소음과 동물들의 예시를 통해 '소리를 듣는다는 것'은 외부의 소리를 그대로 듣는 수동적인 과정이 아니라 뇌에서 소리를 재해석하여 선택적으로 듣는 과정임을 설명하고 있다. 따라서 글의 제목으로 가장 적절한 것은 ① '소리의 선택적 지각'이다.

오답분석 ②④⑤ 제시문과 관련이 없는 내용이다.

③ 5~7번째 줄에서 소리 정보가 감정을 담당하는 변연계에도 전달되어 모든 소리는 감정을 유발함을 설명하고 있지만 이는 부분적인 내용이므로 글 전체를 포괄하는 제목으로는 적절하지 않다.

03

난이도 ★★☆

해설 ④ 제시문의 화제인 '데페이즈망'은 초현실주의 작가 르네 마그리트의 주된 창작 기법으로, 2문단을 통해 르네 마그리트가 주목을 받게 되면서 데페이즈망 기법 역시 창의력과 상상력을 일깨우는 수단으로 관심을 받게 되었음을 알 수 있다. 또한 3문단에서 로트레아몽의 시를 인용한 부분을 통해 데페이즈망의 의의에 대해 알 수 있다. 따라서 제시문의 화제로 적절한 것은 ④이다.

04

[2020년 소방직 9급]

윗글의 제목으로 가장 적절한 것은?

 사회가 발달하면서 화법과 작문의 윤리에 대한 관심과 요구가 점점 커지고 있다. 화법과 작문의 윤리를 잘 지키지 않으면 사회적 의사소통의 바탕이 되는 상호 신뢰가 깨질 수 있으므로 이를 준수하기 위해 노력한다.

 그런데 청자나 독자를 존중하고 배려하는 자세를 갖추어야 한다. 말을 하거나 글을 쓸 때에는 상대방의 인격을 모욕하거나 상대방에게 상처를 주는 언어 표현을 사용하지 않아야 한다. 상대방을 존중하고 배려하는 표현을 사용함으로써 화법과 작문의 윤리를 지킬 수 있다.

 다음으로, 다른 사람의 글이나 아이디어 등을 표절하거나 도용하지 않아야 한다. 다른 사람의 글이나 아이디어 등을 인용할 때에는 저작자의 허락을 얻거나 인용의 출처를 제출해야 하며, 내용의 과장·축소·왜곡 없이 정확하게 인용해야 한다. 또한 출처를 명시하더라도 과도하게 인용하지 않아야 한다. 과도한 인용은 출처 명시와는 무관하게 화법과 작문의 윤리를 어기는 것이기 때문이다.

 화법과 작문의 윤리를 준수한다면 화자나 필자는 청자나 독자로부터 더욱 큰 신뢰를 얻을 수 있다. 그러므로 화자나 필자는 화법과 작문의 윤리를 잘 인식하고 있어야 하며, 말을 하거나 글을 쓸 때 이를 지키고 준수하는 태도를 가져야 한다.

① 화법과 작문의 절차　　② 화법과 작문의 목적

③ 화법과 작문의 기능　　④ 화법과 작문의 윤리

05

[2020년 지방직 9급]

다음 글의 주장으로 가장 적절한 것은?

 우리에게 친숙한 동물들의 사소한 행동을 살펴보면 그들이 자신의 환경을 개조한다는 것을 알 수 있다. 가장 단순한 생명체는 먹이가 그들에게 헤엄쳐 오게 만들고, 고등 동물은 먹이를 구하기 위해 땅을 파거나 포획 대상을 추적하기도 한다. 이처럼 동물들은 자신의 목적을 위해 행동함으로써 환경을 변형시킨다. 이러한 생존 방식을 흔히 환경에 적응하는 것으로 설명한다. 그러나 이러한 설명은 생명체들이 그들의 환경 개변(改變)에 능동적으로 행동한다는 중요한 사실을 놓치고 있다.

 가장 고등한 동물인 인간도 다른 생명체와 마찬가지로 생존이나 적응을 넘어서 환경에 대해 적극성을 보인다. 이는 인간의 세 가지 충동 – 사는 것, 잘 사는 것, 더 잘 사는 것 – 으로 인하여 가능하다. 잘 살기 위한 노력은 순응적이기 보다는 능동적인 모습으로 나타나게 된다. 인간도 생명체이다. 더 잘 살기 위해서는 환경에 순응할 수만은 없다.

① 인간은 환경에 적응해 왔다.

② 삶의 기술은 생존을 위한 것이다.

③ 생명체는 환경을 능동적으로 변형한다.

④ 인간은 잘 사는 것을 삶의 목표로 한다.

06

다음 글의 주장으로 가장 적절한 것은?

> 예술 작품의 복제 기술이 좋아지고 있음에도 불구하고 원본을 보러 가는 이유는 무엇인가? 예술 작품의 특성상 원본 고유의 예술적 속성을 복제본에서는 느낄 수 없다고 생각하는 경향이 강하기 때문이다. 사진은 원본인지 복제본인지 중요하지 않지만, 회화는 붓 자국 하나하나가 중요하기 때문에 복제본이 원본을 대체할 수 없다고 생각하는 사람들이 많다.
>
> 그러나 이러한 생각은 잘못이다. 회화와 달리 사진의 경우, 보통은 '그 작품'이라고 지칭되는 사례들이 여러 개 있을 수 있다. 20세기 위대한 사진작가 빌 브란트가 마음만 먹었다면, 런던에 전시한 인화본의 조도를 더 낮추는 방식으로 다른 곳에 전시한 것과 다른 예술적 속성을 갖게 할 수 있었을 것이다. 이것은 사진의 경우, 작가가 재현적 특질을 선택하고 변형할 수 있는 방법이 다양함을 의미한다.

① 복제본의 예술적 가치는 원본을 뛰어넘을 수 없다.

② 복제 기술 덕분에 예술의 매체적 특성이 비슷해졌다.

③ 복제본의 재현적 특질을 변형하는 방법은 제한적이다.

④ 복제본도 원본과는 다른 별개의 예술적 특성을 담보할 수 있다.

04

난이도 ★☆☆

해설 ④ 제시문은 화법과 작문의 윤리를 지키는 것의 중요성과 이를 지키기 위한 방안을 제시하고 있다. 따라서 제시문의 내용을 포괄하는 제목으로 가장 적절한 것은 ④ '화법과 작문의 윤리'이다.

05

난이도 ★☆☆

해설 ③ 제시문은 동물들이 자신의 목적을 위해 행동함으로써 환경을 변형시킨다는 사례와 인간의 세 가지 충동을 근거로 들어 모든 생명체는 환경을 능동적으로 변형한다고 주장한다. 따라서 글의 주장으로 가장 적절한 것은 ③이다.

오답분석
① 2문단 1~3번째 줄을 통해 인간은 환경에 적응하는 것을 넘어 환경에 대해 적극성을 보인다는 사실을 알 수 있다.
  [관련 부분] 가장 고등한 동물인 인간도 다른 생명체와 마찬가지로 생존이나 적용을 넘어서 환경에 대해 적극성을 보인다.

② 1문단 2~5번째 줄을 통해 동물들이 생존을 위해 다양한 삶의 기술을 활용하고 있음을 알 수 있다. 그러나 이는 생명체가 환경 개변에 능동적으로 행동한다는 주장을 뒷받침하기 위한 사례일 뿐이므로 제시문의 주장으로는 보기 어렵다.
  [관련 부분] 가장 단순한 생명체는 먹이가 그들에게 헤엄쳐 오게 만들고, 고등동물은 먹이를 구하기 위해 땅을 파거나 포획 대상을 추적하기도 한다.

④ 2문단 3~4번째 줄을 통해 '잘 사는 것'은 인간의 세 가지 충동 중 하나임을 알 수 있으나, 잘 사는 것을 삶의 목표로 한다는 내용은 제시문을 통해 확인할 수 없다.
  [관련 부분] 이는 인간의 세 가지 충동─사는 것, 잘 사는 것, 더 잘 사는 것─으로 인하여 가능하다.

06

난이도 ★☆☆

해설 ④ 1문단에서는 복제본이 원본을 대체할 수 없다는 일반적인 인식을 설명하고, 2문단에서는 빌 브란트의 사진 작품을 예로 들며 일반적인 인식에 대해 반박하고 있다. 복제본일지라도 다양한 방식으로 원본과 다른 예술적 속성을 갖게 할 수 있다고 설명하고 있으므로, 글의 주장으로 가장 적절한 것은 ④이다.

오답분석
① 복제본과 원본의 예술적 가치를 비교하는 부분은 제시문에서 찾을 수 없다.

② 제시문을 통해 알 수 없는 내용이다.

③ 2문단 끝에서 1~3번째 줄을 통해 복제본의 재현적 특질을 변형하는 방법이 다양할 수도 있음을 알 수 있다.
  [관련 부분] 사진의 경우, 작가가 재현적 특질을 선택하고 변형할 수 있는 방법이 다양함을 의미한다.

07

[2020년 지방직 7급]

다음 발화에 나타난 주장으로 가장 적절한 것은?

신어(新語)에 대해 말할 때, 보통 유행어나 비속어, 은어와 같은 한정된 대상을 떠올리는 경우가 많습니다. 그런데 신어 연구의 대상은 특정한 범주의 언어, 소수 집단의 언어에 한정되지 않습니다. 어려운 전문 용어는 의사소통의 효율성이나 교육적 목적을 위해 순화된 신어로 대체할 필요가 있는데, 특히, 상당수의 전문 용어는 신어에 대한 정책적인 고려가 필요해 보입니다. 예를 들어 '좌창(痤瘡)'이라는 의학 용어를 대체한 '여드름'은 일상생활뿐만 아니라 전문 분야에서도 신어로 자리를 잡았습니다. 이와 같은 신어는 전문 용어의 순화에도 일정한 역할을 하고 있습니다. 이는 신어 연구가 단지 새로운 어휘와 몇 가지 주제를 나열하는 연구를 넘어서 한국어 조어론 전반에 대한 연구로 확장되어야 하는 이유이기도 합니다. 이러한 신어의 영역은 대중이 생산하는 '자연 발생적 신어'의 영역과 더불어 '인위적인 신어'의 영역으로 논의되어야 합니다.

① 신어에서 비속어나 은어가 빠져야 한다.
② 신어는 연구 대상과 영역을 확장해야 한다.
③ 자연 발생적인 신어에 대한 정책적 고려가 필요하다.
④ 신어는 의사소통의 효율성을 위해 그 범주를 특정해야 한다.

08

[2019년 지방직 9급]

다음 글의 제목으로 가장 적절한 것은?

계몽주의 사상가들은 명백히 모순되는 두 개의 견해를 취했다. 그들은 인간의 위치를 자연계 안에서 해명하려고 애썼다. 역사의 법칙이란 것을 자연의 법칙과 동일한 것으로 여겼다. 다른 한편, 그들은 진보를 믿었다. 그렇다면 그들이 자연을 진보하는 것으로, 다시 말해 끊임없이 어떤 목적을 향해서 전진하는 것으로 받아들인 데에는 어떤 근거가 있었던가? 헤겔은 역사는 진보하는 것이고 자연은 진보하지 않는 것이라고 뚜렷이 구분했다. 반면, 다윈은 진화와 진보를 동일한 것으로 주장함으로써 모든 혼란을 정리한 듯했다. 자연도 역사와 마찬가지로 진보하는 것으로 본 것이다. 그러나 이것은 진화의 원천인 생물학적인 유전(biological inheritance)을 역사에서의 진보의 원천인 사회적인 획득(social acquisition)과 혼동함으로써 훨씬 더 심각한 오해에 이를 수 있는 길을 열어 놓았다. 오늘날 그 둘이 분명히 구별된다는 것은 익히 알려진 것이다.

① 자연의 진보에 대한 증거
② 인간 유전의 사회적 의미
③ 역사의 법칙과 자연의 법칙
④ 진보와 진화에 관한 견해들

09

다음 글의 주장으로 가장 적절한 것은?

사람은 일곱 자의 몸뚱이를 지니고 있지만 마음과 이치를 제하고 나면 귀하다 할 만한 것은 없다. 온통 한 껍데기의 피고름이 큰 뼈 덩어리를 감싸고 있을 뿐이다. 배고프면 밥 먹고 목마르면 물 마신다. 옷을 입을 줄도 알고 음탕한 욕심을 채울 줄도 안다. 가난하고 천하게 살면서 부귀를 사모하고, 부귀하게 지내면서 권세를 탐한다. 성날 때는 싸우고 근심이 생기면 슬퍼한다. 궁하게 되면 못 하는 짓이 없고, 즐거우면 음란해진다. 무릇 백 가지 하는 바가 한결같이 본능에 따르니, 늙어 죽은 뒤에야 그만둘 따름이다. 그렇다면 이를 짐승이라 말하여도 괜찮을 것이다.

① 근심과 슬픔은 늙기 전까지 끊이지 않는다.
② 빈부 격차는 인간 삶의 지향성에 영향을 준다.
③ 마음으로 본능을 다스리는 삶의 자세가 필요하다.
④ 자연의 이치를 알고자 하는 욕구는 사람에게 본능적이다.

07

난이도 ★★☆

해설 ② 필자는 신어 연구의 대상이 특정 범주의 언어, 소수 집단의 언어에 한정되지 않아야 하며 '자연 발생적 신어'와 더불어 '인위적인 신어'의 영역까지 신어 연구의 대상으로 확대되어야 한다고 주장한다. 따라서 발화에 나타난 주장으로 가장 적절한 것은 ②이다.

오답분석 ① 1~2번째 줄을 통해 비속어와 은어가 신어에 포함됨을 알 수 있다. 또한 필자는 신어의 연구 대상과 영역을 확장해야 한다고 주장하므로 ①은 필자의 주장으로 적절하지 않다.
[관련 부분] 신어(新語)에 대해 말할 때, 보통 유행어나 비속어, 은어와 같은 한정된 대상을 떠올리는 경우가 많습니다.

③ 6~7번째 줄을 통해 필자가 정책적인 고려가 필요하다고 말한 신어의 영역은 전문 용어임을 알 수 있다.
[관련 부분] 상당수의 전문 용어는 신어에 대한 정책적인 고려가 필요해 보입니다.

④ 4~6번째 줄을 통해 필자는 의사소통의 효율성을 위해 어려운 전문 용어를 순화된 신어로 대체해야 한다고 밝힐 뿐, 신어의 범주를 특정해야 한다고 주장하지 않는다.
[관련 부분] 어려운 전문 용어는 의사소통의 효율성이나 교육적 목적을 위해 순화된 신어로 대체할 필요가 있는데,

08

난이도 ★★☆

해설 ④ 제시문은 진보와 진화에 관한 계몽주의 사상가들의 모순되는 견해에 대해 설명하고 있다. 헤겔은 역사는 진보하는 것이고 자연은 진보하지 않는다는 견해인 반면, 다윈은 진화와 진보를 동일한 것으로 보아 자연도 역사와 마찬가지로 진보로 한다는 견해를 밝히고 있다. 따라서 제시문은 진화와 진보에 대한 헤겔과 다윈의 견해를 제시하고 있으므로 제목으로 가장 적절한 것은 ④이다.

09

난이도 ★★☆

해설 ③ 제시문은 사람이 귀하다 할 만한 것은 마음과 이치뿐임을 밝힌 뒤, 본능만을 따르는 인간의 속성을 나열하고 있다. 따라서 제시문의 주장으로 가장 적절한 것은 마음으로 본능을 다스려야 한다는 ③이다.
[관련 부분] 사람은 일곱 자의 몸뚱이를 지니고 있지만 마음과 이치를 제하고 나면 귀하다 할 만한 것은 없다.

10

다음 글에서 결론적으로 주장하는 바로 가장 적절한 것은?

> 사회 관계망 서비스(SNS)는 개인의 알 권리를 충족하거나 사회적 정의 실현을 위해 생각과 정보를 공유할 수 있도록 돕는다는 면에서 긍정적인 가치를 인정받는다. 그러나 도덕적 응징이라는 미명하에 개인의 신상 정보를 무차별적으로 공개하는 범법 행위가 확산되면서 심각한 사회 문제가 일고 있는 것이 사실이다. 법적 처벌이 어렵다면 도덕적으로 응징해서라도 죄를 물어야 한다는 누리꾼들의 요구가, '모욕죄'나 '사이버 명예 훼손죄' 등으로 처벌될 수 있는 범죄 행위 수준의 과도한 행동으로 이어지는 경우를 우려해야 하는 상황인 것이다.
>
> 특히 사회적 비난이 집중된 사건의 경우, 공익을 위한다는 생각으로 사건의 사실 여부를 제대로 확인하지도 않은 채 개인 신상 정보부터 무분별하게 유출하는 행위가 끊이지 않고 있어 문제의 심각성이 커지고 있다. 그로 인해 개인의 사생활 침해와 인격 훼손은 물론, 개인 정보가 범죄에 악용되는 부작용이 발생하고 있다. 따라서 사회 관계망 서비스를 이용하여 정보를 공유할 때에는, 개인의 사생활을 침해하거나 인격을 훼손하는 정보를 유출하는 것은 아닌지 각별한 주의를 기울일 필요가 있다.

① 정보 공유를 통해 사회 정의를 실현할 수 있다.

② 정보 유출로 공공의 이익이 훼손되는 경우는 없다.

③ 공유된 정보는 사실 관계를 확인할 수 있어야 한다.

④ 정보 공유 과정에서 개인의 인권이 침해당해서는 안 된다.

11

〈보기〉의 (가)에서 밑줄 친 ㉠~㉣ 중 (나)가 뒷받침하는 이론으로 가장 옳은 것은?

> ─── 〈보기〉 ───
>
> (가) 초상화에서 좌안·우안을 골라 그리는 데 대한 일반적인 이론은 대략 세 가지가 있습니다. 하나는 ㉠사람의 표정은 왼쪽 얼굴에 더 잘 나타난다는 이론이며, 다른 하나는 ㉡그림을 그리는 것은 우뇌인데 시야의 왼쪽에 맺힌 상(像)이 우뇌로 들어오기 때문에 왼쪽이 더 잘 그려진다는 이론입니다. 마지막 하나는, ㉢대부분의 화가는 오른손으로 그림을 그리며 오른손잡이는 왼쪽부터 그림을 그려나가는 것이 편하다는 주장입니다. 하지만, 실제로 한국의 초상화 작품들을 살펴보면 ㉣좌안·우안이 시대에 따라 어떤 경향성을 띠는 것으로 보입니다. 이를테면, 비록 원본은 아니지만 고려 말 염제신의 초상화나 조선 초 이천우의 초상화들은 대체로 우안이며, 신숙주의 초상화 이후 조선시대의 초상화들은 거의가 좌안입니다.
>
> (나) 화가가 사람의 얼굴을 그릴 때에는 보통 눈·코·입의 윤곽이 중요하므로 이를 먼저 그리게 된다. 좌안을 그리면 왼쪽에 이목구비가 몰려 있어 이들을 그리고 난 후 자연스럽게 오른쪽으로 이동하면서 왼쪽 뺨·귀·머리, 오른쪽 윤곽 순으로 그려나간다. 이렇게 하면 손의 움직임도 편할 뿐 아니라 그리는 도중 목탄이나 물감이 손에 묻을 확률도 줄어든다.

① ㉠   ② ㉡

③ ㉢   ④ ㉣

12

[2018년 국가직 9급]

다음 글의 중심 내용으로 가장 적절한 것은?

> '언문'은 실용 범위에 제약이 있었는데, 이런 현실은 '언간'에도 적용된다. '언간' 사용의 제약은 무엇보다 이 것을 주고받은 사람의 성별(性別)에서 뚜렷이 드러난다. 15세기 후반 이래로 숱한 언간이 현전하지만 남성 간에 주고받은 언간은 찾아보기 어렵다. 이는 남성 간에는 한 문 간찰이 오간 때문이나 남성이 공적인 영역을 독점했던 당시의 현실을 감안하면 '언문'이 공식성을 인정받지 못했던 사실과 상통한다. 결국 조선시대에는 언간의 발 신자나 수신자 어느 한쪽으로 반드시 여성이 관여하는 특징을 보인다고 할 수 있다.
>
> 이러한 사용자의 성별 특징으로 인하여 종래 '언간'은 '내간'으로 일컬어지기도 하였다. 그러나 이러한 명칭 때문에 내간이 부녀자만을 상대로 하거나 부녀자끼리만 주고받은 편지로 오해되어서는 안 된다. 16, 17세기의 것만 하더라도 수신자는 왕이나 사대부를 비롯하여 한글 해독 능력이 있는 하층민에 이르기까지 거의 전 계층의 남성이 될 수 있었기 때문이다. 한문 간찰이 사대부 계층 이상 남성만의 전유물이었다면 언간은 특정 계층에 관계없이 남녀 모두의 공유물이었다고 할 수 있다.

① '언문'과 마찬가지로 '언간'의 실용 범위에는 제약이 있었다.

② 사용자의 성별 특징으로 인해 '언간'은 '내간'으로 일컬어졌다.

③ 언간은 특정 계층과 성별에 관계없이 이용된 의사소통 수단이었다.

④ 조선시대에는 언간의 발신자나 수신자 어느 한쪽으로 반드시 여성이 관여하는 특징을 보인다.

10

난이도 ★★☆

해설 ④ 제시문은 1문단에서 사회 관계망 서비스의 긍정적인 가치를 언급함과 동시에 무차별적인 개인 신상 정보 유출로 인해 사 회 문제가 확산되고 있는 상황을 제시하고 그 심각성과 부작 용을 2문단에서 설명하였다. 이어서 사회 관계망 서비스를 이용해 공유하는 정보가 개인의 사생활을 침해하거나 인격을 훼손하는 것은 아닐지 주의해야 함을 당부하고 있다. 따라서 제시문에서 결론적으로 주장하는 바로 가장 적절한 것은 ④ 이다.

오답 분석 ① 1문단 2~3번째 줄을 통해 정보 공유로 사회 정의를 실현할 수 있음을 알 수 있으나 이는 사회 관계망 서비스의 긍정적인 측 면으로 제시된 내용일 뿐 제시문의 결론에 해당하지 않는다.

[관련 부분] 사회적 정의 실현을 위해 생각과 정보를 공유할 수 있도록 돕는다는 면에서 긍정적인 가치를 인정 받는다.

② ③ 제시문을 통해 확인할 수 없는 내용이다.

11

난이도 ★★☆

해설 ③ (나)는 화가가 사람의 얼굴을 그릴 때 좌안을 먼저 그리면 손 의 움직임도 편하고 목탄이나 물감이 손에 묻지 않는다는 내 용을 설명하고 있다. 이는 대부분의 화가가 오른손잡이이므 로 왼쪽부터 그림을 그려나가야 편하다는 ㉢의 이론을 뒷받 침하므로 답은 ③이다.

12

난이도 ★★☆

해설 ③ 제시문은 언간이 특정 계층이나 성별에 관계없이 모두의 공 유물이었음을 설명하고 있다. 1문단에서는 언간을 주고받은 사람들의 성별 특징을 제시하였으며, 2문단에서는 언간의 폭 넓은 향유 계층에 대해 밝히고 있다. 따라서 중심 내용으로 가 장 적절한 것은 ③이다.

오답 분석 ① ② ④는 모두 제시문에서 확인할 수 있으나, 부분적인 내용이 므로 중심 내용으로는 적절하지 않다.

① 1문단 1~2번째 줄을 통해 확인할 수 있다.

[관련 부분] '언문'은 실용 범위에 제약이 있었는데, 이런 현실은 '언 간'에도 적용된다.

② 2문단 1~2번째 줄을 통해 확인할 수 있다.

[관련 부분] 사용자의 성별 특징으로 인하여 종래 '언간'은 '내간'으로 일컬어지기도 하였다.

④ 1문단 끝에서 1~3번째 줄을 통해 확인할 수 있다.

[관련 부분] 조선시대에는 언간의 발신자나 수신자 어느 한쪽으로 반 드시 여성이 관여하는 특징을 보인다고 할 수 있다.

13

[2017년 국가직 7급 (8월)]

다음 글의 중심 내용으로 가장 적절한 것은?

> 롤랑 바르트는 『기호의 제국』에서 "우리 얼굴이 '인용'이 아니라면 또 무엇이란 말인가"라는 말을 한 적이 있다. 우리의 헤어스타일이나 패션, 감정을 나타내는 얼굴 표정 등은 모두 미디어로부터 '복제'된 것일 가능성이 높다. 작가가 다른 책의 구절들을 씨앗글로 인용하는 일을 계기로 한 편의 글을 완성하듯, 우리는 남의 표정과 스타일을 복사한다. 이렇게 다른 것을 복제하고 인용하는 문화는 확산되고 있다. 그것은 오늘날 성형의 트렌드가 확산되는 현상을 보면 잘 알 수 있다. 성형을 하는 사람은 쇼핑하듯 트렌드가 만든 미인 얼굴을 구매한다.

① 롤랑 바르트는 모방이나 복제 문화의 예찬론자이다.

② 모방이나 복제 문화의 대중화가 사람들의 미의식을 세련되게 했다.

③ 모방이나 복제 문화가 확산되고 있다.

④ 모방이나 복제 문화의 대중화로 인해 성형 수술이 유행하고 있다.

14

[2017년 국가직 9급 (10월)]

다음 글의 중심 내용으로 가장 적절한 것은?

> 책 없이도 인간은 기억하고 생각하고 상상하고 표현한다. 그런데 책과 책 읽기는 인간이 이 능력을 키우고 발전시키는 데 중대한 차이를 가져온다. 책을 읽는 문화와 책을 읽지 않는 문화는 기억, 사유, 상상, 표현의 층위에서 상당히 다른 개인들을 만들어 내고, 상당한 질적 차이를 가진 사회적 주체들을 생산한다. 누구도 맹목적인 책 예찬자가 될 필요는 없다. 그러나 중요한 것은 인간을 더욱 인간적이게 하는 소중한 능력들을 지키고 발전시키기 위해서는 책은 결코 희생될 수 없는 매체라는 사실이다. 그 능력의 지속적 발전에 드는 비용은 싸지 않다. 무엇보다도 책 읽기는 손쉬운 일이 아니다. 거기에는 상당량의 정신 에너지가 투입돼야 하고, 훈련이 요구되고, 읽기의 즐거움을 경험하는 정신 습관의 형성이 필요하다.

① 인간의 기억과 상상

② 독서의 필요성과 어려움

③ 맹목적인 책 예찬론의 위험성

④ 책 읽기 능력 개발에 드는 비용

15

[2017년 서울시 7급]

다음 글의 주제로 가장 적절한 것은?

> 합리성이 인간의 본래적인 특성이기는 하지만, 더 나아가 이러한 합리성을 표현할 줄 알아야 한다. 인간은 사회적인 동물이기 때문에 나와 다른 관점을 지닌 무수한 사람들과 부딪히며 어울려 살아야 하기 때문이다. 합리적인 공동체의 합리적인 시민이 되고자 한다면, 단순히 합리적으로 사고하는 것을 넘어 다른 사람들이 자신의 견해를 수용할 수 있을 만큼 타당한 논리를 제시할 줄 알아야 한다. 그러한 주장에 사람들이 동의하지 않는다 하더라도 최소한 존중해 줄 수 있을 정도는 되어야 한다. 합리적으로 보이는 근거를 제시하고 진정으로 사려 깊게 논증한다면 상대방은 입장을 바꿔서 생각해 볼 것이고, 이로써 당신의 생각을 인정할 수도 있다. 어떤 사람의 논증이 일관되고 견고해 보일 때 사람들은 그 사람을 생각이 깊은 올바른 사람이라고 기억할 것이다.

① 합리적인 공동체의 미래

② 합리적 사고의 의미

③ 인간의 사회적 특성

④ 합리적 논증의 필요성

16

[2016년 국가직 9급]

다음 글의 필자가 궁극적으로 강조하는 내용으로 가장 적절한 것은?

> 로마는 '마지막으로 보아야 하는 도시'라고 합니다. 장대한 로마 유적을 먼저 보고 나면 다른 관광지의 유적들이 상대적으로 왜소하게 느껴지기 때문일 것입니다. 로마의 자부심이 담긴 말입니다. 그러나 나는 당신에게 제일 먼저 로마를 보라고 권하고 싶습니다. 왜냐하면 로마는 문명이란 무엇인가라는 물음에 대해 가장 진지하게 반성할 수 있는 도시이기 때문입니다. 문명관(文明觀)이란 과거 문명에 대한 관점이 아니라 우리의 가치관과 직결되어 있는 것입니다. 그리고 과거 문명을 바라보는 시각은 그대로 새로운 문명에 대한 전망으로 이어지기 때문입니다.

① 여행할 때는 로마를 가장 먼저 보는 것이 좋다.

② 문명을 반성적으로 볼 수 있는 가치관이 필요하다.

③ 문화 유적에 대한 로마인의 자부심은 본받을 만하다.

④ 과거 문명에서 벗어나 새로운 문명을 창조해야 한다.

13　　　　　　　　　　　　　　난이도 ★★☆

해설　③ 제시문은 롤랑 바르트의 견해와 함께 오늘날의 사회 현상(성형의 트렌드가 확산되는 현상)을 들어 다른 것을 복제하고 인용하는 문화가 확산되고 있다는 것을 설명하고 있다.

오답분석　① 롤랑 바르트가 다른 것을 복제하고 인용하는 문화가 확산되는 현상을 설명했음은 알 수 있으나, 모방과 복제 문화를 예찬했다는 내용은 알 수 없다.

② 제시문에서 확인할 수 없는 내용이다.

④ 성형의 트렌드가 확산되는 현상을 예로 들어 복제하고 인용하는 문화의 확산을 설명하고 있으나, 모방이나 복제 문화의 대중화로 인해 성형 수술이 유행한다는 내용은 알 수 없다.

14　　　　　　　　　　　　　　난이도 ★☆☆

해설　② 제시문은 책을 읽는 문화와 책을 읽지 않는 문화를 대비함으로써 독서의 필요성을 밝히고, 이후 책 읽기가 쉽지 않다는 것과 그 이유에 대하여 언급하였으므로 글의 중심 내용으로 적절한 것은 ②이다.

[관련 부분]
- 책을 읽는 문화와 책을 읽지 않는 문화는 기억, 사유, 상상, 표현의 층위에서 상당히 다른 개인들을 만들어 내고, 상당한 질적 차이를 가진 사회적 주체들을 생산한다.
- 책 읽기는 손쉬운 일이 아니다. 거기에는 상당량의 정신 에너지가 투입돼야 하고, 훈련이 요구되고, 읽기의 즐거움을 경험하는 정신 습관의 형성이 필요하다.

15　　　　　　　　　　　　　　난이도 ★★☆

해설　④ 필자는 인간이 사회적인 동물이므로 합리성을 표현할 줄 알아야 한다고 말하며, 합리적으로 논증하였을 때 발생하는 긍정적 결과를 서술하고 있다. 따라서 글의 주제로 적절한 것은 ④ '합리적 논증의 필요성'이다.

16　　　　　　　　　　　　　　난이도 ★★☆

해설　② 필자는 문명에 대해 가장 진지하게 반성할 수 있는 도시인 로마를 가장 먼저 볼 것을 권하고 있는데, 이는 문명관을 중시하는 가치관에서 비롯된 것이다. 끝에서 1~5번째 줄을 장을 통해, 필자가 궁극적으로 강조하는 내용은 문명을 반성적으로 볼 수 있는 가치관의 필요성임을 알 수 있다.
[관련 부분] 문명관(文明觀)이란 과거 문명에 대한 관점이 아니라 우리의 가치관과 직결되어 있는 것입니다. 그리고 과거 문명을 바라보는 시각은 그대로 새로운 문명에 대한 전망으로 이어지기 때문입니다.

오답분석　① 필자가 권하는 내용이지만, 궁극적으로 강조하는 내용은 아니다.

③ 1~4번째 줄에서 로마 유적에 대한 로마의 자부심을 확인할 수 있으나, 이를 본받아야 한다는 내용은 확인할 수 없다.
[관련 부분] 로마는 '마지막으로 보아야 하는 도시'라고 합니다. ~ 로마의 자부심이 담긴 말입니다.

④ 끝에서 1~3번째 줄에 따르면 필자는 과거 문명에 대한 시각이 새로운 문명으로 이어진다고 보고 있다. 따라서 과거 문명에서 벗어나 새로운 문명을 창조해야 한다는 내용은 적절하지 않다.
[관련 부분] 과거 문명을 바라보는 시각은 그대로 새로운 문명에 대한 전망으로 이어지기 때문입니다.

17

[2017년 기상직 9급]

다음은 오늘날의 커뮤니케이션의 특수한 방식에 대하여 쓴 글이다. 해당 방식의 구체적인 내용이 분명하게 드러나는 제목을 붙이고자 할 때, 다음 중 가장 적절한 것은?

오늘날의 커뮤니케이션은 꽤 세련된 방식으로 이루어진다. 안부를 묻는 것도, 새해 인사도, 정치적 의견을 피력하는 것도, 물건을 사는 것도, 합격이나 불합격, 해고 통지도 모두 온라인으로 해결한다. 사람 얼굴이 보이지 않으니 행동이나 표정을 살필 일도 없고, 목소리도 들을 수 없으니 그 미묘한 마음의 디테일 역시 읽을 일이 없다. 그런 커뮤니케이션에서는 감정의 낭비가 없다. 이모티콘으로 최소한의 감정을 전달하지만 그런 문자 감정 기호는 지나치게 과장되거나 축소돼 진실성이 결여돼 있다. 그런 모든 감정 기호는 사실은 위안과 안심의 기호다. 문자 기호 커뮤니케이션에서는 격앙된 감정을 자제한다.

화를 내거나 우울한 기분을 전하는 기호조차 귀엽게 포장된다. 정말 화를 내고 싶으면 이모티콘이 아니라 욕을 써 버리면 되지만 온라인 커뮤니케이션에서 가장 금기시되는 것은 세련되지 못한 감정을 드러내는 것이므로 비난을 면하기 어렵다. 사실 진짜 욕, 진짜 화, 진짜 슬픔, 진짜 불안을 기호화한 이모티콘은 아직 보지 못했다. 따라서 조금씩 다른 그 모든 감정 기호는 사실 '좋아요'의 아류일 뿐이다. 온라인 커뮤니케이션의 두드러진 특징은 기억된다는 것이 아니라 기록된다는 것이다. 문자 기호의 커뮤니케이션은 소리 기호의 커뮤니케이션보다 더 큰 책임이 따르며, 따라서 절제와 세련됨을 요구한다.

① 오늘날의 커뮤니케이션
② 이모티콘의 의미와 기능
③ 위안과 안심의 감정 기호
④ 감정을 감추는 세련된 기호

18

[2016년 지방직 9급]

다음 글의 제목으로 가장 적절한 것은?

어느 대학의 심리학 교수가 그 학교에서 강의를 재미없게 하기로 정평이 나 있는, 한 인류학 교수의 수업을 대상으로 실험을 계획했다. 그 심리학 교수는 인류학 교수에게 이 사실을 철저히 비밀로 하고, 그 강의를 수강하는 학생들에게만 사전에 몇 가지 주의 사항을 전달했다. 첫째, 그 교수의 말 한 마디 한 마디에 주의를 집중하면서 열심히 들을 것. 둘째, 얼굴에는 약간 미소를 띠면서 눈을 반짝이며 고개를 끄덕이기도 하고 간혹 질문도 하면서 강의가 매우 재미있다는 반응을 겉으로 나타내며 들을 것.

한 학기 동안 계속된 이 실험의 결과는 흥미로웠다. 우선 재미없게 강의하던 그 인류학 교수는 줄줄 읽어 나가던 강의 노트에서 드디어 눈을 떼고 학생들과 시선을 마주치기 시작했고 가끔씩은 한두 마디 유머 섞인 농담을 던지기도 하더니, 그 학기가 끝날 즈음엔 가장 열의 있게 강의하는 교수로 면모를 일신하게 되었다. 더욱더 놀라운 것은 학생들의 변화였다. 처음에는 실험 차원에서 열심히 듣는 척하던 학생들이 이 과정을 통해 정말로 강의에 흥미롭게 참여하게 되었고, 나중에는 소수이긴 하지만 아예 전공을 인류학으로 바꾸기로 결심한 학생들도 나오게 되었다.

① 학생 간 의사소통의 중요성
② 교수 간 의사소통의 중요성
③ 언어적 메시지의 중요성
④ 공감하는 듣기의 중요성

19

[2016년 국가직 9급]

글의 제목으로 가장 적절한 것은?

평화로운 시대에 시인의 존재는 문화의 비싼 장식일 수 있다. 그러나 시인의 조국이 비운에 빠졌거나 통일을 잃었을 때 시인은 장식의 의미를 떠나 민족의 예언가가 될 수 있고, 민족혼을 불러일으키는 선구자적 지위에 놓일 수도 있다. 예를 들면 스스로 군대를 가지지 못한 채 제정 러시아의 가혹한 탄압 아래 있던 폴란드 사람들은 시인의 존재를 민족의 재생을 예언하고 굴욕스러운 현실을 탈피하도록 격려하는 예언자로 여겼다. 또한 통일된 국가를 가지지 못하고 이산되어 있던 이탈리아 사람들은 시성 단테를 유일한 '이탈리아'로 숭앙했고, 제1차 세계대전 때 독일군의 잔혹한 압제하에 있었던 벨기에 사람들은 베르하렌을 조국을 상징하는 시인으로 추앙하였다.

① 시인의 생명(生命)
② 시인의 운명(運命)
③ 시인의 사명(使命)
④ 시인의 혁명(革命)

20

[2016년 지방직 9급]

다음 글의 중심 내용으로 가장 적절한 것은?

영어에서 위기를 뜻하는 단어 'crisis'의 어원은 '분리하다'라는 뜻의 그리스어 '크리네인(Krinein)'이다. 크리네인은 본래 회복과 죽음의 분기점이 되는 병세의 변화를 가리키는 의학 용어로 사용되었는데, 서양인들은 위기에 어떻게 대응하느냐에 따라 결과가 달라진다고 보았다. 상황에 위축되지 않고 침착하게 위기의 원인을 분석하여 사리에 맞는 해결 방안을 찾을 수 있다면 긍정적 결과가 나올 수 있다는 것이다. 한편, 동양에서는 위기(危機)를 '위험(危險)'과 '기회(機會)'가 합쳐진 것으로 해석하여, 위기를 통해 새로운 기회를 모색하라고 한다. 동양인들 또한 상황을 바라보는 관점에 따라 위기가 기회로 변모될 수도 있다고 본 것이다.

① 위기가 아예 다가오지 못하게 미리 대처해야 한다.
② 위기 상황을 냉정하게 판단하고 긍정적으로 받아들인다.
③ 위기가 지나갔다고 해서 반드시 기회가 오는 것은 아니다.
④ 욕심에서 비롯된 위기를 통해 자신의 상황을 되돌아봐야 한다.

17

난이도 ★☆☆

해설 ④ 1문단을 통해 오늘날의 커뮤니케이션이 온라인상에서 문자 기호로 이루어짐에 따라 격앙된 감정의 표출을 자제하는 특성이 있음을 알 수 있다. 또한 2문단을 통해 기록으로 남는 문자 기호의 특징으로 인해 문자 기호 커뮤니케이션에서 절제와 세련됨이 요구됨을 알 수 있으므로 글 전체의 내용을 포괄하는 제목으로 적절한 것은 ④ '감정을 감추는 세련된 기호'이다.
[관련 부분]
• 문자 기호 커뮤니케이션에서는 격앙된 감정을 자제한다.
• 온라인 커뮤니케이션의 두드러진 특징은 기억된다는 것이 아니라 기록된다는 것이다. ~ 따라서 절제와 세련됨을 요구한다.

18

난이도 ★☆☆

해설 ④ 1문단 끝에서 1~5번째 줄에서 심리학 교수가 학생들에게 전달한 주의 사항인 경청하기, 반응하기는 공감하는 듣기의 방법이다. 또한 2문단에서는 공감하는 듣기를 실천한 이후의 긍정적 변화를 제시하였으므로, 글의 제목으로는 ④가 적절하다.

19

난이도 ★★☆

해설 ③ 시인은 조국이 위험에 처했을 때, 민족의 예언가나 민족혼을 불러일으키는 선구자로서의 임무를 맡게 된다는 사실을 예를 들어 설명하고 있다. 따라서 글의 제목으로 적절한 것은 ③ '시인의 사명(使命)'이다.
• 사명(使命: 하여금 사, 목숨 명): 맡겨진 임무

오답분석 ① 생명(生命: 날 생, 목숨 명): 사람이 살아서 숨 쉬고 활동할 수 있게 하는 힘
② 운명(運命: 옮길 운, 목숨 명): 인간을 포함한 모든 것을 지배하는 초인간적인 힘. 또는 그것에 의해 이미 정해져 있는 목숨이나 처지
④ 혁명(革命: 가죽 혁, 목숨 명): 이전의 관습이나 제도, 방식 등을 단번에 깨뜨리고 질적으로 새로운 것을 급격하게 세우는 일

20

난이도 ★☆☆

해설 ② 서양인들은 위기에 침착하게 대응하면 긍정적 결과가 나올 수 있다고 보았고, 동양인들은 상황을 바라보는 관점에 따라 위기가 기회로 변모될 수도 있다고 보았다. 이는 모두 위기 상황에 대한 냉정한 판단과 긍정적 수용을 강조하는 것이므로 ②가 중심 내용으로 적절하다.

01

[2021년 국가직 9급]

다음 글에 대한 이해로 적절하지 않은 것은?

언어마다 고유의 표기 체계가 있는데, 이는 읽기 과정에 영향을 미친다. 알파벳 언어는 표기 체계에 따라 철자 읽기의 명료성 수준이 달라진다. 철자 읽기가 명료하다는 것은 한 글자에 대응되는 소리가 규칙적이어서 글자와 소리의 대응이 거의 일대일이라는 것을 의미한다. 그 예로 이탈리아어와 스페인어가 있다. 이 두 언어의 사용자는 의미를 전혀 모르는 새로운 단어를 발견하더라도 보자마자 정확한 발음을 할 수 있다. 이에 비해 영어는 철자 읽기의 명료성이 낮은 언어이다. 영어는 발음이 아예 나지 않는 묵음과 같은 예외도 많은 편이고 글자에 대응하는 소리도 매우 다양하다.

한편 알파벳 언어를 읽을 때 사용하는 뇌의 부위는 유사하지만 뇌의 부위에 의존하는 방식에는 차이가 있다. 영어와 이탈리아어를 읽는 사람은 동일하게 좌반구의 읽기 네트워크를 사용한다. 하지만 무의미한 단어를 읽을 때 영어를 읽는 사람은 암기된 단어의 인출과 연관된 뇌 부위에 더 의존하는 반면 이탈리아어를 읽는 사람은 음운 처리에 연관된 뇌 부위에 더 의존한다. 왜냐하면 무의미한 단어를 읽을 때 이탈리아어를 읽는 사람은 규칙적인 음운 처리 규칙을 적용하는 반면에, 영어를 읽는 사람은 암기해 둔 수많은 예외들을 떠올리기 때문이다.

① 알파벳 언어의 철자 읽기는 소리와 표기의 대응과 관련되는데, 각 소리가 지닌 특성은 철자 읽기의 명료성을 판단하는 기준이 된다.

② 영어 사용자는 무의미한 단어를 읽을 때 좌반구의 읽기 네트워크를 활용하면서 암기된 단어의 인출과 연관된 뇌 부위에 더욱 의존한다.

③ 이탈리아어는 소리와 글자의 대응이 규칙적이어서 낯선 단어 발음할 때 영어에 비해 철자 읽기의 명료성이 높다.

④ 영어는 음운 처리 규칙에 적용되지 않는 예외들이 많아서 스페인어에 비해 소리와 글자의 대응이 덜 규칙적이다.

02

[2021년 지방직 9급]

다음 글의 내용과 부합하는 것은?

미국의 어머니들은 자녀와 함께 놀이를 할 때 특정 사물에 초점을 맞추고 그 사물의 속성을 아이들에게 가르친다. 사물의 속성 자체에 관심을 기울이도록 훈련받은 아이들은 스스로 독립적인 행동을 하도록 교육받는다. 미국에서는 아이들에게 의사소통을 가르칠 때 자신의 생각을 분명하게 표현하고 말하는 사람의 입장에서 대화에 임해야 하며, 대화 과정에서 오해가 발생하면 그것은 말하는 사람의 잘못이라고 강조한다.

반면에 일본의 어머니들은 대상의 '감정'에 특별히 신경을 써서 가르친다. 특히 자녀가 말을 안 들을 때에 그러하다. 예를 들어 "네가 밥을 안 먹으면, 고생한 농부 아저씨가 얼마나 슬프겠니?", "인형을 그렇게 던져 버리다니, 저 인형이 울잖아. 담장도 아파하잖아." 같은 말들로 꾸중하는 모습을 자주 볼 수 있다. 다른 사람과의 관계에 초점을 맞춘 훈련을 받은 아이들은 자신의 생각을 드러내기보다는 행동에 영향을 받는 다른 사람들의 감정을 미리 예측하도록 교육받는다. 곧 일본에서는 아이들에게 듣는 사람의 입장에서 말할 것을 강조한다.

① 미국의 어머니는 듣는 사람의 입장, 일본의 어머니는 말하는 사람의 입장을 강조한다.

② 일본의 어머니는 사물의 속성을 아는 것이 관계를 아는 것보다 더 중요하다고 생각한다.

③ 미국의 어머니는 어떤 일을 있는 그대로 보지 말고 이면에 있는 감정을 읽어야 한다고 생각한다.

④ 미국의 어머니는 자녀가 독립적인 행동을 하도록 교육하며, 일본의 어머니는 자녀가 타인의 감정을 예측하도록 교육한다.

세부 내용 파악

21%   50%   17%   12%

주제 및 중심 내용 파악   관점과 태도 파악   글의 전략 파악

01

난이도 ★★☆

해설 ① 1문단 3~5번째 줄을 통해 알파벳 언어에서 철자 읽기의 명료성을 판단하는 기준은 소리가 지닌 특성이 아니라 표기와 소리가 대응하는 정도임을 알 수 있다.

[관련 부분] 철자 읽기가 명료하다는 것은 한 글자에 대응되는 소리가 규칙적이어서 글자와 소리의 대응이 거의 일대일이라는 것을 의미한다.

오답분석 ② 2문단 3~6번째 줄을 통해 알 수 있다.

[관련 부분] 영어와 이탈리아어를 읽는 사람은 동일하게 좌반구의 읽기 네트워크를 사용한다. 하지만 무의미한 단어를 읽을 때 영어를 읽는 사람은 암기된 단어의 인출과 연관된 뇌 부위에 더 의존하는 반면

③ 1문단 3~9번째 줄을 통해 이탈리아어는 한 글자에 대응되는 소리가 규칙적이어서 낯선 단어를 발음할 때 영어에 비해 철자 읽기의 명료성이 높다는 것을 알 수 있다.

[관련 부분] 철자 읽기가 명료하다는 것은 한 글자에 대응되는 소리가 규칙적이어서 글자와 소리의 대응이 거의 일대일이라는 것을 의미한다. 그 예로 이탈리아어와 스페인어가 있다. ~ 이에 비해 영어는 철자 읽기의 명료성이 낮은 언어이다.

④ 1문단 끝에서 1~4번째 줄을 통해 영어는 묵음과 같은 예외가 많고 글자에 대응하는 소리도 매우 다양하여 스페인어에 비해 철자 읽기의 명료성이 낮다는 것을 알 수 있다. 따라서 영어가 스페인어에 비해 소리와 글자의 대응이 덜 규칙적이라는 ④의 설명은 적절하다.

[관련 부분] 이에 비해 영어는 철자 읽기의 명료성이 낮은 언어이다. 영어는 발음이 아예 나지 않는 묵음과 같은 예외도 많은 편이고 글자에 대응하는 소리도 매우 다양하다.

02

난이도 ★☆☆

해설 ④ 1문단 6번째 줄을 통해 미국의 어머니는 아이들이 스스로 독립적인 행동을 할 수 있도록 교육함을 알 수 있다. 또한 2문단 끝에서 2~4번째 줄을 통해 일본의 어머니는 아이들이 다른 사람들의 감정을 예측할 수 있도록 교육함을 알 수 있다. 따라서 제시문의 내용과 부합하는 것은 ④이다.

[관련 부분]
• 아이들은 스스로 독립적인 행동을 하도록 교육받는다.
• 아이들은 자신의 생각을 드러내기보다는 행동에 영향을 받는 다른 사람들의 감정을 미리 예측하도록 교육받는다.

오답분석 ① 1문단 끝에서 2~4번째 줄을 통해 미국의 어머니는 말하는 사람의 입장을 강조함을 알 수 있고, 2문단 끝에서 1~2번째 줄을 통해 일본의 어머니는 듣는 사람의 입장을 강조함을 알 수 있다.

[관련 부분]
• 미국에서는 아이들에게 의사소통을 가르칠 때 자신의 생각을 분명하게 표현하고 말하는 사람의 입장에서 대화에 임해야 하며
• 곧 일본에서는 아이들에게 듣는 사람의 입장에서 말할 것을 강조한다.

② 1문단 1~3번째 줄을 통해 미국의 어머니가 사물의 속성을 가르친다는 것을 알 수 있다.

[관련 부분] 미국의 어머니들은 자녀와 함께 놀이를 할 때 특정 사물에 초점을 맞추고 그 사물의 속성을 아이들에게 가르친다.

③ 2문단 끝에서 2~4번째 줄을 통해 일본의 어머니가 다른 사람들의 감정을 예측하도록 아이들을 교육한다는 것을 알 수 있다.

[관련 부분] 아이들은 ~ 행동에 영향을 받는 다른 사람들의 감정을 미리 예측하도록 교육받는다.

03

다음 글의 내용과 부합하지 않는 것은?

인터넷이 있는 곳이면 어디나 악플이 있기 마련이지만, 한국은 정도가 심하다. 악플러들 가운데는 피해의식과 열등감에 시달리는 이들이 많다고 한다. 그들에게 악플의 즐거움은 무엇인가. 자신이 올린 글 한 줄에 다른 사람들이 동요하는 모습을 보면서 자기 효능감(self-efficacy)을 맛볼 수 있다. 아무에게도 영향력을 행사하지 못하고 자신의 삶과 환경을 통제하지도 못하면서 무력감에 시달리는 사람일수록 공격적인 발설로 자기 효능감을 느끼려 한다.

그런데 자기 효능감은 상대방의 반응에 좌우된다. 마구 욕을 퍼부었는데 상대방이 별로 개의치 않는다면, 계속할 마음이 사라질 것이다. 무시당했다는 생각에 오히려 자괴감에 빠질 수도 있다. 개인주의가 안착된 사회에서는 자신을 향한 비판에 대해 '그건 너의 생각'이라면서 넘겨 버리는 사람들이 많다. 말도 안 되는 욕설이나 험담이 날아오면 제정신이 아닌 사람의 소행으로 웃어넘기거나 법적인 조치를 취할 것이다.

개인주의는 여러 속성을 지니고 있지만, 자신의 존재 가치를 스스로 매긴다는 긍정적 측면이 있다. 한국에는 그런 의미에서의 개인주의가 뿌리내리지 못했다. 남에 대해 신경을 너무 곤두세운다. 그것은 두 가지 차원으로 나뉘는데, 한편으로 타인에게 필요 이상의 관심을 보이면서 참견하고 타인의 영역을 침범한다. 다른 한편으로 자기에 대한 타인의 평가와 반응에 너무 예민하다. 이 두 가지 특성이 인터넷 공간에서 맞물려 악플을 양산한다. 우선 다른 사람들에게 너무 쉽게 험담을 늘어놓고 당사자에게 악담을 던진다. 그렇게 악을 올리면 상대방이 발끈하거나 움츠러든다. 이따금 일파만파로 사회가 요동을 치기도 한다. 악플러 입장에서는 재미가 쏠쏠하다. 예상했던 피드백을 즉각적으로 받으면서 자기 효능감을 맛볼 수 있기 때문이다.

① 악플러는 자신의 말에 타인이 동요하는 것을 보면서 자기 효능감을 느낀다.
② 개인주의자는 악플에 무반응함으로써 악플러를 자괴감에 빠지게 할 수 있다.
③ 자신의 삶을 잘 통제하는 악플러일수록 타인을 더욱 엄격한 잣대로 비판한다.
④ 한국에서 악플이 양산되는 것은 한국인들이 타인에 대해 신경을 많이 쓰는 것과 관계가 있다.

04

다음 글에 대한 이해로 적절한 것은?

국제기구인 유엔은 영어, 중국어, 러시아어, 프랑스어, 스페인어, 아랍어 등이 공용어로 사용되나 그곳에 근무하는 모든 외교관들이 이 공용어들을 전부 다 잘해야 하는 것은 아니다. 유럽연합에서의 공용어 개념도 유엔에서의 경우와 마찬가지로 여러 공용어 중 하나만 알아도 공식 업무상 불편이 없게끔 한다는 것이지 모든 유럽연합인들이 열 개가 넘는 공용어를 전부 다 배워야 하는 것은 아니다.

마찬가지 논리로 우리가 만일 한국어와 영어를 공용어로 지정한다면 이는 한국에서는 한국어와 영어 중 어느 하나를 알기만 하면 공식 업무상 불편이 없게끔 국가에서 보장한다는 뜻이지 모든 한국인들이 영어를 할 줄 알아야 된다는 뜻은 아니다. 따라서 우리가 영어를 한국어와 함께 공용어로 지정하기만 하면 모든 한국인이 영어를 잘할 수 있게 되리라는 믿음은 공용어의 개념을 제대로 이해하지 못한 데서 오는 망상에 불과하다.

① 유엔에서 근무하는 외교관들은 유엔의 공용어를 다 구사하지 않으면 안 된다.
② 유럽연합은 복수의 공용어를 지정하여 공무상 편의를 도모하였다.
③ 한국에서 영어를 공용어로 지정하면 한국인들은 영어를 다 잘할 수 있을 것이다.
④ 한국에서 머지않아 영어가 공용어로 지정될 것이다.

03 난이도 ★☆☆

해설 ③ 1문단 끝에서 1~3번째 줄에서 자신의 삶과 환경을 통제하지 못하는 사람이 공격적인 발설로 자기 효능감을 느끼려 한다는 것은 알 수 있지만, 자신의 삶을 잘 통제하는 악플러와 관련된 내용은 제시문에서 찾을 수 없다.
[관련 부분] 자신의 삶과 환경을 통제하지도 못하면서 무력감에 시달리는 사람일수록 공격적인 발설로 자기 효능감을 느끼려 한다.

오답분석 ① 1문단 4~6번째 줄을 통해 확인할 수 있다.
[관련 부분] 자신이 올린 글 한 줄에 다른 사람들이 동요하는 모습을 보면서 자기 효능감(self-efficacy)을 맛볼 수 있다.

② 2문단 1~6번째 줄에서 악플러는 상대방에게 무시당했다는 생각이 들면 자괴감에 빠질 수 있다는 것과, 개인주의 사회에서는 사람들이 자신을 향한 비판에 크게 개의치 않는다는 것을 알 수 있다. 이를 통해 개인주의자들이 악플에 무반응함으로써 악플러를 자괴감에 빠지게 할 수 있다는 사실을 추론할 수 있다.
[관련 부분] 마구 욕을 퍼부었는데 상대방이 별로 개의치 않는다면, ~ 무시당했다는 생각에 오히려 자괴감에 빠질 수도 있다. 개인주의가 안착된 사회에서는 자신을 향한 비판에 대해 '그건 너의 생각'이라면서 넘겨 버리는 사람이 많다.

④ 3문단 2~8번째 줄을 통해 한국 사회는 타인에 대해 지나치게 신경을 쓴다는 것과 그러한 특성으로 인해 인터넷 공간에서 악플이 양산된다는 사실을 알 수 있다.
[관련 부분] 한국에는 그런 의미에서의 개인주의가 뿌리내리지 못했다. 남에 대해 신경을 너무 곤두세운다. 그것은 두 가지 차원으로 나뉘는데, ~ 이 두 가지 특성이 인터넷 공간에서 맞물려 악플을 양산한다.

04 난이도 ★☆☆

해설 ② 1문단 4~6번째 줄을 통해 유럽연합에서 공용어를 복수로 지정한 이유는 공식 업무상 편의를 도모하기 위함임을 알 수 있다.
[관련 부분] 유럽연합에서의 공용어 개념도 유엔에서의 경우와 마찬가지로 여러 공용어 중 하나만 알아도 공식 업무상 불편이 없게끔 한다는 것이지

오답분석 ① 1문단 1~4번째 줄을 통해 확인할 수 있다.
[관련 부분] 국제기구인 유엔은 영어, 중국어, 러시아어, 프랑스어, 스페인어, 아랍어 등이 공용어로 사용되나 그곳에 근무하는 모든 외교관들이 이 공용어들을 전부 다 잘해야 하는 것은 아니다.

③ 2문단 끝에서 1~4번째 줄을 통해 확인할 수 있다.
[관련 부분] 우리가 영어를 한국어와 함께 공용어로 지정하기만 하면 모든 한국인이 영어를 잘할 수 있게 되리라는 믿음은 공용어의 개념을 제대로 이해하지 못한 데서 오는 망상에 불과하다.

④ 제시문을 통해 알 수 없는 내용이다.

05

[2020년 지방직 7급]

다음 글에 대한 이해로 적절한 것은?

생산량이나 소득처럼 겉보기에 가장 간단할 것 같은 경제학적 개념도 이끌어 내는 데 각종 어려움이 따른다. 거기에 수많은 가치 판단이 들어가기 때문이다. 생산량 통계에 가사 노동을 포함하지 않는 것이 한 예이다. 숫자 자체에 이의를 제기하지 않더라도 생산량이나 소득 통계가 생활수준을 정확히 나타낸다고 말하기는 어렵다. 특히, 가난한 나라보다 식량, 주거, 의료 서비스 등 기본적 필요를 충족한 상태인 부유한 나라들은 더욱 그렇다.

또 구매력, 노동 시간, 생활수준을 결정하는 비금전적인 요인, 비합리적인 소비 행위, 위치재 등이 초래하는 차이도 고려해야 한다. 행복측정 연구는 이런 문제들을 피하려고 노력하지만, 그 연구에는 더 심각한 문제들이 있다. 행복은 그 자체로 측정이 어렵다는 점과 다양한 선호의 문제가 개입된다는 점 때문이다. 행복은 가치의 영역으로서 그에 대해 부여하는 우리의 관념과 욕망, 선호의 지점이 각기 다를 뿐만 아니라 비금전적인 요인 등 복잡한 차이가 존재하므로 행복측정 연구와 같은 영역은 그 대상을 측정하는 것이 그만큼 어려워진다.

물론 이렇게 문제가 있다고 해서 경제학에서 숫자를 사용하면 안 된다는 말이 아니다. 생산량, 성장률, 실업률, 불평등 수준 등에 관한 주요 숫자를 모르고서는 우리는 실제 세상의 경제를 제대로 이해할 수 없다. 그렇지만 이 숫자들이 무엇을 말해 주고, 무엇을 말해 주지 않는지를 항상 명심해야 한다.

① 행복측정 연구에서 측정의 어려움은 선호의 문제로 보완될 수 있다.
② 사람들의 생활수준을 측정하는 것은 가난한 나라보다 부유한 나라에서 더 어렵다.
③ 가치 판단은 측정이 불가능하기 때문에 경제학적 개념을 추출하는 데 어려움을 초래한다.
④ 경제학에서 사용하는 숫자는 객관성이 부족하기 때문에 실제 경제를 이해하는 데 도움이 되지 않는다.

06

[2020년 군무원 9급]

다음 글의 내용과 가장 부합하는 것은?

심리학자 융은 인간에게는 '페르소나(persona)'와 '그림자 (shadow)'의 측면이 있다고 한다. 페르소나란 한 개인이 사회에서 요구하는 역할에 적응하면서 얻어진 자아의 한 측면을 의미한다. 그런데 오로지 페르소나만 추구하려 한다면 그림자가 위축되어 결국 자기 자신으로부터 소외를 당해 무기력하고 생기가 없어지게 된다. 한편 그림자는 인간의 원시적인 본능 성향을 의미한다. 이것은 사회에서 부도덕하다고 생각하는 충동적인 면이 있지만, 자발성, 창의성, 통찰력, 깊은 정서 등 긍정적인 면이 있어 지나치게 억압해서는 안 된다.

① 페르소나는 현실적인 속성, 그림자는 근원적인 속성을 갖고 있다.
② 페르소나를 멀리 하게 되면, 자아는 무기력하게 된다.
③ 그림자는 도덕성을 추구할 때, 자발성과 창의성이 더욱 커진다.
④ 그림자를 억압하게 되면 페르소나를 더욱 추구하게 된다.

07

[2020년 군무원 9급]

다음 글의 내용과 가장 거리가 먼 것은?

항생제는 세균에 대한 항균 효과가 있는 물질을 말한다. '프로폴리스' 같이 자연적으로 존재하는 항생제를 자연 요법제라고 하고, '설파제' 같이 화학적으로 합성된 항생제를 화학 요법제라고 한다. 현재 사용되고 있는 많은 항생제들은 곰팡이가 생성한 물질을 화학적으로 보다 효과가 좋게 합성한 것들이어서 넓은 의미에서는 이들도 화학 요법제라고 할 수 있을 것이다.

'페니실린', '세파로스포린' 같은 것은 우리 몸의 세포에는 없는 세균의 세포벽에 작용하여 세균을 죽이는 것이다. 그 밖의 항생제들은 '테트라사이크린', '클로로마이신' 등과 같이 세균세포의 단백합성에 장애를 만들어 항균 효과를 나타내거나, '퀴노론', '리팜핀' 등과 같이 세균세포의 핵산합성을 저해하거나, '포리믹신' 등과 같이 세균세포막의 투과성에 장애를 일으켜 항균 효과를 나타낸다.

① 항생제의 정의
② 항생제의 내성 정도
③ 항균 작용의 기제
④ 항생제의 분류 방법

05

해설 ② 1문단 끝에서 1~4번째 줄을 통해 생산량이나 소득 통계로 생활수준을 측정하는 것은 어려우며, 특히 가난한 나라보다 부유한 나라에서 더욱 그러함을 알 수 있다. 따라서 답은 ②이다.
[관련 부분] 생산량이나 소득 통계가 생활수준을 정확히 나타낸다고 말하기는 어렵다. 특히, 가난한 나라보다 식량, 주거, 의료 서비스 등 기본적 필요를 충족한 상태인 부유한 나라들은 더욱 그렇다.

오답분석 ① 2문단 4~6번째 줄을 통해 다양한 선호의 문제가 행복측정 연구를 더욱 어렵게 만드는 요소임을 알 수 있다.
[관련 부분] 그 연구에는 더 심각한 문제들이 있다. 행복은 그 자체로 측정이 어렵다는 점과 다양한 선호의 문제가 개입된다는 점 때문이다.

③ 1문단 1~3번째 줄과 2문단 끝에서 1~5번째 줄을 통해 가치 판단이 경제학적 개념을 추출하는 데 어려움을 초래하며, 행복과 같은 가치 판단의 영역은 관념과 욕망, 선호의 차이 그리고 비금전적 요인 등으로 인해 측정이 어렵다는 것을 알 수 있다. 그러나 가치 판단의 측정이 불가능하다는 내용은 제시문에서 찾을 수 없다.
[관련 부분]
• 간단할 것 같은 경제학적 개념도 이끌어 내는 데 각종 어려움이 따른다. 거기에 수많은 가치 판단이 들어가기 때문이다.
• 행복은 가치의 영역으로서 그에 대해 부여하는 우리의 관념과 욕망, 선호의 지점이 각기 다를 뿐만 아니라 비금전적인 요인 등 복잡한 차이가 존재하므로 행복측정 연구와 같은 영역은 그 대상을 측정하는 것이 그만큼 어려워진다.

④ 3문단 2~4번째 줄을 통해 경제학에서 사용하는 숫자를 모른다면 실제 세상의 경제를 제대로 이해할 수 없음을 알 수 있다. 따라서 경제학에서 사용하는 숫자가 객관성이 없어서 경제를 이해하는 데 도움이 되지 않는다는 ④의 내용은 제시문을 통해 알 수 없다.
[관련 부분] 생산량, 성장률, 실업률, 불평등 수준 등에 관한 주요 숫자를 모르고서는 우리는 실제 세상의 경제를 제대로 이해할 수 없다.

06

해설 ① 제시문 2~4번째 줄을 통해 '페르소나'란 사회에서 요구하는 역할에 적용하면서 얻어진 자아의 현실적인 속성을 의미하는 것임을 알 수 있고, 끝에서 4번째 줄을 통해 '그림자'는 인간의 원시적인 본능을 의미하는 근원적인 속성임을 알 수 있다.
[관련 부분]
• 페르소나란 한 개인이 사회에서 요구하는 역할에 적용하면서 얻어진 자아의 한 측면을 의미한다.
• 그림자는 인간의 원시적인 본능 성향을 의미한다.

오답분석 ② 4~6번째 줄을 통해 페르소나를 멀리 할 때가 아니라 페르소나만 추구하려 할 때 자아가 무기력하게 된다는 것을 알 수 있다.
[관련 부분] 페르소나만 추구하려 한다면 그림자가 위축되어 결국 자기 자신으로부터 소외를 당해 무기력하고 생기가 없어지게 된다.

③ 끝에서 1~2번째 줄을 통해 그림자에도 자발성, 창의성과 같은 긍정적인 면이 있음은 알 수 있으나, 그림자가 도덕성을 추구할 때 자발성과 창의성이 커진다는 내용은 제시문을 통해 확인할 수 없다.
[관련 부분] 자발성, 창의성, 통찰력, 깊은 정서 등 긍정적인 면이 있어 지나치게 억압해서는 안 된다.

④ 끝에서 1~2번째 줄을 통해 그림자는 자발성, 창의성과 같은 긍정적인 면을 지니고 있으므로 지나치게 억압해서는 안 된다는 것을 알 수 있으나, 그림자를 억압하면 페르소나를 추구하게 된다는 내용은 제시문을 통해 확인할 수 없다.
[관련 부분] 자발성, 창의성, 통찰력, 깊은 정서 등 긍정적인 면이 있어 지나치게 억압해서는 안 된다.

07

해설 ② 제시문에서 '항생제의 내성 정도'에 관한 내용은 확인할 수 없다. 따라서 정답은 ②이다.

오답분석 ① 1문단 1~2번째 줄에서 항생제의 정의를 확인할 수 있다.
[관련 부분] 항생제는 세균에 대한 항균 효과가 있는 물질을 말한다.

③ 2문단에서 각 항생제들의 항균 작용이 일어나는 원리에 대해 확인할 수 있다.
• 기제(機制): 기계적으로 구성되어 있는 조직이나 공식 등의 내부 구성

④ 1문단 2~4번째 줄에서 항생제를 '자연 요법제'와 '화학 요법제'로 분류하는 방법에 대해 확인할 수 있다.
[관련 부분] '프로폴리스' 같이 자연적으로 존재하는 항생제를 자연 요법제라고 하고, '설파제' 같이 화학적으로 합성된 항생제를 화학 요법제라고 한다.

08

[2020년 군무원 7급]

다음 글에 대한 설명으로 가장 적절하지 않은 것은?

철학자 쇼펜하우어는 세상의 모든 책을 별에 비유하여 세 가지로 구분했다. 언제나 그 자리를 지키며 다른 별들의 중심이 되어 주는 항성 같은 책이 있는가 하면, 항성 주위의 궤도를 규칙적으로 도는 행성 같은 책이나 잠시 반짝 나타났다가 금방 사라져 버리는 유성 같은 책도 있다는 것이다. 항성과 행성은 언제나 밤하늘을 지키지만, 유성은 휙 소리를 내며 은하계의 어느 한 구석으로 자취를 감추어 버린다. 북극성이 길 잃은 사람에게 방향을 제시하듯 항성과 같은 책은 삶의 영원한 길잡이가 되지만, 반짝하고 나타나는 유성은 한순간의 즐거움만 제공하고 허무하게 사라진다.

우리 주변에는 유성 같은 책들이 지천으로 굴러다니고 있지만, 항성 같은 책은 점차 자취를 감추고 있다. 좋은 책은 세상살이의 일반성에 관한 이해를 넓혀 주는 동시에 개인적 삶의 특수성까지도 풍부하게 해 준다. 그런 이해와 해석이 아예 없거나 미약한, 고만고만한 수준의 책들만 거듭 읽다 보면 잡다한 상식은 늘어날지 몰라도 이 세상과 자기 자신에 대한 깊이 있는 파악은 멀어지고 만다. 그렇고 그런 수준의 유성 같은 책은 아무리 많이 읽어도 삶의 깊이와 두께는 늘 제자리걸음이다. 세상과 인생의 문제를 상투적인 시선으로 바라보고 뻔한 해결책을 제시하는 그렇고 그런 책들은 옆으로 치워 놓고, 변화하는 세상과 그 속에 숨은 삶의 본질을 꿰뚫어 보는 좋은 책들을 찾아내야 한다.

① 북극성은 항성에 포함된다.
② 쇼펜하우어는 모든 책을 항성, 행성, 유성으로 비유하였다.
③ 항성 같은 책은 개인적 삶의 특수성을 풍부하게 해석해 준다.
④ 유성 같은 책은 많이 읽어야 삶의 본질을 꿰뚫어 볼 수 있다.

09

[2020년 국가직 9급]

다음 글에 대한 이해로 적절하지 않은 것은?

희극의 발생 조건에 대하여 베르그송은 집단, 지성, 한 개인의 존재 등을 꼽았다. 즉 집단으로 모인 사람들이 자신들의 감성을 침묵하게 하고 지성만을 행사하는 가운데 그들 중 한 개인에게 그들의 모든 주의가 집중되도록 할 때 희극이 발생한다고 보았다. 그러나 그가 말하는 세 가지 사항은 웃음을 유발하는 것이 아니라 그러한 것을 가능케 하는 조건들이다. 웃음을 유발하는 단순한 형태의 직접적인 장치는 대상의 신체적인 결함이나 성격적인 결함을 들 수 있다. 관객은 이러한 결함을 지닌 인물을 통하여 스스로 자기 우월성을 인식하고 즐거워질 수 있게 된다. 이와 관련해 "한 인물이 우리에게 희극적으로 보이는 것은 우리 자신과 비교해서 그 인물이 육체의 활동에는 많은 힘을 소비하면서 정신의 활동에는 힘을 쓰지 않는 경우이다. 어느 경우에나 우리의 웃음이 그 인물에 대하여 우리가 지니는 기분 좋은 우월감을 나타내는 것임은 부정할 수 없다."라는 프로이트의 말은 시사적이다.

① 베르그송에 의하면 희극은 관객의 감성이 집단적으로 표출된 결과이다.
② 베르그송에 의하면 집단, 지성, 한 개인의 존재는 희극 발생의 조건이다.
③ 한 개인의 신체적·성격적 결함은 집단의 웃음을 유발하는 직접적인 장치이다.
④ 프로이트에 의하면 상대적으로 정신 활동보다 육체 활동에 힘을 쓰는 상대가 희극적인 존재이다.

08   난이도 ★☆☆

[해설] ④ 2문단 끝에서 5~6번째 줄을 통해 '유성 같은 책'은 많이 읽어
도 삶의 깊이와 두께가 나아지지 않음을 알 수 있다.

[관련 부분] 그렇고 그런 수준의 유성 같은 책은 아무리 많이 읽어도
삶의 깊이와 두께는 늘 제자리걸음이다.

[오답 분석] ① 1문단 끝에서 2~4번째 줄에서 '항성과 같은 책'의 속성을 설
명하기 위해 북극성을 예로 든 것으로 보아 북극성이 항성에
속한다는 것을 알 수 있다.

[관련 부분] 북극성이 길 잃은 사람에게 방향을 제시하듯 항성과 같은
책은 삶의 영원한 길잡이가 되지만,

② 1문단을 통해 쇼펜하우어가 모든 책을 항성, 행성, 유성에 비
유하였음을 알 수 있다.

③ 2문단 2~4번째 줄을 통해 항성 같은 책(좋은 책)이 개인적 삶
의 특수성을 풍부하게 해준다는 것을 알 수 있다.

[관련 부분] 항성 같은 책은 점차 자취를 감추고 있다. 좋은 책은 세상
살이의 일반성에 관한 이해를 넓혀 주는 동시에 개인적 삶의 특수성 까
지도 풍부하게 해 준다.

09   난이도 ★★☆

[해설] ① 제시문 2~5번째 줄에 따르면 베르그송은 관객들이 자신의
감성을 침묵하고 지성만을 행사하는 가운데, 한 개인에게 나
머지 관객의 모든 주의가 집중될 때 희극이 발생한다고 보았
다. 따라서 희극을 관객의 감성이 집단적으로 표출된 결과로
본다는 ①의 설명은 글에 대한 이해로 적절하지 않다.

[오답 분석] ② 1~2번째 줄을 통해 알 수 있다.

[관련 부분] 희극의 발생 조건에 대하여 베르그송은 집단, 지성, 한 개
인의 존재 등을 꼽았다.

③ 7~9번째 줄을 통해 알 수 있다.

[관련 부분] 웃음을 유발하는 단순한 형태의 직접적인 장치는 대상의
신체적인 결함이나 성격적인 결함을 들 수 있다.

④ 끝에서 4~7번째 줄에 제시된 프로이트의 말을 통해 알 수 있다.

[관련 부분] 한 인물이 우리에게 희극적으로 보이는 것은 우리 자신과
비교해서 그 인물이 육체의 활동에는 많은 힘을 소비하면서 정신의 활
동에는 힘을 쓰지 않는 경우이다.

10

[2020년 지방직 7급]

다음 글에 대한 이해로 적절하지 않은 것은?

　　우리 헌법에는 신체의 자유, 거주·이전의 자유, 직업의 자유, 주거의 자유, 통신의 자유 등 명시적으로 개별적인 기본권을 정하고 있다. 하지만 인간의 삶에 필요한 자유가 특정 시점을 기준으로 모두 구체적인 이름을 띠고 있을 수는 없다. 그런 이유로 인간이 살아가면서 발견하게 될 자유도 헌법상 보장되는 장치를 할 필요가 있어서 헌법 제37조 제1항에 "국민의 자유와 권리는 헌법에 열거되지 아니한 이유로 경시되지 아니한다."라고 정함으로써 모든 영역에 걸쳐 자유를 보장하고 있다.

　　그런데 자유는 무한하지도 않고, 방임도 아니다. 이런 자유는 타인의 자유와 권리를 침해하지 않는 범위 내에서 인정되며, 공동체의 존속과 발전을 침해하지 않는 범위 내에서 향유할 수 있는 것이다. 우리 헌법이 규율하는 공동체 질서 내에서의 자유는 어디까지나 공동체의 존속, 안전, 평화, 그리고 타인과 더불어 살아가는 상생을 전제로 하는 것이다.

　　헌법에서 보장하는 자유도 이러한 범위에서 제한을 받는 것이기는 하지만 국가안전보장, 질서유지, 공공복리라는 가치들이 있기만 하면 국민의 자유가 마음대로 제한될 수 있는 것은 아니다. 이런 가치에 의해 자유를 제한하는 경우에도 과잉금지원칙이 적용되고 기본권의 본질적인 내용은 침해할 수 없다.

① 인간의 자유는 공동체의 존속과 발전을 침해하지 않는 범위 내에서 향유할 수 있다.

② 헌법 제37조 제1항은 헌법에 열거되지 않은 자유에 대해서 보장하는 장치를 마련하고 있다.

③ 헌법에 명시된 자유 외에 새롭게 발견하게 될 자유를 제한할 경우에 과잉금지원칙을 적용한다.

④ 자유는 무한하지도 않고, 방임도 아니므로 특정 시점을 기준으로 구체적인 이름을 부여할 필요가 있다.

11

[2019년 국가직 9급]

다음 글에 대한 설명으로 적절하지 않은 것은?

　　믿기 어렵겠지만 자장면 문화와 미국의 피자 문화는 닮은 점이 많다. 젊은 청년들이 오토바이를 타고 배달한다는 점에서 참으로 닮은꼴이다. 이사한다고 짐을 내려 놓게 되면 주방 기구들이 부족하게 되고 이때 자장면은 참으로 편리한 해결책이다. 미국에서의 피자도 마찬가지다. 갑자기 아이들의 친구들이 많이 몰려왔을 때 피자는 참으로 편리한 음식이다.

　　남자들이 군에 가 훈련을 받을 때 비라도 추적추적 오게 되면 자장면 생각이 제일 많이 난다고 한다. 비가 오는 바깥을 보며 따뜻한 방에서 입에 자장을 묻히는 장면은 정겨울 수밖에 없다. 프로 농구 원년에 수입된 미국 선수들은 하루도 빠지지 않고 피자를 시켜 먹었다고 한다. 음식이 맞지 않는 탓도 있겠지만 향수를 달래고자 함이 아닐까?

　　싸게 먹을 수 있는 이국 음식이란 점에서 자장면과 피자는 특별한 의미를 갖는다. 외식을 하기엔 부담되고 한 번쯤 식단을 바꾸어 보고 싶을 즈음이면 중국식 자장면이나 이탈리아식 피자는 한국이나 미국의 서민에겐 안성맞춤이다. 그런데 한국에서나 미국에서나 변화가 생기기 시작했다. 한국에서는 피자 배달이 보편화되기 시작했다. 피자를 간식이 아닌 주식으로 삼고자 하는 아이들도 생겼다. 졸업식을 마치고 중국집으로 향하던 발걸음들이 이제 피자집으로 돌려졌다. 피자보다 자장면을 좋아하는 아이들을 찾아보기가 힘들어졌다.

① 피자는 쉽게 배달시켜 먹을 수 있는 편리한 음식이다.

② 자장면과 피자는 이국적인 음식이다.

③ 자장면과 피자는 값이 싸면서도 기분 전환이 되는 음식이다.

④ 자장면은 특별한 날에 어린이들에게 여전히 가장 사랑받는 음식이다.

10

해설 ④ 2문단 1번째 줄을 통해 자유는 무한하지도 않고 방임도 아님을 알 수 있다. 그러나 1문단 4~5번째 줄에서 자유가 특정 시점을 기준으로 모두 구체적인 이름을 띠고 있을 수는 없다고 하였으므로 ④의 설명은 적절하지 않다.

[관련 부분]
- 자유는 무한하지도 않고, 방임도 아니다.
- 자유가 특정 시점을 기준으로 모두 구체적인 이름을 띠고 있을 수는 없다.

오답분석 ① 2문단 2~4번째 줄을 통해 확인할 수 있다.

[관련 부분] 자유는 타인의 자유와 권리를 침해하지 않는 범위 내에서 인정되며, 공동체의 존속과 발전을 침해하지 않는 범위 내에서 향유할 수 있는 것이다.

② 1문단 끝에서 1~4번째 줄을 통해 확인할 수 있다.

[관련 부분] 인간이 살아가면서 발견하게 될 자유도 헌법상 보장되는 장치를 할 필요가 있어서 헌법 제37조 제1항에 "국민의 자유와 권리는 헌법에 열거되지 아니한 이유로 경시되지 아니한다."라고 정함으로써 모든 영역에 걸쳐 자유를 보장하고 있다.

③ 3문단 끝에서 2~3번째 줄을 통해 확인할 수 있다.

[관련 부분] 이런 가치에 의해 자유를 제한하는 경우에도 과잉금지원칙이 적용되고

11

해설 ④ 3문단 끝에서 2~3번째 줄을 통해 자장면이 더 이상 특별한 날에 어린이들에게 가장 사랑받는 음식이 아님을 알 수 있다. 따라서 글에 대한 설명으로 적절하지 않은 것은 ④이다.

[관련 부분] 졸업식을 마치고 중국집을 향하던 발걸음들이 이제 피자집으로 돌려졌다.

오답분석 ① 1문단 1~3번째 줄과 1문단 끝에서 1~2번째 줄에서 확인할 수 있다.

[관련 부분]
- 자장면 문화와 미국의 피자 문화는 닮은 점이 많다. 젊은 청년들이 오토바이를 타고 배달한다는 점에서 참으로 닮은꼴이다.
- 갑자기 아이들의 친구들이 많이 몰려왔을 때 피자는 참으로 편리한 음식이다.

② 3문단 1~2번째 줄에서 확인할 수 있다.

[관련 부분] 싸게 먹을 수 있는 이국 음식이란 점에서 자장면과 피자는 특별한 의미를 갖는다.

③ 3문단 2~5번째 줄에서 확인할 수 있다.

[관련 부분] 외식을 하기엔 부담되고 한번쯤 식단을 바꾸어 보고 싶을 즈음이면 ~ 서민에겐 안성맞춤이다.

12

다음 글에 대한 이해로 가장 적절한 것은?

책은 벗입니다. 먼 곳에서 찾아온 반가운 벗입니다. 배움과 벗에 관한 이야기는 『논어』의 첫 구절에도 있습니다. '배우고 때때로 익히니 어찌 기쁘지 않으랴. 벗이 먼 곳에서 찾아오니 어찌 즐겁지 않으랴.'가 그런 뜻입니다.

그러나 오늘 우리의 현실은 그렇지 못합니다. 인생의 가장 빛나는 시절을 수험 공부로 보내야 하는 학생들에게 독서는 결코 반가운 벗이 아닙니다. 가능하면 빨리 헤어지고 싶은 불행한 만남일 뿐입니다. 밑줄 그어 암기해야 하는 독서는 진정한 의미의 독서가 못 됩니다.

독서는 모름지기 자신을 열고, 자신을 확장하고, 자신을 뛰어넘는 비약이어야 합니다. 그렇기 때문에 독서는 삼독(三讀)입니다. 먼저 글을 읽고 다음으로 그 글을 집필한 필자를 읽어야 합니다. 그 글이 제기하고 있는 문제뿐만 아니라 필자가 어떤 시대, 어떤 사회에 발 딛고 있는지를 읽어야 합니다. 그리고 최종적으로 그것을 읽고 있는 독자 자신을 읽어야 합니다. 그렇게 함으로써 자신의 처지와 우리 시대의 문맥을 깨달아야 합니다.

① 독서는 타인의 경험이나 생각 등을 자기화(自己化)하는 과정이다.

② 반가운 벗과의 독서야말로 진정한 독자로 거듭날 수 있는 첩경(捷徑)이다.

③ 시대와 불화(不和)한 독자일수록 독서를 통해 자신의 위치를 발견하기 쉽다.

④ 자신이 배운 것을 제때에 적용하기 위해서는 친밀한 교우(交友) 관계가 중요하다.

13

다음 글의 내용과 일치하는 것은?

엄마가 아이에게 하는 "지금 뭐 하니?"라는 말의 의미는 상황에 따라 달라질 수 있다. 아이가 컴퓨터로 학교 숙제를 하고 있다면 엄마의 말은 단순한 질문이 될 수 있지만, 게임에 열중하고 있다면 질책이 될 수 있다. 여러 가지 상황을 가정하면 엄마의 말은 더 다양한 의미로 이해될 수도 있다. 예를 들어 엄마도 컴퓨터를 좀 쓰자는 제안의 기능을 수행할 수도 있고, 심부름을 해 달라는 요청의 기능을 수행할 수도 있고, 식사 시간이 되었으니 밥을 먹으러 나오라는 명령의 기능을 수행할 수도 있다. 이처럼 같은 말도 상황에 따라 의미가 다르게 해석되기 때문에 우리가 주고받는 말은 일정한 상황을 전제하지 않고서는 제대로 이해되지 않는다. 상황에 따른 의미의 해석이 제대로 이루어지지 않으면 여러 가지 오해와 갈등이 생기기 십상이다.

① 같은 의미라도 어감의 차이는 생길 수 있다.

② 같은 말이라도 억양에 따라 의미가 다를 수 있다.

③ 같은 발화라도 상황에 따라 기능이 다를 수 있다.

④ 발화 의미를 해석할 때에는 문자 텍스트 그 자체를 우선시해야 한다.

14

[2019년 국가직 7급]

다음 글의 내용으로 적절하지 않은 것은?

> 20대의 체험은 40대의 체험을 못 따르고, 40대의 체험은 70대의 체험을 못 당할 것이다. 그러므로 장자(莊子)도 소년(少年)은 대년(大年)을 못 따른다고 했다. 그러나 인간이 장수를 한들 몇백 년을 살 것인가. 수백 년 수천 년의 체험은 오직 독서를 통해서만 얻을 것이니, 연령이 문제가 아니라 독서가 문제인 것이다.
>
> 책이 너무 많아 일생을 읽어도 부족하다고 걱정할지 모른다. 그러나 내 눈을 꼭 한번 거쳐야 될 필요가 있는 서적이란 열 손가락을 넘지 아니할 것이다. 박학다식이니 박람강기니 하여 널리 알고 많이 기억하지 못하는 것을 걱정할 필요는 없다. 때로는 이것이 오히려 글 쓰는 데 지장이 될 수 있다. 잡박한 지식의 무질서한 기억은 우리의 총명을 혼미하게 할 수도 있기 때문이다.

① 널리 알고 많이 기억하는 것이 글쓰기에 방해가 될 수도 있다.
② 70대의 독서가 20대의 독서보다 글쓰기에 더 도움이 된다.
③ 인간의 체험에는 한계가 있으므로 독서가 중요하다.
④ 자신에게 필요한 독서를 해야 한다.

12

난이도 ★★☆

해설 ① 3문단의 3~7번째 줄을 통해 독서는 '필자'를 읽고, '필자가 어떤 시대 어떤 사회에 발 딛고 있는지'를 읽은 후 독자 자신을 읽는 것임을 알 수 있다. 이는 필자(타인)에 대한 경험이나 생각을 자신의 것으로 만드는 자기화(自己化)과정이므로, 글에 대한 이해로 가장 적절한 것은 ①이다.

오답분석 ② 1문단에서 '책'을 '반가운 벗'에 비유하고 있을 뿐, '반가운 벗과의 독서'에 대해 이야기하고 있지 않다.

③ ④ 제시문에 나타나지 않는 내용이다.

13

난이도 ★★☆

해설 ③ 제시문의 4~9번째 줄을 통해 동일한 발화가 상황에 따라 다양한 기능을 수행할 수 있으므로 일정한 상황을 전제하지 않고 우리가 주고받는 말을 제대로 이해하는 것은 어렵다는 것을 알 수 있다. 따라서 글의 내용과 일치하는 것은 ③이다.

[관련 부분] 여러 가지 상황을 가정하면 엄마의 말은 더 다양한 의미로 이해될 수도 있다. 예를 들어 엄마도 ~ 명령의 기능을 수행할 수도 있다.

14

난이도 ★★☆

해설 ② 1문단 끝에서 1~2번째 줄을 통해 글쓰기에 영향을 미치는 것은 독서를 하는 연령대가 아닌 독서 그 자체임을 알 수 있다. 따라서 글의 내용으로 가장 적절하지 않은 것은 ②이다.

[관련 부분] 연령이 문제가 아니라 독서가 문제인 것이다.

오답분석 ① 2문단 끝에서 2~4번째 줄을 통해 확인할 수 있다.

[관련 부분] 널리 알고 많이 기억하지 못하는 것을 ~ 글쓰는 데 지장이 될 수 있다.

③ 1문단 끝에서 2~3번째 줄을 통해 확인할 수 있다.

[관련 부분] 인간이 장수를 한들 몇백 년을 살 것인가. 수백 년 수천 년의 체험은 오직 독서를 통해서만 얻을 것이니,

④ 2문단 2~3번째 줄을 통해 확인할 수 있다.

[관련 부분] 내 눈을 꼭 한번 거쳐야 될 필요가 있는 서적이란 열 손가락을 넘지 아니할것이다.

15

[2019년 국가직 7급]

다음 글의 내용으로 적절하지 않은 것은?

우리나라를 비롯해 동양에는 빛과 그림자의 대비를 사실적으로 표현하는 명암법이 존재하지 않았다는 점이 새삼 흥미롭게 다가온다.

단원 김홍도의 「씨름」을 보자. 어디에도 그림자는 없다. 숨바꼭질하는 아이들이 꼭꼭 숨어 버린 것처럼 모든 그림자가 다 사라져 버렸다. 이처럼 선묘에 의지해 대상을 나타내는 우리의 전통 회화에서는 그림자 표현을 찾아보기 어렵다. 동양 회화는 명암을 의도적으로 외면하는 경향이 있다. 빛과 그림자를 통해 그림의 사실성을 높이고 사물의 물리적인 실재감을 높이는 것은 선의 맛을 중시하여 정신성을 극대화해 온 동양 회화의 전통과 배치되기 때문이다.

하지만 현상의 원리로서 음양의 조화를 추구해 온 역사가 시사하듯 물리적인 빛과 그림자를 그리지는 않았어도 그 조화와 원리에 대한 관념은 화포에 진하게 물들어 있다. 사실의 묘사보다 정신의 표현을 중시한 까닭에 동양 회화에서 빛과 그림자는 이처럼 정신의 현상으로 녹아 있다고 할 수 있다.

그럼에도 조선 후기에 들어서면 명암 표현이 어렴풋이 시도되는데, 이는 북경으로부터 명암법, 원근법 등에 기초한 서양 화법이 우리나라로 흘러들어 왔기 때문이다. 김두량의 「견도(犬圖)」, 이희영의 「견도(犬圖)」 등 일부 화인들의 그림에서 그 흔적을 찾아볼 수 있다.

① 동양 회화는 정신성을 추구하기 위하여 사실성과 거리를 두었다.

② 회화에서 명암은 사물의 실재감을 높이는 데 중요한 역할을 한다.

③ 김홍도의 「씨름」과 김두량의 「견도」는 다른 명암법을 사용하고 있다.

④ 선의 맛을 중시한 전통 때문에 동양 회화에서는 명암 표현을 찾기가 어렵다.

16

[2019년 국가직 7급]

다음 글에서 알 수 없는 것은?

팰럼시스트(palimpsest)란 원래 양피지 위에 글자가 여러 겹 겹쳐서 보이는 것을 일컫는다. 종이가 발명되기 전에는 양피지에 글을 썼는데 양피지는 귀했기 때문에 이를 재활용하기 위해 이미 쓰여 있는 글자를 지우고 그 위에 다시 글자를 쓰는 일이 빈번했다. 이로 인해 이전에 쓴 글자 위로 새로 쓴 글자가 중첩되어 보이는 현상이 벌어졌다. 건축에서는 이러한 팰럼시스트를 오래된 역사적 흔적이 현재의 공간에 영향을 미칠 때 그것을 은유적으로 설명하기 위해 원용하고 있다.

가장 손쉬운 예로 서울 강북의 복잡한 도로망을 들 수 있다. 조선 시대 한양에는 상하수도 시설이 부재하였다. 하지만 물은 인간 생활에 가장 필요한 기본 요건인바, 물을 효율적으로 사용하기 위해 이 당시 주거들은 한강의 지류 하천을 따라서 형성될 수밖에 없었다. 실개천 주변으로 주거들이 들어서게 되고 그 옆으로 사람과 말들이 지나다니면서 자연 발생적으로 도로가 만들어지게 되었다. 수변(水邊) 공간에서 일상생활을 영위하고 하천을 상하수도 시설처럼 사용하는 커뮤니티가 자연스럽게 형성되었다고 볼 수 있다.

그러나 이후 인구 밀도가 높아지면서 위생 문제가 심각해지고, 동시에 자동차가 급증하여 자동차 도로를 확보하는 것이 도시 형성의 필수 조건으로 부각되면서 하천 주변은 상당 부분 자동차 도로로 바뀌었다. 강북의 도로망 가운데 많은 부분이 구불구불한 자연 하천과도 같은 모습을 갖게 된 것은 이러한 연유에서이다. 산업화 이후 대형 간선도로의 등장이 본격화되면서 하천을 중심으로 형성되었던 기존 커뮤니티는 간선도로에 의해 나눠지게 된 것이다.

① 팰럼시스트는 종이가 발명되기 이전, 양피지를 재활용하면서 빚어진 현상을 말한다.

② 하천이 커뮤니티의 중심이었던 과거와 달리 지금은 간선도로가 커뮤니티를 나누고 있다.

③ 도시 주거의 기본 요건 중 하나가 상하수도 시설이기 때문에 하천 주변이 자동차 도로가 된 것은 필연적이다.

④ 강북의 복잡한 도로망은 상하수도 시설이 없었던 시절의 흔적이 현재의 공간에 영향을 미친 팰럼시스트의 예이다.

17

[2018년 국가직 9급]

다음 글의 내용과 부합하는 것은?

동양의 음식 중에는 특별한 의미가 담긴 것들이 있다. 우리나라 대표적인 명절 음식 중 하나인 송편은 반달의 모습을 본뜬 음식으로 풍년과 발전을 상징한다. 『삼국사기』에 따르면, 백제 의자왕 때 궁궐 땅속에서 파낸 거북이 등에 쓰여 있는 '백제는 만월(滿月) 신라는 반달'이라는 글귀를 두고 점술사가 백제는 만월이라서 다음 날부터 쇠퇴하고 신라는 앞으로 크게 발전할 징표라고 해석했다고 한다. 결과적으로 점술가의 예언이 적중했다. 이때부터 반달은 더 나은 미래를 기원하는 뜻으로 쓰이며, 그러한 뜻을 담아 송편도 반달 모양의 떡으로 빚었다고 한다.

중국에서는 반달이 아닌 보름달 모양의 월병을 빚어 즐겨 먹었다. 옛날에 월병은 송편과 마찬가지로 제수 용품이었다. 점차 제례 음식으로서 위상을 잃었지만 모든 가족이 모여 보름달을 바라보면서 함께 나눠 먹는 음식으로 자리 잡았다. 이 때문에 보름달 모양의 월병은 둥근 원탁에 온가족이 모인 것을 상징한다. 한국에서 지역의 단합을 위해 수천 명분의 비빔밥을 만들듯이 중국에서는 수천 명이 먹을 수 있는 월병을 만들 정도로 이는 의미 있는 음식으로 대접 받고 있다.

① 중국의 월병은 제수 음식으로서의 명맥을 유지하고 있다.

② 신라인들은 더 나은 미래를 기원하는 마음을 담아 송편을 빚었다.

③ 중국의 월병은 한국에서 비빔밥을 만들어 먹는 것을 본떠 만든 음식이다.

④ 삼국사기에 따르면 점술가의 예언 덕분에 신라가 크게 발전할 수 있었다.

15

난이도 ★★☆

해설 ③ 2문단을 통해 김홍도의 「씨름」에는 명암법이 사용되지 않은 반면, 4문단을 통해 김두량의 「견도」에는 명암법이 사용되었음을 알 수 있다. 따라서 글의 내용으로 적절하지 않은 것은 ③이다.

오답분석 ①②④ 2문단 끝에서 1~4번째 줄을 통해 확인할 수 있다.
[관련 부분] 빛과 그림자를 통해 ~ 배치되기 때문이다.

16

난이도 ★★☆

해설 ③ 3문단 1~4번째 줄을 통해 하천 주변이 자동차 도로로 바뀐 이유는 인구 밀도가 높아지면서 심각해진 위생 문제와 급증한 자동차 수 때문임을 알 수 있다. 따라서 도시 주거의 기본 요건 중 하나가 상하수도 시설이기 때문에 하천 주변이 자동차 도로가 된 것이라는 설명은 적절하지 않으므로 답은 ③이다.
[관련 부분] 인구 밀도가 높아지면서 위생 문제가 심각해지고, 동시에 자동차가 급증하여 ~ 하천 주변은 상당 부분 자동차 도로로 바뀌었다.

오답분석 ① 1문단 1~7번째 줄을 통해 확인할 수 있다.
[관련 부분] 팰럼시스트(palimpsest)란 원래 양피지 ~ 이를 재활용하기 위해 ~ 글자가 중첩되어 보이는 현상이 벌어졌다.

② 3문단 끝에서 1~4번째 줄을 통해 확인할 수 있다.
[관련 부분] 산업화 이후 대형 간선도로의 등장이 본격화되면서 ~ 간선도로에 의해 나뉘지게 된 것이다.

④ 2문단 1~2번째 줄을 통해 확인할 수 있다.
[관련 부분] 가장 손쉬운 예로 서울 강북의 복잡한 도로망을 들 수 있다. 조선 시대 한양에는 상하수도 시설이 부재하였다.

17

난이도 ★★☆

해설 ② 1문단 끝에서 1~4번째 줄을 통해 신라인들은 더 나은 미래에 대한 소망을 지니고 송편을 빚었음을 확인할 수 있으므로 정답은 ②이다.
[관련 부분] 이때부터 반달은 더 나은 미래를 기원하는 뜻으로 쓰이며, 그러한 뜻을 담아 송편도 반달 모양으로 떡을 빚었다고 한다.

오답분석 ① 2문단의 2~3번째 줄을 통해 월병이 제수 음식으로서의 명맥을 유지하지 못하고 있음을 확인할 수 있다.
[관련 부분] 월병은 송편과 마찬가지로 제수 용품이었다. 점차 제례 음식으로서의 위상을 잃었지만

③ 월병이 비빔밥을 본떠 만든 음식이라는 내용은 찾을 수 없다.

④ 1문단을 통해 점술가는 신라가 발전할 것이라 예언하였고 결과적으로 예언이 적중하였음을 알 수 있다. 그러나 예언 덕분에 신라가 크게 발전할 수 있었다는 내용은 찾을 수 없다.

18

[2019년 국가직 7급]

다음 글의 내용에 부합하지 않는 것은?

세계 각국의 정부와 기업에 미래 전략을 연구하는 부서가 급증하고 있다. 미래에 대한 다양한 정보를 수집하면 의사 결정의 질을 높일 수 있다는 인식하에 이들은 의사 결정 지원 시스템과 미래 예측 시스템을 지속적으로 개선하고 있다. 그렇지만 빠른 변화와 복합적인 세계화로 미래에 대한 정보를 판단하는 것은 점점 어려워지고 있다.

그 결과, 기관은 컴퓨터 시스템에 더욱 의존하게 되었으며, 빅데이터와 연결된 인공지능을 의사 결정에 적극적으로 이용하게 되었다. 이러한 현상을 증폭시킨 것이 적시에 지식을 제공해 의사 결정에 도움을 주는 집단 지성 시스템이다. 이는 인간의 두뇌, 지식 정보 시스템 등의 개체들이 협력이나 경쟁을 통해 기존의 지적 수준을 뛰어넘는 새로운 지성을 얻는 시스템을 의미한다. 예를 들어 집단 지성 시스템을 활용하면 재해 예방 및 대응에 관한 의사 결정 과정에서 재해를 예측하고, 재해에 대응하고, 재해로부터 회복하는 복원 시스템을 수립할 수 있다.

그러기에 미래 전략을 수립하고 분별 있는 결정을 내리기 위해 의사 결정자들은 미래학자에게서 단순히 전망 보고나 브리핑을 받는 데서 그치지 않고, 그들과 정기적으로 장기적인 사안을 논의할 수 있어야 한다. 이러한 장기적 관점의 논의 과정이야말로 빠르고 정확한 의사 결정 수립에 필수적이기 때문이다. 입법부에 미래위원회가 설립되고 정부 지도자 의사 결정 과정에 미래학자가 참여하는 이유가 여기에 있다.

① 기관은 미래에 대한 정보를 판단하기 위해 컴퓨터 시스템을 활용하고 있다.

② 미래학자가 의사 결정 과정에 참여하는 주된 의의는 미래 예측 시스템의 경쟁력을 제고하기 위해서이다.

③ 정부와 기업의 의사 결정자들은 의사 결정의 질을 높이기 위해서 미래 예측 능력을 개선해야 한다고 생각한다.

④ 발생 가능한 재해를 예측하고 이에 대응하기 위한 복원 시스템을 수립하는 데 집단 지성 시스템을 이용할 수 있다.

19

[2019년 지방직 7급]

다음 글의 내용에 부합하지 않는 것은?

한국 전통 건축의 특징 중 하나는 여러 건물들이 일정한 축이나 질서에 의해 배치되고, 그 중간 부분에 크고 작은 마당들이 있다는 것이다. 그리고 마당으로부터의 시선이 마루를 거쳐 방으로 연결되고, 다시 창호를 통해 저 멀리의 들과 강과 산으로 이어진다. 한국 전통 건축은 결코 자연을 소유하려 하지 않는다. 자연을 있는 그대로 두고 열려진 건축 공간을 통해 정원처럼 즐기는 방식을 취한다. 그것은 자연을 정복하려는 중국 전통 건축이나, 자연을 소유하려는 일본 전통 건축의 특징과 명확히 구별되는 것이다.

한국 전통 건축물이 왜소하거나 초라해 보인다고 말하는 경우는 대개 외형적인 크기와 넓이 그리고 장식적 요소에만 집착하기 때문이다. 한국 전통 건축은 '겸손의 건축'이다. 자연과 인간은 하나라는 생각을 바탕으로, 자연을 침해하면서까지 건축물을 두드러지게 하지 않는다는 것이 한국 전통 건축의 기본 철학이다. 더 나아가 건축물도 자연의 일부라고 생각해서, 인간이 잠시 그 품에 머물렀다가 사라지는 것이 옳다는 철학도 한국 전통 건축에 반영되어 있다. 그래서 사람들은 처음부터 산과 들을 제압하는 거대한 건축물을 짓지 않으려고 했으며, 그 형태 또한 인위적인 직선을 배제하고 자연계의 곡선을 따르는 것을 즐겼다.

① 한국의 전통 가옥은 방의 창문을 통해 자연의 풍경을 감상할 수 있는 구조로 이루어져 있다.

② 한국 전통 건축은 자연을 소유의 대상으로 삼지 않는다는 면에서 일본 전통 건축과 다르다.

③ 한국 전통 건축에서 자연을 압도하는 건축을 추구하지 않은 것은 건축물을 자연의 일부로 여긴 까닭이다.

④ 한국 전통 건축의 조형미를 직선보다 곡선에서 찾은 것은 한국 전통 건축의 철학을 잘못 이해한 결과이다.

18   난이도 ★★☆

해설 ② 3문단 끝에서 3~5번째 줄을 통해 미래학자가 의사 결정 과정에 참여하는 주된 의의는 빠르고 정확한 의사 결정 수립에 필수적이기 때문임을 알 수 있다. 따라서 미래 예측 시스템의 경쟁력을 제고하기 위함이라는 설명은 적절하지 않으므로 답은 ②이다.

[관련 부분] 이러한 장기적 관점의 ~ 빠르고 정확한 의사 결정 수립에 필수적이기 때문이다.

오답분석 ① 1문단 끝에서 1~2번째 줄과 2문단 1~2번째 줄을 통해 확인할 수 있다.

[관련 부분]
• 미래에 대한 정보를 판단하는 것은 점점 어려워지고 있다.
• 그 결과, 기관은 컴퓨터 시스템에 더욱 의존하게 되었으며,

③ 1문단 2~5번째 줄을 통해 확인할 수 있다.

[관련 부분] 미래에 대한 다양한 정보를 수집하면서 의사 결정의 질을 높일 수 있다는 인식 하에 ~ 미래 예측 시스템을 지속적으로 개선하고 있다.

④ 2문단 끝에서 1~4번째 줄을 통해 확인할 수 있다.

[관련 부분] 집단 지성 시스템을 활용하면 ~ 재해를 예측하고, 재해에 대응하고, 재해로부터 회복하는 복원 시스템을 수립할 수 있다.

19   난이도 ★★☆

해설 ④ 2문단 끝에서 1~3번째 줄을 통해 한국 전통 건축은 자연계의 곡선을 따른다는 것을 알 수 있다. 따라서 한국 전통 건축의 조형미를 곡선에서 찾은 것은 한국 전통 건축의 철학을 잘못 이해한 결과라는 ④의 설명은 글의 내용에 부합하지 않는다.

[관련 부분] 그 형태 또한 인위적인 직선을 배제하고 자연계의 곡선을 따르는 것을 즐겼다.

오답분석 ① 1문단 3~5번째 줄과 1문단 끝에서 3~5번째 줄을 통해 확인할 수 있다.

[관련 부분]
• 마당으로부터의 시선이 마루를 거쳐 방으로 연결되고, 다시 창호를 통해 저 멀리의 들과 강과 산으로 이어진다.
• 자연을 있는 그대로 두고 열려진 건축 공간을 통해 정원처럼 즐기는 방식을 취한다.

② 1문단 끝에서 1~2번째 줄을 통해 확인할 수 있다.

[관련 부분] 자연을 소유하려는 일본 전통 건축의 특징과 명확히 구별되는 것이다.

③ 2문단 끝에서 3~7번째 줄을 통해 확인할 수 있다.

[관련 부분] 건축물도 자연의 일부라고 생각해서 ~ 산과 들을 제압하는 거대한 건축물을 짓지 않으려고 했으며,

20

[2019년 지방직 7급]

다음은 안중근 의사의 재판 기록 중 최후 진술의 일부분이다. 이에 대한 이해로 가장 적절한 것은?

앞에서 검찰관의 논고와 변호사의 변론을 들으니, 모두들 이등(伊藤)의 시정 방침은 완전무결한데, 내가 그것에 대하여 오해를 하고 있다고 말했는데, 이것은 그 내용을 잘 알지 못하고 하는 말들이다. 이등의 시정 방침은 결코 완비된 것이 아닐진대 어찌 오해라고 할 수 있겠는가? 나는 이등의 시정 방침이라는 것들을 잘 알고 있으나, 이등이 한국에서 주재하며 대한 정책으로 무엇을 했는지는 자세히 말할 시간이 없으므로 그 줄거리만을 말하고자 한다. 〈중 략〉 이와 같이 오늘 내가 말한 여러 계급의 인사들에게 다시 물어봐도 모두 동양의 평화를 희망하고 있다는 것을 알 수 있을 줄 안다. 그와 동시에 간신 이등을 얼마나 증오하고 있는지 그 정도를 짐작할 수 있으리라고 생각한다. 일본인도 그러하거늘, 하물며 한국인으로서는 자기의 친척과 지기(知己)의 죽임을 당하는 마당에 어찌 증오해 마지않을 수 있겠는가. 따라서 내가 이등을 죽인 것도 전에 말 한 바와 같이 의병 중장의 자격으로 한 것이지 결코 자객으로서 한 것은 아니다. 한국과 일본 두 나라의 친선을 저해하고 동양의 평화를 어지럽힌 장본인은 바로 이등이므로, 나는 한국의 의병 중장의 자격으로서 그를 제거한 것이다.

① 안중근 의사는 검찰관의 논고를 듣기도 전에 최후 진술을 하고 있다.

② 안중근 의사는 이등을 제거한 자신의 행위가 잘못되었음을 시인하고 있다.

③ 안중근 의사는 이등의 시정 방침이 완벽하지만 동양 평화에 기여하지 못한다고 생각하고 있다.

④ 안중근 의사는 여러 일본인의 의견을 언급하면서 이등을 제거한 행위의 정당성을 역설하고 있다.

21

[2019년 지방직 7급]

다음 글에 대한 이해로 적절하지 않은 것은?

다음 세대에 자신의 모어(母語)를 전달하지 않고자 하는 행위를 '언어 자살(language suicide)'이라고 한다. 언어 자살은 명백한 외부의 강압이 없으며 비교적 단기간에 집단적으로 이루어진다는 특징이 있다. 가령, 멕시코 정부에서 공식적으로 토토낙어 사용을 금지하는 정책을 취하지 않고 지역 문화를 존중하는 태도를 보였는데도 이 지역 사람들은 모어 대신 스페인어를 사용했다. 이러한 언어 교체 현상을 멕시코 정부가 부추겼다고 보기는 어렵다. 연구에 의하면 언어 자살은 '정체성 상실, 사회 붕괴, 세대 간 문화적 연속성의 결여' 등이 앞서거니 뒤서거니 하는 원인이자 결과이자 배경이다. '나는 부모님들처럼 이렇게 살지는 않겠어.'라는 집단적 자각이 한 세대로 하여금 단체로 모어 사용을 그만두게 할 수도 있는 셈이다.

① 서구 열강들의 식민지 지배 전략 가운데 언어 말살 정책은 언어 자살 현상의 대표적 사례이다.

② 모어를 계승하려는 언중의 의지가 언어 자살 현상의 발생 가능성에 변수가 될 수 있다.

③ 멕시코 정부의 공식적인 언어 정책이 특정 지역의 언어 교체 현상을 유도했다고 보기 어렵다.

④ 부모 세대와 다르게 살겠다는 자식 세대의 집단적 자각은 언어 자살의 원인이 될 수 있다.

20
난이도 ★★☆

해설 ④9~10번째 줄을 통해 안중근 의사가 여러 인사들에게 의견을 묻고 있음을 확인할 수 있다. 또한 끝에서 6~10번째 줄을 통해 그 인사는 일본인임과 일본인들도 증오하는 이등을 한국인으로서 어떻게 증오하지 않을 수 있겠냐며 이등을 제거한 자신의 행위의 정당성을 역설하고 있음을 확인할 수 있다. 따라서 글에 대한 이해로 적절한 것은 ④이다.

- **역설(力說)하다:** 자기의 뜻을 힘주어 말하다.

[관련 부분]
- 내가 말한 여러 계급의 인사들에게 다시 물어봐도
- 간신 이등을 얼마나 증오하고 있는지 ~ 일본인도 그러하거늘, 하물며 한국인으로서는 ~ 어찌 증오해 마지않을 수 있겠는가.

오답 분석 ①1번째 줄을 통해 검찰관의 논고를 듣고 난 이후에 최후 진술을 하고 있음을 확인할 수 있다.

[관련 부분] 앞에서 검찰관의 논고와 변호사의 변론을 들으니

②끝에서 1~4번째 줄을 통해 안중근 의사는 이등을 제거한 자신의 행위가 잘못되지 않았다고 생각함을 확인할 수 있다.

[관련 부분] 한국과 일본 두 나라의 친선을 저해하고 동양의 평화를 어지럽힌 장본인은 바로 이등이므로, 나는 한국의 의병 중장의 자격으로서 그를 제거한 것이다.

③4~5번째 줄을 통해 안중근 의사는 이등의 시정 방침이 완벽하지 않다고 생각함을 확인할 수 있다.

[관련 부분] 이등의 시정 방침은 결코 완비된 것이 아닐진대

21
난이도 ★★☆

해설 ①2~3번째 줄을 통해 언어 자살 현상의 특징은 명백한 외부의 강압이 없다는 것임을 알 수 있다. 그러나 서구 열강들의 식민 지배 전략인 언어 말살 정책은 명백한 외부의 강압에 의해 일어나는 것이므로 글에 대한 이해로 적절하지 않은 것은 ①이다.

[관련 부분] 언어 자살은 명백한 외부의 강압이 없으며

오답 분석 ②4~7번째 줄의 예시를 통해 모어를 계승하려는 언중의 의지가 언어 자살 현상의 발생 가능성에 변수가 될 수 있다는 것을 알 수 있다.

[관련 부분] 멕시코 정부에서 ~ 지역 문화를 존중하는 태도를 보였는데도 이 지역 사람들은 모어 대신 스페인어를 사용했다.

③4~6번째 줄을 통해 멕시코 정부는 공식적으로 토토낙어 사용을 금지하는 정책을 펼치지 않았음을 알 수 있다.

[관련 부분] 멕시코 정부에서 공식적으로 토토낙어 사용을 금지하는 정책을 취하지 않고

④끝에서 1~4번째 줄을 통해 확인할 수 있다.

[관련 부분] '나는 부모님들처럼 이렇게 살지는 않겠어.'라는 집단적 자각이 한 세대로 하여금 단체로 모어 사용을 그만두게 할 수도 있는 셈이다.

22

다음 글에서 알 수 있는 것은?

> 우리가 들은 특정 소리는 머릿속에 존재하는 어휘 목록 속에서 어떻게 의도된 단어에 접속하여 그 의미만을 활성화할 수 있는 것일까? 즉 우리가 어떤 단어를 들었을 때, 그 단어와 다른 모든 단어들이 구별되는 과정을 거치지 않고서도 어떻게 해당 단어의 의미가 정확하게 활성화될 수 있을까? 마슬렌-윌슨(Marslen-Wilson)은 어떤 단어를 듣고 인식하는 데 필요한 조건에 관련된 실험을 진행했다. 그는 실험을 통해 앞부분이 같은 다른 단어들과 구별되는 지점까지 들어야 비로소 어떤 단어가 인식된다는 것을 알아냈다. 예를 들어 'slander'는 /d/를 들었을 때 비로소 앞부분이 같은 다른 단어들과 확실하게 구별되며, 이 지점에 도달하기 전까지는 'slant'와 구별되지 않는다. 여기서 청각 체계로 들어온 소리가 머릿속 어휘 목록의 해당 항목에 접속할 뿐만 아니라 그것을 활성화한다는 점이 중요하다. 이러한 과정은 금고를 열기 위한 숫자 조합의 원리와 유사하다. 숫자 조합 자물쇠의 회전판을 올바른 순서로 회전시킬 때, 모든 숫자를 끝까지 회전시키지 않고도 맞아떨어질 수 있다. 이와 유사하게, 특정 소리 연속체를 요구하는 신경 회로들은 진행 중인(하지만 아직 완전히 진행되지 않은) 소리의 연속체로 인해 활성화될 수 있다. 그에 따르면 /slan/은 'slander'와 'slant'에 관련되는 신경 회로들 전부를 활성화할 것이다.

① 머릿속에 저장된 단어들에, 청각 체계로 들어온 음성 신호가 접속하여 의미가 활성화된다.

② 'slander'와 'slant'의 의미를 서로 구별하기 위해서는 각 단어의 발음을 끝까지 들어야 한다.

③ 어떤 단어를 머릿속 어휘 목록에서 선택하여 발화하는 과정은 숫자 조합 자물쇠의 원리로 설명할 수 있다.

④ 특정 단어와 관련되는 신경 회로는 그 단어와 소리가 유사한 다른 단어들이 구별될 때까지 활성화되지 않는다.

23

다음 글의 내용에 부합하지 않는 것은?

> 검증되지 않은 지식은 인간의 의식 공간에서 믿음의 체계를 구성한다. 믿음의 체계는 허구를 기초로 해서라도 성립될 수 있는 것이라는 점에서 사실의 체계와 구별된다. 물론 이 말은 스스로 허구라고 믿으면서도 그것을 가지고 자신의 의식 공간에서 믿음의 체계를 구성한다고 하는 얘기가 아니다. 어떤 사람이 허구임을 인정한 것이라면 이는 그 사람의 의식 공간에서는 어떠한 영향력도 행사할 수 없을 것이기 때문이다. 따라서 개인의 의식 공간에서 구성된 사실의 체계에 동원된 지식이나 믿음의 체계에 동원된 지식이나 모두 다 그 사람에게 있어서는 사실이 아니면 안 된다. 믿음의 체계를 구성하는 데 사용된 지식이라고 하더라도 그러한 체계를 구성해 갖추고 있는 사람에게 그것은 사실로 받아들여지는 지식이어야 하는 것이다. 일단 사실임이 전제되지 않는 것은 한 사람의 의식 공간에서 일정한 영역을 확보하지 못할 것이기 때문이다.
>
> 하나하나의 지식을 놓고 볼 때는 그것이 믿음의 체계를 구성하는 검증되지 않은 지식인지 아니면 사실의 체계를 구성하는 검증된 지식인지 구별해 볼 수 있다. 그러나 이들이 총체적으로 작용해서 이루어지는 인간의 의식 세계는 저러한 두 가지 체계가 서로 분명하게 구별되지 않고 뒤엉켜 있다. 그러므로 의식 세계에서 사실의 체계와 믿음의 체계를 확실하게 구분해 낼 수는 없을 것이다.

① 믿음의 체계는 검증되지 않은 지식이 인간의 의식 공간에 구성한 것이다.

② 어떤 이가 믿음의 체계에 포함시킨 지식이라면 그 지식은 그가 사실로 수긍한 것이다.

③ 검증된 지식과 검증되지 않은 지식의 변별이 인간의 의식 세계에서는 명확하지 않다.

④ 검증되지 않은 지식이라도 한 사람에게 사실로 인정되면 사실의 체계를 구성할 수 있다.

22

난이도 ★★☆

해설 ① 끝에서 9~11번째 줄을 통해 청각 체계로 들어온 음성 신호가 머릿속에 저장된 단어들에 접속하며 의미를 활성화한다는 것을 알 수 있으므로 답은 ①이다.

[관련 부분] 청각 체계로 들어온 소리가 머릿속 어휘 목록의 해당 항목에 접속할 뿐만 아니라 그것을 활성화한다는 점이 중요하다.

오답분석 ② 10~13번째 줄을 통해 각 단어의 발음을 끝까지 듣지 않아도 'slander'와 'slant'의 의미를 구별할 수 있음을 알 수 있다.

[관련 부분] 'slander'는 /d/를 들었을 때 비로소 앞부분이 같은 다른 단어들과 확실하게 구별되며, 이 지점에 도달하기 전까지는 'slant'와 구별되지 않는다.

③ 끝에서 8~11번째 줄을 통해 숫자 조합 자물쇠의 원리로 설명할 수 있는 것은 발화하는 과정이 아니라 청각 체계로 들은 특정 단어의 소리를 다른 단어들과 구별하는 과정임을 알 수 있다.

[관련 부분] 여기서 청각 체계로 들어온 소리가 머릿속 어휘 목록의 해당 항목에 접속할 뿐만 아니라 그것을 활성화한다는 점이 중요하다. 이러한 과정은 금고를 열기 위한 숫자 조합의 원리와 유사하다.

④ 끝에서 3~5번째 줄을 통해 특정 단어와 관련되는 신경 회로는 그 단어와 소리가 유사한 다른 단어들이 구별되기 전에도 활성화됨을 알 수 있다.

[관련 부분] 특정 소리 연속체를 요구하는 신경 회로들은 진행 중인 (하지만 아직 완전히 진행되지 않은) 소리의 연속체로 인해 활성화될 수 있다.

23

난이도 ★★☆

해설 ④ 1문단 1~4번째 줄을 통해 검증되지 않은 지식은 '믿음의 체계'를 구성하며, 이때 '믿음의 체계'는 '사실의 체계'와 다른 것임을 알 수 있다. 그리고 1문단 끝에서 3~6번째 줄에서는 검증되지 않은 지식이더라도 한 사람에게 사실로 받아들여진다면 '믿음의 체계'를 구성할 수 있음을 확인할 수 있다. 따라서 제시문의 내용으로 부합하지 않는 것은 ④이다.

[관련 부분]
• 검증되지 않은 지식은 인간의 의식 공간에서 믿음의 체계를 구성한다. 믿음의 체계는 ~ 사실의 체계와 구별된다.
• 믿음의 체계를 구성하는 데 사용된 지식이라고 하더라도 그러한 체계를 구성해 갖추고 있는 사람에게 그것은 사실로 받아들여지는 지식이어야 하는 것이다.

오답분석 ① 1문단 1~2번째 줄을 통해 확인할 수 있다.

[관련 부분] 검증되지 않은 지식은 인간의 의식 공간에서 믿음의 체계를 구성한다.

② 1문단 끝에서 6~8번째 줄을 통해 확인할 수 있다.

[관련 부분] 믿음의 체계에 동원된 지식이나 모두 다 그 사람에게 있어서는 사실이 아니면 안 된다.

③ 2문단 끝에서 1~3번째 줄을 통해 확인할 수 있다.

[관련 부분] 의식 세계에서 사실의 체계와 믿음의 체계를 확실하게 구분해 낼 수는 없을 것이다.

24

[2018년 서울시 7급 (6월)]

〈보기〉의 내용을 이해한 것으로 가장 옳은 것은?

─〈보기〉─

예술작품이 그렇게 보여야 하는, 또는 그렇게 존재해야 하는 특별한 방식 같은 것이 존재하지 않는다는 것, 다시 말해, 간단한 손도구도 예술작품이 될 수 있고, 상품 상자나 쓰레기 더미나 한 줄의 벽돌, 속옷 무더기, 도살된 동물 등도 예술작품이 될 수 있다는 것을 예술의 역사가 입증하였을 때, 예술의 본성이 철학적 의식에 충분히 다가갈 수 있게 되었다. 20세기 말경이 되어서야 이것이 충분하게 인식되었다. 그리고 이런 일이 벌어졌을 때, 철학적 미술사가 종말에 이르게 되었다.

① 예술은 눈으로 확인할 수 있는 속성만으로 그 지위와 의미가 파악된다.
② 예술이 추구하는 진정한 목표를 바탕으로 작품을 창작하거나 비평해야 한다.
③ 예술의 종말이라는 비관적 관점에서 예술의 위기와 무능력이 나타난다.
④ 예술가가 만들지 않은 대상도 의미를 부여하면 예술품이 될 수 있다.

25

[2018년 국가직 9급]

다음 글의 내용과 부합하지 않는 것은?

세잔이, 사라졌다고 느낀 것은 균형과 질서의 감각이다. 인상주의자들은 순간순간의 감각에만 너무 사로잡힌 나머지 자연의 굳건하고 지속적인 형태는 소홀히 했다고 느꼈던 것이다. 반 고흐는 인상주의가 시각적 인상에만 집착하여 빛과 색의 광학적 성질만을 탐구한 나머지 미술의 강렬한 정열을 상실하게 될 위험에 처했다고 느꼈다. 마지막으로 고갱은 그가 본 인생과 예술 전부에 대해 철저하게 불만을 느꼈다. 그는 더 단순하고 더 솔직한 어떤 것을 열망했고 그것을 원시인들 속에서 발견할 수 있으리라고 기대했다. 이 세 사람의 화가가 모색했던 제각각의 해법은 세 가지 현대 미술 운동의 이념적 바탕이 되었다. 세잔의 해결 방법은 프랑스에 기원을 둔 입체주의(cubism)를 일으켰고, 반 고흐의 방법은 독일 중심의 표현주의(expressionism)를 일으켰다. 고갱의 해결 방법은 다양한 형태의 프리미티비즘(primitivism)을 이끌어 냈다.

① 세잔은 인상주의가 균형과 질서의 감각을 잃었다고 생각했다.
② 고흐는 인상주의가 강렬한 정열을 상실할 위험에 처했다고 생각했다.
③ 고갱은 인상주의가 충분히 솔직하고 단순했다고 생각했다.
④ 세잔, 고흐, 고갱은 인상주의의 문제를 극복하고자 각자 새로운 해결 방법을 모색했다.

24

④ 3~6번째 줄의 내용을 통해 예술가가 만들지 않은 대상도 의미를 부여하면 예술품이 될 수 있음을 알 수 있다.

[관련 부분] 상품 상자나 쓰레기 더미나 한 줄의 벽돌, 속옷 무더기, 도살된 동물 등도 예술작품이 될 수 있다는 것을 예술의 역사가 입증하였을 때

오답분석 ① 1~2번째 줄에서 예술 작품의 존재 양식은 고정된 것이 없다는 내용을 확인할 수 있으므로, 예술의 지위와 의미가 눈으로 확인 가능하다는 ①의 설명은 옳지 않다.

[관련 부분] 예술작품이 그렇게 보여야 하는, 또는 그렇게 존재해야 하는 특별한 방식 같은 것이 존재하지 않는다는 것

② 예술이 추구하는 진정한 목표를 바탕으로 작품을 창작하거나 비평해야 한다는 내용은 〈보기〉에서 확인할 수 없다.

③ 끝에서 1~3번째 줄에서 20세기 말에 철학적 미술사가 종말에 이르게 되었다는 내용은 확인할 수 있으나, 이를 예술의 위기 및 무능력과 관련지을 수는 없다.

[관련 부분] 20세기 말경이 되어서야 ~ 철학적 미술사가 종말에 이르게 되었다.

25

③ 제시문의 7~9번째 줄을 통해 고갱은 당시의 예술이 충분히 솔직하고 단순하지 않았다고 생각했음을 확인할 수 있다. 또한 인상주의는 당시 예술의 한 경향이므로 제시문의 내용과 부합하지 않는 것은 ③이다.

[관련 부분] 고갱은 그가 본 인생과 예술 전부에 대해 철저하게 불만을 느꼈다. 그는 더 단순하고 더 솔직한 어떤 것을 열망했고

오답분석 ① 1~4번째 줄을 통해 확인할 수 있다.

[관련 부분] 세잔이, 사라졌다고 느낀 것은 균형과 질서의 감각이다. 인상주의자들은 ~ 소홀히 했다고 느꼈던 것이다.

② 4~7번째 줄을 통해 확인할 수 있다.

[관련 부분] 반 고흐는 인상주의가 ~ 미술의 강렬한 정열을 상실하게 될 위험에 처했다고 느꼈다.

④ 끝에서 5~7번째 줄을 통해 확인할 수 있다.

[관련 부분] 이 세 사람의 화가가 모색했던 제각각의 해법은 세 가지 현대 미술 운동의 이념적 바탕이 되었다.

26

[2018년 지방직 7급]

다음 글에 대한 이해로 적절하지 않은 것은?

요트 중에서도 엔진과 선실을 갖추지 않은 1~2인용 딩기(dinghy)는 단연 요트의 백미라고 할 수 있다. 딩기는 엔진이 없기에 오로지 바람에 의지해 나아가는 요트다. 그러므로 배 다루는 기술도 중요하지만 바람과 조화를 이루고 그 바람을 어떻게 타느냐에 따라 속도가 달라진다.

배는 바람을 받고 앞으로 전진하는 게 상식이다. 그러나 요트는 맞바람이 불어도 거뜬히 전진할 수 있다. 도대체 요트에 어떤 비밀이 숨어 있는 걸까? 해답은 삼각형 모양의 지브세일(jib sail)에 숨어 있다. 바람에 평행하게 맞춘 돛이 수직 방향으로 부풀어 오르면 앞뒤로 공기의 압력이 달라진다.

요트의 추진력은 돛이 바람을 받을 때 생기는 풍압과 양력에 의하여 생긴다. 따라서 요트의 추진 원리를 이해하기 위해서는 풍압이 추진력의 주(主)가 되는 풍하범주(風下帆舟)와, 양력이 주(主)가 되는 풍상범주(風上帆舟)를 구분하여야 한다.

요트가 바람을 뒤쪽에서 받아 주행하는 풍하범주의 경우에는 바람에 의한 압력이 돛을 경계로 하여 풍상 측에서 높고 풍하 측에서 낮게 된다. 따라서 압력이 높은 풍상 측에서 압력이 낮은 풍하 측으로 나아가려는 힘이 발생하는데 이 힘을 총합력이라고 한다. 이 총합력의 힘은 평행 사변형 법칙에 의하여 요트를 앞으로 추진시키는 전진력과 옆으로 밀리게 하는 횡류력으로 분해될 수 있다. 센터 보드나 킬(keel)과 같은 횡류방지장치에 의하여 횡류를 방지하면서 전진력을 이용하여 앞으로 나아갈 수 있게 된다.

요트가 바람을 거슬러 올라가는 풍상범주의 경우는 비행기 날개에서 양력이 발생하여 비행기가 뜨게 되는 원리와 동일한 원리에 의하여 요트가 추진하게 된다. 베르누이의 정리에 의하면 유체의 속도가 빠르면 압력이 낮아지고, 속도가 느리면 압력이 높아진다. 비행기 날개와 비슷한 모양을 하고 있는 돛의 주위에 공기가 흐를 때 돛을 경계로 하여 풍상 측의 공기 속도는 느려지고 풍하 측의 공기 속도는 빨라진다. 그러므로 베르누이의 정리에 의하여 풍하 측으로 흡인력이 발생하게 되는데 이것이 총합력이 된다. 이 총합력은 풍하범주의 경우와 마찬가지로 전진력과 횡류력으로 분해된다. 횡류력은 요트를 옆 방향으로 미는 힘으로서 센터보드 등의 횡류방지장치에 의하여 상쇄된다. 따라서 요트는 전진력에 의하여 앞으로 나아갈 수 있게 된다.

① 딩기는 순풍이 불 때는 횡류력으로, 역풍이 불 때는 전진력으로 나아간다.

② 센터보드나 킬로 인해 요트는 옆으로 가지 않고 앞으로 나아갈 수 있게 된다.

③ 풍하범주는 풍압이 추진력의 주(主)가 되며, 풍상범주는 양력이 추진력의 주가 된다.

④ 요트가 바람을 등지고 갈 때는 풍압에 의존하고, 맞바람을 받고 갈 때는 양력에 의존하게 된다.

27

[2018년 지방직 9급]

다음 글에서 알 수 없는 것은?

되새김 동물인 무스(moose)의 경우, 위에서 음식물이 잘 소화되게 하려면 움직여서는 안 된다. 무스의 위는 네 개의 방으로 나누어져 있는데, 위에서 나뭇잎, 풀줄기, 잡초 같은 섬유질이 많은 먹이를 소화하려면 꼼짝 않고 한곳에 가만히 있어야 하는 것이다. 한편, 미국 남서부의 사막 지대에 사는 갈퀴발도마뱀은 모래 위로 눈만 빼꼼 내놓고 몇 시간 동안이나 움직이지 않는다. 그렇게 있으면 따뜻한 모래가 도마뱀의 기운을 북돋아 준다. 곤충이 지나가면 도마뱀이 모래에서 나가 잡아먹을 수 있도록 에너지를 충전해 주는 것이다. 반대로 갈퀴발도마뱀의 포식자인 뱀이 다가오면, 그 도마뱀은 사냥할 기운을 얻기 위해 움직이지 않았을 때의 경험을 되살려 호흡과 심장 박동을 일시적으로 멈추고 죽은 시늉을 한다. 갈퀴발도마뱀은 모래 속에 몸을 묻고 움직이지 않기 때문에 수분의 손실을 줄이고 사막 짐승들의 끊임없는 위협에서 벗어날 수 있는 것이다.

① 무스가 움직이지 않는 것은 생존을 위한 선택이다.

② 무스는 소화를 잘 시키기 위해 식물을 가려먹는 습성을 가지고 있다.

③ 갈퀴발도마뱀은 움직이지 않는 방식으로 먹이를 구한다.

④ 갈퀴발도마뱀은 모래 속에 몸을 묻을 때 생존 확률을 높일 수 있다.

26 난이도 ★★☆

 해설 ① 4문단 끝에서 1~5번째 줄과 5문단 끝에서 1~4번째 줄을 통해 요트의 한 종류인 '딩기'는 순풍이 불 때와 역풍이 불 때 모두 횡류방지장치로 횡류를 방지한 후 '전진력'을 이용하여 앞으로 나아감을 알 수 있다. 또한 '횡류력'은 요트를 나아가게 하는 힘이 아니라 옆 방향으로 미는 힘이므로 ①의 설명은 적절하지 않다.

[관련 부분]
• 요트를 앞으로 추진시키는 전진력과 옆으로 밀리게 하는 횡류력으로 ~ 횡류방지장치에 의하여 횡류를 방지하면서 전진력을 이용하여 앞으로 나아갈 수 있게 된다.
• 횡류력은 요트를 옆 방향으로 미는 힘으로서 센터보드 등의 횡류방지장치에 의하여 상쇄된다. 따라서 요트는 전진력에 의하여 앞으로 나아갈 수 있게 된다.

오답분석 ② 4문단 끝에서 1~3번째 줄을 통해 확인할 수 있다.

[관련 부분] 센터보드나 킬(keel)과 같은 횡류방지장치에 의하여 횡류를 방지하면서 전진력을 이용하여 앞으로 나아갈 수 있게 된다.

③ 3문단 끝에서 1~3번째 줄을 통해 확인할 수 있다.

[관련 부분] 풍압이 추진력의 주(主)가 되는 풍하범주(風下帆舟)와, 양력이 주(主)가 되는 풍상범주(風上帆舟)를 구분하여야 한다.

④ 4문단 1~2번째 줄을 통해 바람을 등지고 가는 것은 '풍하범주'임을 알 수 있으며, 5문단 1번째 줄을 통해 맞바람을 받고 가는 것은 '풍상범주'임을 알 수 있다. 그리고 3문단 끝에서 1~3번째 줄을 통해 '풍하범주'는 '풍압'이, '풍상범주'는 '양력'이 주(主)가 됨을 알 수 있으므로 ④의 설명은 적절하다.

[관련 부분]
• 요트가 바람을 뒤쪽에서 받아 주행하는 풍하범주의 경우에는
• 요트가 바람을 거슬러 올라가는 풍상범주의 경우는
• 풍압이 추진력의 주(主)가 되는 풍하범주(風下帆舟)와, 양력이 주(主)가 되는 풍상범주(風上帆舟)를 구분하여야 한다.

27 난이도 ★★☆

해설 ② 1~2번째 줄을 통해 무스가 소화를 잘 시키기 위해 움직이지 않는 전략을 선택했음을 알 수 있다. 그러나 소화를 잘 시키기 위해 식물을 가려먹는 습성이 있다는 ②의 설명은 제시문을 통해 알 수 없다.

[관련 부분] 되새김 동물인 무스(moose)의 경우, 위에서 음식물이 잘 소화되게 하려면 움직여서는 안 된다.

오답분석 ① 1~2번째 줄을 통해 무스는 생존과 직결되는 일인 '소화'를 위해 움직이지 않는다는 것을 알 수 있다.

[관련 부분] 위에서 음식물이 잘 소화되게 하려면 움직여서는 안 된다.

③ 6~10번째 줄을 통해 갈퀴발도마뱀은 움직이지 않음으로써 먹이를 구할 에너지를 충전함을 알 수 있다.

[관련 부분] 갈퀴발도마뱀은 모래 위로 눈만 빼꼼 내놓고 몇 시간 동안이나 움직이지 않는다. ~ 곤충이 지나가면 도마뱀이 모래에서 나가 잡아먹을 수 있도록 에너지를 충전해 주는 것이다.

④ 끝에서 1~4번째 줄을 통해 갈퀴발도마뱀은 모래 속에 몸을 묻을 때 생존 확률을 높일 수 있음을 알 수 있다.

[관련 부분] 갈퀴발도마뱀은 모래 속에 몸을 묻고 움직이지 않기 때문에 수분의 손실을 줄이고 사막 짐승들의 끊임없는 위협에서 벗어날 수 있는 것이다.

28

다음 글에서 알 수 없는 것은?

소설의 출현은 사적 생활이라는 개념의 출현과 밀접한 관련이 있다. 왜냐하면 소설 읽기와 쓰기에 있어 사적 생활은 필수적인 까닭이다. 어쩌면 사적 생산과 소비 형태 탓에 사생활은 소설이라는 장르의 태동 때부터 소설의 중심 주제였는지도 모른다. 혹은 이와는 반대로 사적 경험이라는 비교적 새로운 개념을 탐색해야 할 필요 탓에 소설이 생긴 것인지도 모른다. …… 사적 공간은 개인, 가족, 친구, 그리고 자기 자신 등과의 교류에 필요한 은밀한 공간이 실제 생활 속에 구현되도록 도왔다. 자기만의 내적인 것에 대한 추구는 사람들의 이상이 되었고 점점 그 중요성이 커지면서 사람들의 존재 방식과 글쓰기 행태에 변화를 요구하였다.

이전의 지배적 문학 형태인 서사시, 서정시, 희곡 등과는 달리 소설은 낭독하는 전통이 없었다. 또한 낭독을 이상으로 삼지도 않고, 청중의 참여를 전제로 하지도 않았다. 소설 장르는 여럿이 함께 모여 문학 작품을 감상하는 청중 개념의 붕괴와 밀접한 관련이 있다. 19세기는 르네상스 시대와 17세기와는 달리 공통의 규범과 가치를 나누는 단일 사회가 아니었다. 따라서 청중이 한자리에 모여 동일한 가치를 나누는 일이 점차 불가능해졌다. 혼자 소리 내지 않고 책을 읽기 시작했다는 것은 사람들이 이미 사적 생활에 상당한 의미를 두게 되었음을 뜻한다. ……

이러한 사적 경험으로서의 책 읽기에 대응되어 나타난 것이 사적인 글쓰기였다. 사적으로 글을 쓸 경우 작가는 이야기꾼, 음유 시인, 극작가들과 달리 청중들로부터 아무런 즉각적 반응도 얻을 수 없다. 인류학자, 언어학자들에 의하면 언어의 의미는 그것을 쓸 때의 상황에 크게 좌우된다고 한다. 그러나 글쓰기, 그중에도 특히 인쇄에 의해 복제 된 글쓰기는 작가에게서 떨어져 나와 결국 아무에게도 속하지 않는 자율적 담론을 창조하게 되었다.

① 사적인 글쓰기의 출현으로 작가는 독자와 직접 소통할 수 있게 되었다.

② 자기만의 내적인 것에 대한 추구가 새로운 형태의 글쓰기를 요구하였다.

③ 소설은 사적 공간에서의 책 읽기와 글쓰기가 가능해진 시기에 출현하였다.

④ 희곡작가는 낭독을 통해 청중들과 교류하며 공통의 규범과 가치를 나누고자 하였다.

29

〈보기〉에 대한 설명으로 가장 옳은 것은?

— 〈보기〉 —

내가 어렸을 때만 하더라도 미국의 어린이들은 원래 북아메리카에는 100만 명가량의 인디언밖에 없었다고 배웠다. 이렇게 적은 수라면 거의 빈 대륙이라고 할 수 있으므로 백인들의 정복을 정당화하는 데 유용했다. 그러나 고고학적인 발굴과 미국의 해안 지방을 처음 밟은 유럽인 탐험가들의 기록을 자세히 검토한 결과 인디언들이 처음에는 약 2000만 명에 달했다는 것을 알게 되었다. 신세계 전체를 놓고 보았을 때 콜럼버스가 도착한 이후 한두 세기에 걸쳐 인디언의 인구는 최대 95%가 감소했을 것으로 추정된다.

인디언들이 죽은 주된 요인은 구세계의 병원균이었다. 인디언들은 그런 질병에 노출된 적이 없었으므로 면역성이나 유전적인 저항력이 전혀 없었다. 살인적인 질병의 1위 자리를 놓고 다투었던 것은 천연두, 홍역, 인플루엔자, 발진티푸스 등이었고, 그것으로도 충분하지 않다는 듯 디프테리아, 말라리아, 볼거리, 백일해, 페스트, 결핵, 황열병 등이 그 뒤를 바짝 따랐다. 병원균이 보인 파괴력을 백인들이 직접 목격한 경우도 헤아릴 수 없이 많았다. 1837년 대평원에서 가장 정교한 문화를 가지고 있던 만단족 인디언들은 세인트루이스에서 미주리 강을 타고 거슬러 올라 온 한 척의 증기선 때문에 천연두에 걸렸다. 만단족의 한 마을은 몇 주 사이에 인구 2000명에서 40명으로 곤두박질쳤다.

- 재레드 다이아몬드, '총·균·쇠' 중에서

① 유럽은 신세계였고, 아메리카는 구세계였다.

② 인디언들은 구세계의 병원균에 대한 면역성이 없었다.

③ 만단족 인디언들의 인구 감소는 백인들의 무기 때문이었다.

④ 콜럼버스 이전에 북아메리카에는 100만 명가량의 인디언이 있었다.

28

해설 ① 3문단 2~4번째 줄을 통해 사적인 글쓰기의 경우 작가가 독자(청중)로부터 반응을 즉각적으로 얻을 수 없었음을 알 수 있다. 따라서 사적인 글쓰기의 출현을 통해 작가와 독자가 직접 소통할 수 있게 되었다는 ①의 설명은 옳지 않다.

[관련 부분] 사적으로 글을 쓸 경우 작가는 이야기꾼, 음유 시인, 극작가들과 달리 청중들로부터 아무런 즉각적 반응도 얻을 수 없다.

오답분석 ② 1문단 끝에서 1~4번째 줄을 통해 확인할 수 있다.

[관련 부분] 자기만의 내적인 것에 대한 추구는 사람들의 이상이 되었고 점점 그 중요성이 커지면서 사람들의 존재 방식과 글쓰기 행태에 변화를 요구하였다.

③ 1문단 1~3번째 줄을 통해 확인할 수 있다.

[관련 부분] 소설의 출현은 사적 생활이라는 개념의 출현과 밀접한 관련이 있다. 왜냐하면 소설 읽기와 쓰기에 있어 사적 생활은 필수적인 까닭이다.

④ 2문단을 통해 희곡은 낭독하는 전통이 있었음을 알 수 있으며, 소설이 출현하기 전의 지배적 문화 형태였던 서사시, 서정시, 희곡 등은 공통의 규범과 가치를 나누는 역할을 하였음을 알 수 있다.

29

해설 ② 2문단 1~3번째 줄을 통해 인디언들은 구세계의 병원균에 대한 면역성이 없었음을 알 수 있으므로 답은 ②이다.

[관련 부분] 인디언들이 죽은 주된 요인은 구세계의 병원균이었다. 인디언들은 그런 질병에 노출된 적이 없었으므로 면역성이나 유전적인 저항력이 전혀 없었다.

오답분석 ① 1문단을 통해 인디언들이 살고 있던 곳은 '북아메리카'이고 사람들은 이곳을 '신세계'라고 지칭하였음을 알 수 있다. 이어서 2문단 1~2번째 줄에서 인디언들의 주요 사망 원인이 '구세계'의 병원균이라고 하였으므로, 이는 유럽인이었던 콜럼버스가 구세계로부터 왔음을 알 수 있다. 이러한 내용들을 종합하였을 때, 유럽은 구세계였고, 아메리카는 신세계였음을 알 수 있다.

[관련 부분] 인디언들이 죽은 주된 요인은 구세계의 병원균이었다.

③ 2문단 끝에서 1~4번째 줄을 통해 만단족 인디언들의 인구 감소는 무기가 아니라 천연두 때문이었음을 알 수 있다.

[관련 부분] 만단족 인디언들은 ~ 천연두에 걸렸다. 만단족의 한 마을은 몇 주 사이에 인구 2000명에서 40명으로 곤두박질쳤다.

④ 1문단 끝에서 3~5번째 줄을 통해 콜럼버스가 도착하기 전의 북아메리카에는 약 2000만 명의 인디언이 살았음을 알 수 있다.

[관련 부분] 인디언들이 처음에는 약 2000만 명에 달했다는 것을 알게 되었다.

30
[2018년 지방직 7급]

다음 글에 대한 이해로 적절한 것은?

이산화탄소와 온실 효과가 처음부터 자연에 해가 되었던 것은 아니었다. 오히려 온실 효과는 지구의 환경을 생태계에 적합하도록 해 주었다. 만약 자연적인 온실 효과가 없다면 지구 표면에서 복사된 열이 모두 외계로 방출되어 지구의 온도는 지금보다 평균 3, 4도 정도 낮아져서 생물들이 살아갈 수 없게 될 것이다. 그런데 화석 연료의 사용이 늘어나면서 대기 중에 이산화탄소가 너무나 많아져서 지구 온난화 현상이 생기는 것이 문제이다.

특히 이산화탄소는 공기 중에 50~200년이나 체류하기 때문에 그 효과가 크다. 이산화탄소 외에도 온실 효과를 일으키는 기체로는 프레온, 아산화질소, 메탄, 수증기 등이 있다. 프레온은 전자 제품을 생산할 때 세척제 혹은 냉장고의 냉매로 쓰인다. 아산화질소와 메탄은 공장과 자동차의 배기가스에서 생긴다. 수증기도 지구 온난화에 영향을 미치기는 하지만 그 양은 자연 생태계가 조절하고 있어서 별 문제가 되지는 않는다.

① 프레온, 아산화질소, 메탄 등의 기체는 지구 온난화에 직접적인 영향이 없다.

② 자연적인 온실 효과 때문에 지구 표면에서 복사된 열이 모두 외계로 방출된다.

③ 이산화탄소는 공기 중에 체류하는 기간이 길어서 지구 온난화 방지에 도움을 준다.

④ 수증기도 이산화탄소처럼 온실 효과를 나타내지만 지구 온난화에 미치는 영향은 작다.

31
[2017년 국가직 7급 (8월)]

다음 글의 내용을 이해한 것으로 적절하지 않은 것은?

기생 생물과 숙주는 날을 세운 창과 무쇠를 덧댄 방패와 같다. 한쪽은 끊임없이 양분을 빼앗으려 하고, 한쪽은 어떻게든 방어하려 한다. 이때 문제가 발생한다. 기생 생물은 가능한 한 숙주로부터 많은 것을 빼앗는 것이 유리하지만 숙주가 죽게 되면 기생 생물에게도 오히려 해가 된다. 기생 생물에게 숙주는 양분을 공급해 주는 먹잇감인 동시에 살아가는 서식처이기 때문이다. 따라서 기생 생물은 최적의 생활 조건을 유지하기 위해 '중용의 도'를 깨달아야 하는 상황에 놓인다. 이때쯤 되면 기생 생물은 자신의 종족이 장기적으로 번성하려면 많은 양분을 한꺼번에 빼앗아 숙주를 죽이는 것이 아니라 견딜 수 있을 만큼만 빼앗아 숙주를 살려 둔 상태로 장기간 수탈하는 것이 더 낫다고 판단한다.

보통, 미생물은 인간과 처음 마주치게 되면 낯선 숙주인 인간을 강력하게 공격한다. 설상가상으로 낯선 미생물을 접해 본 적이 없는 인간의 면역계는 그에 대한 항체를 만드는 데 서투르기 때문에 낯선 미생물과 인간의 초기 전투는 미생물의 일방적인 승리로 끝난다. 2세기경 로마 제국에서는 알 수 없는 역병이 두 번에 걸쳐 유행했다. 이 역병의 대유행으로 지칠 대로 지친 로마는 4세기경 게르만족이 침입했을 때 이미 싸울 기력조차 없었다. 학자들은 지중해의 패권을 쥐었던 로마를 속으로부터 골병들게 만들었던 장본인을 홍역으로 보고 있다. 이제는 유아 질환으로 자리 잡은 홍역의 위력이 당시에는 어마어마했던 것이다. 소에서 유래된 것으로 알려진 홍역 바이러스가 처음 인간의 몸에 유입되었을 때 인간은 이에 대한 항체가 거의 없었기 때문에 속수무책으로 당할 수밖에 없었다. 그러나 대유행이 몇 번 지나가고 나면 점차 독성이 약해진다. 이는 미생물이 숙주를 장기간 착취하려고 한발 물러서는 한편 숙주가 항체를 만들어 내면서 미생물 퇴치에 한발 나아감에 따라 저울의 추가 균형점으로 이동하기 때문이다.

① 숙주는 기생 생물의 서식처이다.

② 홍역은 로마의 전투력 약화에 중요한 원인을 제공했다.

③ 홍역 바이러스의 독성이 약화되는 과정에서 숙주가 하는 역할은 미미하다.

④ 대체로 미생물과의 초기 전투에서 인간은 일방적으로 패배했다.

30

난이도 ★★☆

해설 ④ 2문단 끝에서 1~3번째 줄을 통해 수증기는 이산화탄소처럼 온실 효과를 발생시키지만 그 양이 조절되므로 지구 온난화에 미치는 영향이 작음을 알 수 있다. 따라서 답은 ④이다.

[관련 부분] 수증기도 지구 온난화에 영향을 미치기는 하지만 그 양은 자연 생태계가 조절하고 있어서 별 문제가 되지는 않는다.

오답 분석 ① 2문단 2~4번째 줄을 통해 프레온, 아산화질소, 메탄 등의 기체도 온실 효과를 유발함을 확인할 수 있다.

[관련 부분] 이산화탄소 외에도 온실 효과를 일으키는 기체로는 프레온, 아산화질소, 메탄, 수증기 등이 있다.

② 1문단 3~5번째 줄을 통해 자연적인 온실 효과가 복사된 열이 모두 외계로 방출되지 않도록 막아 주었음을 확인할 수 있다.

[관련 부분] 만약 자연적인 온실 효과가 없다면 지구 표면에서 복사된 열이 모두 외계로 방출되어

③ 2문단 1~2번째 줄을 통해 이산화탄소는 공기 중에 체류하는 기간이 길어서 지구 온난화에 큰 영향을 미침을 확인할 수 있다.

[관련 부분] 특히 이산화탄소는 공기 중에 50~200년이나 체류하기 때문에 그 효과가 크다.

31

난이도 ★★☆

해설 ③ 2문단 끝에서 2~4번째 줄을 통해, 숙주가 항체를 만들어 냄으로써 홍역 바이러스가 약화됨을 알 수 있다.

[관련 부분] 미생물이 숙주를 장기간 착취하려고 한발 물러서는 한편 숙주가 항체를 만들어 내면서 미생물 퇴치에 한발 나아감에 따라

오답 분석 ① 1문단의 6~7번째 줄을 통해 확인할 수 있다.

[관련 부분] 기생 생물에게 숙주는 양분을 공급해 주는 먹잇감인 동시에 살아가는 서식처이기 때문이다.

② 2문단의 7~10번째 줄을 통해 확인할 수 있다.

[관련 부분] 이 역병의 대유행으로 지칠 대로 지친 로마가 4세기경 게르만족이 침입했을 때 이미 싸울 기력조차 없었다. 로마를 속으로부터 골병들게 만들었던 장본인을 홍역으로 보고 있다.

④ 2문단의 4~5번째 줄을 통해 확인할 수 있다.

[관련 부분] 낯선 미생물과 인간의 초기 전투는 미생물의 일방적인 승리로 끝난다.

32

[2017년 국가직 7급 (10월)]

다음 글의 내용에 부합하지 않는 것은?

> '쓰나미'는 항구를 뜻하는 '쓰[津]'와 파도를 뜻하는 '나미[波]'로 이루어진 일본어 합성어이다. 쓰나미는 위협적인 파도를 동반해 일본의 항구 지역에 수시로 타격을 입히지만 신기하게도 같은 시간 먼바다에 나가 있는 어부들은 아무런 이상을 느끼지 못한다고 한다. 즉 쓰나미는 해안에 나타나 엄청난 파괴력을 발휘하지만 먼바다에서는 눈에 잘 띄지 않는다는 것이다. 심지어 쓰나미를 목격한 대부분의 사람들은 당시 날씨가 아주 평온하고 바다도 무척 잔잔했다고 말한다. 이는 쓰나미가 일반적인 태풍처럼 특정한 기상 조건 때문에 생성되는 것이 아니라는 뜻이다.
>
> 끈을 양쪽으로 묶은 다음, 한쪽 끝에서 수직 방향으로 갑작스러운 충격을 보내면 어떻게 될까? 위로 솟았다가 내려가는 연속적인 움직임이 끈을 타고 나아갈 것이다. 이것이 바로 간단하게 파동을 만드는 방법이다. 쓰나미의 원리도 바로 이 파동 현상으로 설명할 수 있다.
>
> 해안에 나타나는 파도는 끈의 끝에서 일어나는 파동과 같다. 끈 자체가 움직이는게 아닌 것처럼, 바닷물도 그 자체가 이동하는 것이 아니라 물결의 일렁임이 해안 쪽으로 옮겨 오면서 확대되는 것이다. 쓰나미의 규모가 큰 경우에는 마지막에 파도가 크게 부서지면서 바닷물이 땅으로 넘치고, 그중 일부는 원래의 바다로부터 떨어져 나와 물 자체가 이동하게 된다.

① 쓰나미는 물 자체의 이동보다는 파동의 전달에서 비롯되는 것이다.

② 쓰나미는 태풍과 같이 특정 기상 조건에 따라 생성되는 것이 아니다.

③ 쓰나미는 물결의 일렁임이 해안 방향으로 이동하며 확대되는 것이다.

④ 쓰나미는 일본어 합성어로, 가까운 바다보다 먼바다에서 더 위협적이다.

33

[2017년 지방직 9급 (6월)]

밑줄 친 말에 대한 설명으로 적합한 것은?

> 하나의 패러다임의 형성은 당초에는 불완전하며, 다만 이후 연구의 방향을 제시하고 소수 특정 부분의 성공적인 결과를 약속할 수 있을 뿐이다. 그러나 패러다임의 정착은 연구의 정밀화, 집중화 등을 통하여 자기 지식을 확장해 가며 차츰 폭 넓은 이론 체계를 구축한다.
>
> 이처럼 과학자들이 패러다임을 기반으로 하여 연구를 진척시키는 것을 쿤은 '정상 과학'이라고 부른다. 기초적인 전제가 확립되었으므로 과학자들은 이 시기에 상당히 심오한 문제의 작은 영역들에 집중함으로써, 그렇지 않았더라면 상상조차 못했을 자연의 어느 부분을 깊이 있게 탐구하게 된다. 그에 따라 각종 실험 장치들도 정밀해지고 다양해지며, 문제를 해결해 가는 특정 기법과 규칙들이 만들어진다. 연구는 이제 혼란으로서의 다양성이 아니라, 이론과 자연 현상을 일치시켜 가는 지식의 확장으로서의 다양성을 이루게 된다.
>
> 그러나 정상 과학은 완성된 과학이 아니다. 과학적 사고방식과 관습, 기법 등이 하나의 기반으로 통일돼 있다는 것일 뿐 해결해야 할 과제는 무수하다. 패러다임이란 과학자들 사이의 세계관의 통일이지 세계에 대한 해석의 끝은 아닌 것이다.
>
> 그렇다면 <u>정상 과학의 시기</u>에는 어떤 연구가 어떻게 이루어지는가? 정상 과학의 시기에는 이미 이론의 핵심 부분들은 정립돼 있다. 따라서 과학자들의 연구는 근본적인 새로움을 좇아가지는 않으며, 다만 연구의 세부 내용이 좀 더 깊어지거나 넓어질 뿐이다. 이러한 시기에 과학자들의 열정과 헌신성은 무엇으로 유지될 수 있을까? 연구가 고작 예측된 결과를 좇아갈 뿐이고, 예측된 결과가 나오지 않으면 실패라고 규정되는 상태에서 과학의 발전은 어떻게 이루어지는가?
>
> 쿤은 이 물음에 대하여 '수수께끼 풀이'라는 대답을 준비한다. 어떤 현상의 결과가 충분히 예측된다 할지라도 정작 그 예측이 달성되는 세세한 과정은 대개 의문 속에 있게 마련이다. 자연 현상의 전 과정을 우리가 일목요연하게 알고 있는 것은 아니기 때문이다. 이론으로서의 예측 결과와 실제의 현상을 일치시켜 보기 위해서는 여러 복합적인 기기적, 개념적, 수학적인 방법이 필요하다. 이것이 수수께끼 풀이이다.

① 여러 가지 상반된 시각의 학설이 등장하여 이론이 다양해지고 풍성해진다.

② 과학적 패러다임의 정착으로 이론의 핵심 부분들이 정립되어 있다.

③ 이 시기의 패러다임의 형성은 처음에는 불완전하나 후속 연구를 통해 세계를 완전히 해석할 수 있는 과학으로 발전된다.

④ 예측된 결과만을 좇을 수밖에 없기 때문에 과학자들의 열정과 헌신성이 낮아진다.

32

난이도 ★☆☆

 ④ 1문단 1~2번째 줄에서 '쓰나미'가 '쓰[津]'와 '나미[波]'로 이루어진 일본어 합성어임은 확인할 수 있으나, 1문단 5~7번째 줄을 통해 쓰나미는 먼바다보다는 가까운 바다(해안)에서 더 위협적이라는 것을 알 수 있다. 따라서 제시문의 내용에 부합하지 않는 것은 ④이다.

[관련 부분]
- '쓰나미'는 항구를 뜻하는 '쓰[津]'와 파도를 뜻하는 '나미[波]'로 이루어진 일본어 합성어이다.
- 쓰나미는 해안에 나타나 엄청난 파괴력을 발휘하지만 먼바다에서는 눈에 잘 띄지 않는다는 것이다.

[오답분석] ① 2문단 끝에서 1~2번째 줄과 3문단 2~4번째 줄에서 확인할 수 있다.

[관련 부분]
- 쓰나미의 원리도 바로 이 파동 현상으로 설명할 수 있다.
- 바닷물도 그 자체가 이동하는 것이 아니라 물결의 일렁임이 해안 쪽으로 옮겨 오면서 확대되는 것이다.

② 1문단 끝에서 1~3번째 줄에서 확인할 수 있다.

[관련 부분] 쓰나미가 일반적인 태풍처럼 특정한 기상 조건 때문에 생성되는 것이 아니라는 뜻이다.

③ 3문단 2~4번째 줄에서 확인할 수 있다.

[관련 부분] 바닷물도 그 자체가 이동하는 것이 아니라 물결의 일렁임이 해안 쪽으로 옮겨 오면서 확대되는 것이다.

33

난이도 ★★☆

해설 ② 2문단 1~2번째 줄에서 '정상 과학'이 패러다임의 정착을 통해 이루어진다는 사실을 확인할 수 있으며, 4문단 2~3번째 줄에서 정상 과학의 시기에 이론의 핵심 부분들이 정립되어 있다는 사실을 알 수 있다. 따라서 이를 종합한 설명인 ②가 답이다.

[관련 부분]
- 과학자들이 패러다임을 기반으로 하여 연구를 진척시키는 것을 쿤은 '정상 과학'이라고 부른다.
- 정상 과학의 시기에는 이미 이론의 핵심 부분들은 정립돼 있다.

[오답분석] ① 4문단 2~3번째 줄을 통해 정상 과학 시기에 이론이 다양해진다는 ①의 설명은 적합하지 않음을 알 수 있다.

[관련 부분] 정상 과학의 시기에는 이미 이론의 핵심 부분들은 정립돼 있다.

③ 1문단 1번째 줄을 통해 이 시기의 패러다임의 형성은 처음에는 불완전함을 알 수 있지만 3문단 끝에서 1~3번째 줄에서 패러다임이 세계에 대한 해석의 끝이 아님을 알 수 있다.

[관련 부분]
- 하나의 패러다임의 형성은 당초에는 불완전하며
- 패러다임이란 과학자들 사이의 세계관의 통일이지 세계에 대한 해석의 끝은 아니다.

④ 5문단의 '수수께끼 풀이'에 대한 내용을 통해 예측된 결과를 좇으면서 그 결과가 달성되는 과정을 탐구하는 과학자들의 열정과 헌신성이 유지된다는 것을 추론할 수 있다.

34

㉠~㉢에 대한 설명으로 적절한 것은?

> ㉠르네상스 이래 화가들은 자신의 그림이 세상을 향한 창처럼 보이기를 바랐다. 그리하여 그림의 장면이나 주제를 하나의 고정된 시점에서 본 것처럼 그렸으며, 이러한 환영을 더욱 심화하기 위해 원근법적인 형태 묘사를 택했다. 그러나 1907년부터 피카소와 브라크는 전통적인 원근법의 관례를 버리고 리얼리티를 묘사하기 위한 새로운 방식을 실험하기 시작했다. 정물화에서 그들은 눈이 카메라 렌즈처럼 하나의 시점으로 세상을 인식한다는 기존의 믿음에 도전하여 뇌가 어떻게 다양한 시점과 연속적인 시간에 걸친 시각적인 정보를 점진적으로 축적해 나가는지를 보여 주고자 했다.
>
> 피카소와 브라크의 혁명적인 그림은 과거의 어떤 그림과도 완전히 다르게 보이지만, 두 화가는 모두 ㉡세잔의 작업 방식에서 영향을 받았다. 과거의 화가들은 일관된 원근법 체계를 이용해 그림에 안정성과 깊이감을 부여하고자 했으나, 세잔은 회화적 공간을 의도적으로 왜곡하고 불안한 각도로 면을 기울여 안정적인 정물화에 역동감과 긴장감을 부여했다. 그는 정물의 적절한 위치를 찾기 위해 고심하며 매우 조심스럽게 화면을 구성했다. 다양한 각도와 시점을 미묘하게 결합하여 세잔은 세심하게 배열한 정물에 더욱 완벽한 시점을 부여하고자 노력했다.
>
> 세잔이 죽은 지 1년 후 파리에서 열린 세잔의 대규모 회고전은 피카소와 브라크에게 커다란 영향을 끼쳤으며, ㉢피카소와 브라크는 즉각 세잔의 발상을 도입하여 초기 입체주의 회화로 발전시켰다. 이들은 초기 정물화에 동시적인 시점의 결합 가능성을 지속적으로 실험했다. 피카소와 브라크는 사물의 형태를 파편화할 때까지 왜곡했으며, 그림을 그리는 동안 정물의 주위를 걸어 다니며 각 단계의 다양한 세부 사항을 관찰하는 것 같은 인상을 만들어 냈다. 결과적으로 이들의 그림은 시간과 공간에 따른 움직임의 감각을 만들어 냈다.

① ㉠과 달리 ㉡과 ㉢은 대상을 바라보는 관점의 다양성을 인정한다.

② ㉡과 달리 ㉠과 ㉢은 단일한 시간과 공간을 기준으로 대상을 파악한다.

③ ㉢과 달리 ㉠과 ㉡은 대상을 있는 그대로 묘사하는 것이 회화의 목적이라 여긴다.

④ ㉠, ㉡, ㉢은 모두 가까이 있는 대상은 크게, 멀리 있는 대상은 작게 표현하는 방식을 취한다.

35

다음 글에서 알 수 있는 내용이 아닌 것은?

> 단어란 흔히 문장을 구성하는 단위 가운데 분리하면 본래의 뜻을 잃어버리게 되는 최소의 자립 형식이라고 정의한다. '오늘 작은언니는 새 옷을 입었다.'라는 문장에서 '오늘, 새, 옷'은 단어들이다. '작은언니'는 '작은'과 '언니'로 분리할 수는 있지만 이렇게 분리하면 본래의 뜻과는 다른 뜻이 되기 때문에 '작은언니'는 한 단어이다. '입었다'는 '입 – 었 – 다'로 구성되어 있지만 이들 각각 홀로 쓰일 수 없고 세 단위가 모여서 하나의 자립 형식을 이루기 때문에 '입었다'는 그대로 한 단어가 된다.
>
> 그러나 단어의 정의가 그렇게 간단한 일은 아니다. '작은언니는, 옷을'의 '는, 을'과 같은 조사는 '작은언니, 옷'과 분리하여도 제 뜻을 잃어버리지 않는다. 그러나 조사는 홀로 쓰이지 못하고 반드시 체언 등에 붙어서만 쓰인다. 이런 까닭으로 국어의 조사를 단어로 인정하기도 하고 인정하지 않기도 한다. 이와 유사한 어려움은 의존 명사에서도 볼 수 있다. '한 그루, 줄 것'의 '그루, 것'은 의존 명사인데, 이들은 분리는 가능하지만 홀로 쓰이지 못하고 반드시 관형어의 수식을 받아서만 쓰일 수 있다. 그러나 의존 명사는 관형어의 수식을 받는다는 점에서 그 통사적 성격이 명사와 동일하다. 따라서 의존 명사는 명사와 동일한 성격을 지니는 단어로 취급한다.
>
> 국어 단어는 그 형성 방식에 따라 크게 두 가지로 구성된다. 하나는 '구름, 겨우, 먹다'처럼 단일한 요소가 곧 한 단어가 되는 경우이다. '구름, 겨우'와 같은 단어들은 더 이상 나뉠 수 없는 단일한 구성을 보이는 예들로서 이들은 단일어라고 한다. '먹다'는 어간 '먹 –'에 어미 '– 다'가 붙어 이루어진 구성이지만 '먹 –'은 의존 형태소로서 단독으로는 쓰일 수 없으며, '– 다'는 순수하게 문법적 기능만을 나타내는 어미로서 단어의 구성에는 관여하지 않는다.
>
> 다른 하나는 다양한 요소들이 결합하여 한 단어가 되는 경우이다. 이들은 단일어와 구별하여 복합어라고 한다. 복합어는 다시 두 가지 종류로 나뉜다. '샛노랗다, 무덤, 잠'은 어휘 형태소인 '노랗다, 묻 –, 자 –'에 '샛 –, – 엄, – ㅁ'과 같은 접사가 덧붙어서 파생된 단어들이다. 이처럼 어휘 형태소에 접사가 결합하여 형성된 단어들을 파생어라고 한다. '손목, 고무신, 빛나다, 날짐승'과 같은 단어는 각각 '손 – 목, 고무 – 신, 빛 – 나다, 날 – 짐승'으로 분석된다. 이들은 각각 어근인 어휘 형태소끼리 결합하여 한 단어가 된 경우로 이를 합성어라고 한다.

① '작은언니'는 최소의 자립 형식이다.

② '는, 을'은 체언 등에 붙어서만 쓰이므로 단어이다.

③ '그루, 것'은 그 통사적 성격이 명사와 동일하다.

④ '샛노랗다, 손목'은 복합어이다.

34 난이도 ★☆☆

해설 ① 1문단 1~3번째 줄을 통해 ㉠은 하나의 고정된 시점에서 본 것처럼 그림을 그렸음을 알 수 있다. 또한 2문단 끝에서 1~3번째 줄과 1문단 끝에서 1~7번째 줄을 통해 ㉡과 ㉢은 대상을 바라보는 관점의 다양성을 인정하였음을 알 수 있으므로 ①의 설명은 적절하다.

[관련 부분]
- 르네상스 이래 화가들은 ~ 그림의 장면이나 주제를 하나의 고정된 시점에서 본 것처럼 그렸으며,
- 다양한 각도와 시점을 미묘하게 결합하여 ~ 정물에 더욱 완벽한 시점을 부여하고자 노력했다.
- 피카소와 브라크는 전통적인 원근법의 관례를 버리고 ~ 뇌가 어떻게 다양한 시점과 연속적인 시간에 걸친 시각적인 정보를 점진적으로 축적해 나가는지를 보여 주고자 했다.

오답 분석 ② 1문단 1~3번째 줄을 통해 ㉠은 하나의 고정된 시점에서 그림의 장면 및 주제를 조망했음을 확인할 수 있다. 따라서 단일한 시간과 공간을 기준으로 대상을 파악한 것은 ㉠뿐이므로 ②는 적절하지 않은 설명이다.

[관련 부분] 르네상스 이래 화가들은 ~ 그리하여 그림의 장면이나 주제를 하나의 고정된 시점에서 본 것처럼 그렸으며,

③ 1문단 1~2번째 줄을 통해 ㉠은 대상을 그대로 묘사하는 것을 회화의 목적이라고 보았음을 알 수 있다. 따라서 이러한 목적을 추구한 것은 ㉠뿐이므로 ③은 적절하지 않은 설명이다.

[관련 부분] 르네상스 이래 화가들은 자신의 그림이 세상을 향한 창처럼 보이기를 바랐다.

④ '가까이 있는 대상은 크게, 멀리 있는 대상은 작게 표현하는 방법'은 전통적인 원근법을 가리킨다. 1문단 4~5번째 줄을 통해 ㉠은 원근법적인 묘사를 택했음을 알 수 있다. 따라서 이 방법을 취한 것은 ㉠뿐이므로 ④는 적절하지 않은 설명이다.

[관련 부분] 원근법적인 형태 묘사를 택했다.

35 난이도 ★★☆

해설 ② 2문단 3~6번째 줄을 통해 '는, 을'과 같은 조사는 단어로 인정되기도 하고 인정되지 않기도 한다는 것을 알 수 있다. 따라서 ②는 제시문을 통해 알 수 없는 내용이다.

[관련 부분] 조사는 홀로 쓰이지 못하고 반드시 체언 등에 붙어서만 쓰인다. 이런 까닭으로 국어의 조사를 단어로 인정하기도 하고 인정하지 않기도 한다.

오답 분석 ① 1문단 1~3번째 줄을 통해 '단어'는 '최소의 자립 형식'임을 알 수 있고, 1문단 4~6번째 줄을 통해 '작은언니'는 한 단어임을 확인할 수 있다.

[관련 부분]
- 단어란 ~ 분리하면 본래의 뜻을 잃어버리게 되는 최소의 자립 형식이라고 정의한다.
- '작은언니'는 '작은'과 '언니'로 분리할 수는 있지만 이렇게 분리하면 본래의 뜻과는 다른 뜻이 되기 때문에 '작은언니'는 한 단어이다.

③ 2문단 끝에서 2~6번째 줄을 통해 확인할 수 있다.

[관련 부분] '한 그루, 줄 것'의 '그루, 것'은 의존 명사인데, ~ 의존 명사는 관형어의 수식을 받는다는 점에서 그 통사적 성격이 명사와 동일하다.

④ 4문단에서 복합어는 파생어와 합성어로 나누어지며, '샛노랗다'는 파생어, '손목'은 합성어라고 하였으므로 '샛노랗다, 손목'은 복합어임을 알 수 있다.

36

다음 지문을 이해한 것으로 가장 적절한 것은?

변증술은 한 사람이 주장하는 바를 다른 사람이 논파하려 드는 게임과 같은 것으로서 아리스토텔레스는 『토피카』에서 하나의 주장을 공격 또는 방어하는 요령을 가능한 한 체계적으로 정리해 놓는 시도를 했다. 공방의 대상이 되는 주장이 성립하려면 무엇보다도 논쟁을 하는 두 사람이 같이 설정한 주제가 있어야 한다. 서로 다른 주제에 대해 말을 한다면 그냥 서로 딴 이야기를 하는 것뿐이니 논쟁이 성립되지 않는다. 두 사람이 서로 다른 이야기를 하는 상황은 언어적으로는 결국 주어는 같고 술어는 서로 상반되는 두 명제에 의해 반영된다. 아리스토텔레스는 이 점을 염두에 두고 주어를 술어에 귀속시키는 서술 방식을 유형별로 나누어 공방의 요령을 정리했다. 그때 그가 유형 구별의 일차적인 표지로 삼은 것은 '무엇인지(ti)', '어떤지(poion)', '얼마인지(poson)', '언제(pote)', '어디서(pou)' 등과 같은 의문사였다. 이런 의문사는 요구되는 적절한 답의 범위를 우선적으로 한정하는 기능을 한다. 가령 나뭇가지에 앉아 있는 참새를 가리키며 그것이 무엇인지 물을 때 그것이 아주 작다는 답을 하는 경우를 생각해보자. 그 새가 작은 것이 사실이라 하더라도 그 답은 그저 엉뚱한 동문서답일 뿐이다. 반면 종달새라고 답을 했다면 그 답은 틀리기는 해도 동문서답은 아니다. 그럴 경우는 진위를 판가름을 하기 위한 시비를 시작할 수 있지만, 작다는 답은 맞고 틀리고 이전에 답을 하는 쪽이 질문을 제대로 이해하지 못했다는 판정을 할 수밖에 없다. 그렇듯 의문사는 적절한 답의 범위를 정해주면서 곧 진위 문제보다 더 근본적인 수준에서 논의 주제에 적실한 서술 범위의 경계를 표시해준다.

① 주어를 술어에 귀속시키는 서술 방식을 유형별로 구별하는 일차적인 표지는 의문사이다.

② 공방의 대상이 되는 주장이 성립한다는 것은 언어적으로는 서로 주어가 다른 명제를 사용하는 것으로 반영된다.

③ "나무의 색깔이 무엇인가"라고 물었을 때 "나무의 종류가 무엇이다"라고 대답한다면 대답의 진위 판단이 가능하다.

④ 의문사는 답의 범위를 정해주지만 논의 주제에 적실한 서술 범위의 경계를 표시하지는 않는다.

37

윗글을 통해 답을 확인할 수 없는 질문은?

저작권이란 저작물을 보호하기 위해 저작자에게 부여된 독점적 권리를 말한다. 저작권은 소유한 물건을 자기 마음대로 이용하거나 처분할 수 있는 권리인 소유권과는 구별된다. 소설책을 구매한 사람은 책에 대한 소유권은 획득했지만, 그렇다고 소설에 대한 저작권을 획득한 것은 아니다. 따라서 구매자는 다른 사람에게 책을 빌려줄 수는 있으나, 저작자의 허락 없이 그 소설을 상업적 목적으로 변형하거나 가공하여 유통할 수는 없다. 이는 책에 대해서는 물건에 대한 소유권인 물권법이, 소설에 대해서는 저작권법이 각각 적용되기 때문이다.

저작권법에서 보호하는 저작물은 남의 것을 베낀 것이 아니라 저작자 자신의 것이어야 한다. 그리고 저작물의 수준이 높아야 할 필요는 없지만, 저작권법에 의한 보호를 받을 가치가 있는 정도로 최소한의 창작성을 지니고 있어야 한다.

저작자란 사실상의 저작 행위를 하여 저작물을 생산해 낸 사람을 가리킨다. 직업적인 문인뿐만 아니라 저작 행위를 하면 누구든지 저작자가 될 수 있다. 자연인으로서의 개인뿐만 아니라 법인도 저작자가 될 수 있다. 그리고 저작물에는 1차적 저작물뿐만 아니라 2차적 저작물도 포함되므로 2차적 저작물의 작성자도 저작자가 될 수 있다. 그러나 저작을 하는 동안 옆에서 도와주었거나 자료를 제공한 사람 등은 저작자가 될 수 없다.

저작자에게 저작권이라는 권리를 부여하여 보호하는 이유는 저작물이 곧 문화 발전의 원동력이 되기 때문이다. 저작물이 많이 나와야 그 사회가 문화적으로 풍요로워질 수 있다. 또 다른 이유는 저작자의 창작 노력에 대해 적절한 보상을 해 줌으로써 창작 행위를 계속할 수 있는 동기를 제공하는 데 있다.

① 저작권이란 무엇인가?

② 소유권을 분류하는 기준은 무엇인가?

③ 저작자의 저작권을 보호하는 목적은 무엇인가?

④ 저작권법의 보호를 받는 저작물의 요건은 무엇인가?

36

해설 ① 제시문 11~15번째 줄을 통해 알 수 있다.

[관련 부분] 주어를 술어에 귀속시키는 서술 방식을 유형별로 나누어 ~ 유형 구별의 일차적인 표지로 삼은 것은 ~ 의문사였다.

오답분석 ② 4~6번째 줄을 통해, 공방의 대상이 되는 주장이 성립한다는 것은 서로 설정한 주제가 같아야 함을 알 수 있다.

[관련 부분] 공방의 대상이 되는 주장이 성립하려면 무엇보다도 논쟁을 하는 두 사람이 같이 설정한 주제가 있어야 한다.

③ 끝에서 3~11번째 줄을 통해, 질문의 답이 틀리는 경우에는 진위를 판가름할 수 있지만, 동문서답의 경우에는 질문을 제대로 이해하지 못했다고 판정하는 수밖에 없음을 알 수 있다. '나무의 색깔'을 물었을 때 '나무의 종류'를 말하는 것은 동문서답한 경우이므로 대답의 진위 판단이 불가능하다.

[관련 부분] 나뭇가지에 앉아 있는 참새를 가리키며 그것이 무엇인지 물을 때 그것이 아주 작다는 답을 하는 경우 ~ 동문서답일 뿐이다. 반면 종달새라고 답을 했다면 그 답은 틀리기는 해도 동문서답은 아니다. 그럴 경우는 진위를 판가름을 ~ 시작할 수 있지만, 작다는 답은 ~ 질문을 제대로 이해하지 못했다는 판정을 할 수밖에 없다.

④ 끝에서 1~3번째 줄을 통해, 의문사는 답의 범위를 정해줄 뿐 아니라 논의 주제에 적실한 서술 범위의 경계를 표시함을 알 수 있다.

[관련 부분] 의문사는 적절한 답의 범위를 정해주면서 곧 진위 문제보다 더 근본적인 수준에서 논의 주제에 적실한 서술 범위의 경계를 표시해준다.

37

해설 ② 1문단 2~3번째 줄을 통해 소유권의 개념에 대해서는 알 수 있으나, 소유권을 분류하는 기준은 제시문을 통해 확인할 수 없으므로 답은 ②이다.

[관련 부분] 소유한 물건을 자기 마음대로 이용하거나 처분할 수 있는 권리인 소유권

오답분석 ① 1문단 1~2번째 줄을 통해 확인할 수 있다.

[관련 부분] 저작권이란 저작물을 보호하기 위해 저작자에게 부여된 독점적 권리를 말한다.

③ 4문단의 내용을 통해 확인할 수 있다.

④ 2문단의 내용을 통해 확인할 수 있다.

38

[2017년 지방직 9급 (6월)]

다음 글을 통해서 답을 찾을 수 없는 질문은?

해안에서 밀물에 의해 해수가 해안선에 제일 높게 들어 온 곳과 썰물에 의해 제일 낮게 빠진 곳의 사이에 해당하는 부분을 조간대라고 한다. 지구상에서 생물이 살기에 열악한 환경 중 한 곳이 바로 이 조간대이다. 이곳의 생물들은 물에 잠겨 있을 때와 공기 중에 노출될 때라는 상반된 환경에 삶을 맞춰야 한다. 또한 갯바위에 부서지는 파도의 파괴력도 견뎌내야 한다. 또한 빗물이라도 고이면 민물이라는 환경에도 적응해야 하며, 강한 햇볕으로 바닷물이 증발하고 난 다음에는 염분으로 범벅된 몸을 추슬러야 한다. 이러한 극단적이고 변화무쌍한 환경에 적응할 수 있는 생물만이 조간대에서 살 수 있다.

조간대는 높이에 따라 상부, 중부, 하부로 나뉜다. 바다로부터 가장 높은 곳인 상부는 파도가 강해야만 물이 겨우 닿는 곳이다. 그래서 조간대 상부에 사는 생명체는 뜨거운 태양열을 견뎌내야 한다. 중부는 만조 때에는 물에 잠기지만 간조 때에는 공기 중에 노출되는 곳이다. 그런데 물이 빠져 공기 중에 노출되었다 해도 파도에 의해 어느 정도의 수분은 공급된다. 가장 아래에 위치한 하부는 간조시를 제외하고는 항상 물에 잠겨 있다. 땅위 환경의 영향을 적게 받는다는 점에선 다소 안정적이긴 해도 파도의 파괴력을 이겨내기 위해 강한 부착력을 지녀야 한다는 점에서 생존이 쉽지 않은 곳이다.

조간대에 사는 생물들은 불안정하고 척박한 바다 환경에 적응하기 위해 높이에 따라 수직으로 종이 분포한다. 조간대를 찾았을 때 총알고둥류와 따개비들을 발견했다면 그곳이 조간대에서 물이 가장 높이 올라오는 지점인 것이다. 이들은 상당 시간 물 밖에 노출되어도 수분 손실을 막기 위해 패각과 덮개 판을 꼭 닫은 채 물이 밀려올 때까지 버텨낼 수 있다.

① 조간대에서 총알고둥류가 사는 곳은 어느 지점인가?

② 조간대의 중부에 사는 생물에는 어떠한 것이 있는가?

③ 조간대에서 높이에 따라 생물의 종이 수직으로 분포하는 이유는 무엇인가?

④ 조간대에 사는 생물들이 견뎌야 하는 환경적 조건에는 어떠한 것이 있는가?

39

[2017년 사회복지직 9급]

다음 글에서 파악할 수 있는 내용으로 가장 옳은 것은?

억양은 소리의 높낮이의 이어짐으로 이루어지는 일정한 유형이라고 할 수 있다. 동일한 문장이라도 억양을 상승 조로 하느냐 하강 조로 하느냐에 따라 의문문도 되고 평서문도 된다. 이 경우 억양은 문장의 유형을 결정하는 문법적 기능을 담당한다. 또 억양은 이러한 문법적 기능 이외에 화자의 태도와 의미를 드러내기도 한다. 하강 억양은 완결의 뜻을, 상승 억양은 비판의 뜻을 나타낸다. 억양에는 이처럼 발화 태도와 의미가 드러나 있기 때문에, 이를 잘 이해해야 정확한 뜻을 전달할 수 있다.

① 억양을 잘 이해할수록 정확한 뜻을 전달하기가 어렵다.

② 억양은 문장의 어순을 결정하는 문법적 기능을 담당한다.

③ 상승 억양에는 화자의 비판적 태도와 의미가 담길 수 있다.

④ 같은 문장이라도 소리의 장단에 따라 문장 유형이 달라질 수 있다.

40

[2016년 사회복지직 9급]

다음 글의 내용을 잘못 이해한 것은?

역사적 사실(historical fact)이란 무엇인가? 이것은 우리가 좀 더 꼼꼼히 생각해 보아야만 하는 중요한 질문이다. 상식적인 견해에 따르면, 모든 역사가들에게 똑같은, 말하자면 역사의 척추를 구성하는 어떤 기초적인 사실들이 있다. ─ 예를 들면 헤이스팅스(Hastings) 전투가 1066년에 벌어졌다는 사실이 그런 것이다. 그러나 이 견해에는 명심해야 할 두 가지 사항이 있다. 첫째로, 역사가들이 주로 관심을 가지는 것은 그와 같은 사실들이 아니라는 점이다. 그 대전투가 1065년이나 1067년이 아니라 1066년에 벌어졌다는 것, 그리고 이스트본(Eastbourne)이나 브라이턴(Brighton)이 아니라 헤이스팅스에서 벌어졌다는 것을 아는 것은 분명히 중요하다. 역사가는 이런 것들에서 틀려서는 안 된다. 하지만 나는 이런 종류의 문제들이 제기될 때 '정확성은 의무이지 미덕은 아니다.'라는 하우스먼 (1859~1939, 영국의 시인이자 고전 학자)의 말을 떠올리게 된다. 어떤 역사가를 정확하다는 이유로 칭찬하는 것은 어떤 건축가를 잘 말린 목재나 적절히 혼합된 콘크리트를 사용하여 집을 짓는다는 이유로 칭찬하는 것과 같다.

① 역사적 사실은 역사 서술의 기초가 된다.
② 역사적 사건이 벌어진 시기는 역사가들에게 중요하지 않다.
③ 역사적 사실의 정확성은 역사가들이 꼭 지켜야 할 의무이다.
④ 역사가들에게는 역사를 구성하는 기초적인 역사적 사실이 있다.

38

난이도 ★☆☆

해설 ② 조간대의 중부에 사는 생물에 대한 내용은 찾을 수 없다.

오답분석 ① 3문단 3~5번째 줄에서 확인할 수 있다.
[관련 부분] 총알고둥류와 ~ 조간대에서 물이 가장 높이 올라오는 지점인 것이다.

③ 3문단 1~3번째 줄에서 확인할 수 있다.
[관련 부분] 조간대에 사는 생물들은 불안정하고 척박한 바다 환경에 적응하기 위해 높이에 따라 수직으로 종이 분포한다.

④ 1문단 4~10번째 줄에서 확인할 수 있다.
[관련 부분] 이곳의 생물들은 ~ 염분으로 범벅된 몸을 추슬러야 한다.

39

난이도 ★☆☆

해설 ③ 끝에서 3~5번째 줄을 통해 ③의 내용을 파악할 수 있다.
[관련 부분] 억양은 ~ 화자의 태도와 의미를 드러내기도 한다. ~ 상승 억양은 비판의 뜻을 나타낸다.

오답분석 ① 끝에서 1~2번째 줄에서 억양을 잘 이해할수록 정확한 뜻을 전달할 수 있다고 하였으므로 옳지 않은 내용이다.

② 2~5번째 줄에서 억양은 의문문·평서문과 같은 문장의 유형을 결정한다고 하였을 뿐, 어순을 결정한다고 하지는 않았으므로 옳지 않은 내용이다.

④ 제시문에 드러나 있지 않은 내용이다.

40

난이도 ★☆☆

해설 ② 9~12번째 줄을 통해 역사적 사건이 벌어진 시기를 정확히 아는 것이 역사가들에게 중요하다는 것을 알 수 있다.
[관련 부분] 그 대전투가 1065년이나 1067년이 아니라 1066년에 벌어졌다는 것, ~ 분명히 중요하다.

오답분석 ①④ 3~5번째 줄에서 확인할 수 있다.
[관련 부분] 모든 역사가들에게 똑같은, 말하자면 역사의 척추를 구성하는 어떤 기초적인 사실들이 있다.

③ 끝에서 6번째 줄에서 확인할 수 있다.
[관련 부분] 정확성은 의무이지 미덕은 아니다.

41

[2016년 지방직 7급]

다음 글의 내용으로 적절하지 않은 것은?

민주공화국은 국가의 생존과 번영을 도모하기 위해서 국민들 개개인이 벌이는 경쟁의 자유를 최대한 보장하면서 그 수단과 방법을 적절하게 제약하는 규칙을 도입했다. 이것이 법률 시스템이다. 법률 시스템은 헌법과 법률, 그리고 다양한 하위 법령으로 구성되어 있다. 제일 중요한 것이 헌법이다. 민주공화국에서 개인들은 마음껏 남과 경쟁해도 된다. 다만, 타인의 권리와 자유를 부당하게 침해하지 않는 범위에서 그렇다. 나는 나의 자유와 권리를 제한 없이 행사할 수 있다. 남을 죽이거나 팔다리를 부러뜨리거나 속이거나, 그 밖에 법률이 명시적으로 금지한 다른 부당한 방법을 쓰지 않는 한 그렇다. 경쟁의 승자는 패자보다 더 많은 자원과 권력과 명예를 얻으며 그 정당성을 인정받는다.

① 민주공화국은 개인들에게 경쟁의 자유를 보장한다.

② 민주공화국에서는 법률 시스템을 통해 개인들 사이의 경쟁을 유발한다.

③ 민주공화국에는 경쟁의 수단과 방법을 제약하는 법률 시스템이 있다.

④ 민주공화국에서 경쟁의 승자는 패자보다 더 많은 보상을 받는다.

42

[2015년 국가직 9급]

다음 글에서 알 수 있는 내용이 아닌 것은?

사물놀이는 사물(四物), 즉 꽹과리, 징, 장구, 북의 네 가지 타악기만으로 연주하는 음악을 말한다. 사물놀이는 풍물놀이와는 좀 다르다. 풍물놀이를 무대 공연에 맞게 변형한 것이 사물놀이인데, 풍물놀이가 대체로 자기 지역의 가락만을 연주하는 데 비해 사물놀이는 거의 전 지역의 가락을 모아 재구성해서 연주한다.

사물놀이 연주자들은 흔히 쟁쟁거리는 꽹과리를 천둥이나 번개에, 잦게 몰아가는 장구를 비에, 둥실대는 북을 구름에, 여운을 남기며 울리는 징을 바람에 비유한다. 천둥이나 번개, 비, 구름, 바람이 어우러지며 토해 내는 소리가 사물놀이 소리라는 것이다. 사물놀이는 앉아서 연주하는 사물놀이와 서서 연주하는 사물놀이의 두 가지 형태로 나뉘어 있는데, 전자를 '앉은반', 후자를 '선반'이라고 한다.

① 사물놀이의 가치

② 사물놀이의 소리

③ 사물놀이의 악기 종류

④ 사물놀이의 연주 형태

43

[2015년 지방직 9급]

다음 글에 대한 설명으로 적절하지 않은 것은?

몽타주는 두 개 이상의 상관성이 없는 장면을 배치함으로써 새로운 의미를 도출하는 것이다. 에이젠슈테인은 몽타주의 개념을 설명하기 위해 상형 문자가 합해져서 회의 문자가 만들어지는 과정에서 아이디어를 빌려왔다. 그는 두 개의 묘사 가능한 것을 병치하여 시각적으로 묘사 불가능한 것을 재현하려 했다. 가령 사람의 '눈'과 '물'의 이미지를 충돌시켜 '슬픔'의 의미를 드러내며, '문' 그림 옆에 '귀' 그림을 놓아 '도청'의 이미지를 나타내는 식이다. 의미에 있어서 단일하고, 내용에 있어서 중립적이고 묘사적인 장면을 연결시켜 지적인 의미를 만들어 내는 것이 그가 구현하려 했던 몽타주의 개념이다.

① 몽타주는 상형 문자의 형성 원리를 바탕으로 만들어진 기법이다.

② 몽타주는 묘사 가능한 대상을 병치하여 묘사 불가능한 것을 재현한다.

③ '눈'과 '물'의 이미지가 한 장면에 배치되어 '슬픔'이 표현된다.

④ '문'과 '귀'의 이미지가 결합하여 '도청'이라는 의미를 나타낸다.

41

난이도 ★★☆

해설 ② 1~4번째 줄에서 법률 시스템은 경쟁의 자유를 보장하면서 그 수단과 방법을 적절하게 제약하는 규칙이라는 것은 알 수 있으나, 법률 시스템을 통해 개인들 사이의 경쟁을 유발한다는 내용은 제시문에 언급되지 않았으므로 답은 ②이다.
[관련 부분] 민주공화국은 ~ 국민들 개개인이 벌이는 경쟁의 자유를 최대한 보장하면서 그 수단과 방법을 적절하게 제약하는 규칙을 도입했다. 이것이 법률 시스템이다.

오답분석 ① 1~3번째 줄에서 확인할 수 있다.
[관련 부분] 민주공화국은 국가의 생존과 번영을 도모하기 위해서 국민들 개개인이 벌이는 경쟁의 자유를 최대한 보장하면서

③ 3~4번째 줄에서 확인할 수 있다.
[관련 부분] 그 수단과 방법을 적절하게 제약하는 규칙을 도입했다. 이것이 법률 시스템이다.

④ 끝에서 1~2번째 줄에서 확인할 수 있다.
[관련 부분] 경쟁의 승자는 패자보다 더 많은 자원과 권력과 명예를 얻으며 그 정당성을 인정받는다.

42

난이도 ★☆☆

해설 ① 사물놀이의 가치는 제시문에 언급되어 있지 않으므로 답은 ①이다.

오답분석 ② 2문단 1~3번째 줄에서 확인할 수 있다.
[관련 부분] 사물놀이 연주자들은 흔히 쟁쟁거리는 꽹과리를 천둥이나 번개에, 잦게 몰아가는 장구를 비에, 둥실대는 북을 구름에, 여운을 남기며 울리는 징을 바람에 비유한다.

③ 1문단 1~2번째 줄에서 확인할 수 있다.
[관련 부분] 사물놀이는 사물(四物), 즉 꽹과리, 징, 장구, 북의 네 가지 타악기만으로 연주하는 음악을 말한다.

④ 2문단 끝에서 1~4번째 줄에서 확인할 수 있다.
[관련 부분] 사물놀이는 앉아서 연주하는 사물놀이와 서서 연주하는 사물놀이의 두 가지 형태로 나뉘어 있는데, 전자를 '앉은반', 후자를 '선반'이라고 한다.

43

난이도 ★☆☆

해설 ① 2~5번째 줄에서 몽타주는 상형 문자가 합해져서 회의 문자가 만들어지는 과정으로 설명할 수 있음을 알 수 있다. 따라서 몽타주가 상형 문자의 형성 원리를 바탕으로 만들어 졌다는 ①의 내용은 적절하지 않다.
[관련 부분] 에이젠슈테인은 몽타주의 개념을 설명하기 위해 상형 문자가 합해져서 회의 문자가 만들어지는 과정에서 아이디어를 빌려 왔다.

오답분석 ② 5~6번째 줄에서 확인할 수 있다.
[관련 부분] 두 개의 묘사 가능한 것을 병치하여 시각적으로 묘사 불가능한 것을 재현하려 했다.

③ 6~7번째 줄에서 확인할 수 있다.
[관련 부분] 사람의 '눈'과 '물'의 이미지를 충돌시켜 '슬픔'의 의미를 드러내며

④ 끝에서 3~4번째 줄에서 확인할 수 있다.
[관련 부분] '문' 그림 옆에 '귀' 그림을 놓아 '도청'의 이미지를 나타내는 식이다.

44

[2015년 국가직 9급]

다음 글의 내용과 부합하지 않는 것은?

글의 기본 단위가 문장이라면 구어를 통한 의사소통의 기본 단위는 발화이다. 담화에서 화자는 발화를 통해 '명령', '요청', '질문', '제안', '약속', '경고', '축하', '위로', '협박', '칭찬', '비난' 등의 의도를 전달한다. 이때 화자의 의도가 직접적으로 표현된 발화를 직접 발화, 암시적으로 혹은 간접적으로 표현된 발화를 간접 발화라고 한다.

일상 대화에서도 간접 발화는 많이 사용되는데, 그 의미는 맥락에 의존하여 파악된다. '아, 덥다.'라는 발화가 '창문을 열어라.'라는 의미로 파악되는 것이 대표적인 예이다. 방 안이 시원하지 않다는 상황을 고려하여 청자는 창문을 열게 되는 것이다. 이처럼 화자는 상대방이 충분히 그 의미를 파악할 수 있다고 판단될 때 간접 발화를 전략적으로 사용함으로써 의사소통을 원활하게 하기도 한다.

공손하게 표현하고자 할 때도 간접 발화는 유용하다. 남에게 무언가를 요구하려는 경우 직접 발화보다 청유 형식이나 의문 형식의 간접 발화를 사용하면 공손함이 잘 드러나기도 한다.

① 발화는 구어를 통한 의사소통의 기본 단위이다.

② 간접 발화의 의미는 언어 사용 맥락에 기대어 파악된다.

③ 간접 발화가 직접 발화보다 화자의 의도를 더 잘 전달한다.

④ 요청할 때 청유문이나 의문문을 사용하면 더 공손해 보이기도 한다.

45

[2015년 서울시 7급]

다음은 어느 신문의 독자 투고 글이다. 이 글의 내용과 일치하지 않는 것은?

우리는 그동안 피땀 어린 노력으로 괄목할 만한 경제 성장을 이룩해 왔다. 그 결실로 국민 소득이 2만 달러에 이르렀고 경제 성장률 또한 세계 16위에 있다. 하지만 과연 우리 국민성은 어떠할까. 아직도 차량 문틈 사이로 함부로 담배꽁초를 버리는 사람들이 있는가 하면, 자기 앞에 있는 쓰레기를 줍기는커녕 음식을 먹고 쓰레기를 그대로 두고 가는 사람들이 더 많다. 주택가에서 술을 마시고 고성방가를 하고 그것도 모자라 출동한 경찰관에게 시비를 걸고 욕설을 일삼는 사람들을 자주 만날 수 있다. 아이의 손을 잡고 거리낌 없이 무단횡단을 하는 아주머니들을 볼 때면 착잡한 마음마저 들기도 한다.

물론 경찰의 강력한 단속과 처벌로 이러한 무질서를 바로잡을 수 있을지도 모른다. 하지만 이는 미봉책에 불과할 뿐, 국민 모두의 마음속에 기초 질서 정신이 자리 잡지 않고는 올바른 질서를 만들어 낼 수 없는 것이다. 무질서라는 전통을 후손에게 물려줄 것인지 스스로 반성하고 지금 우리 앞에 버려진 쓰레기를 줍는 것부터 시작해야 할 것이다.

① 경제 성장에 비해 국민성이 낮아 걱정이다.

② 경찰의 강력한 단속과 처벌로 무질서를 바로잡아야 한다.

③ 기초 질서 정신은 작은 실천에서 비롯된다.

④ 기초 질서를 어기는 사람들이 많다.

46

[2015년 사회복지직 9급]

다음 글을 통해 알 수 있는 내용으로 적절하지 않은 것은?

'쓰는 문화'가 책의 문화에서 가장 우선이다. 쓰는 이가 없이는 책이 나올 수가 없다. 그러나 지혜를 많이 갖고 있다는 것과 그것을 글로 옮길 줄 아는 것은 별개의 문제이다. 엄격하게 이야기해서 지혜는 어떤 한 가지 일에 지속 적으로 매달린 사람이면 누구나 머릿속에 쌓아 두고 있는 것이다. 하지만 그것을 글로 옮기기 위해서는 특별하고도 고통스러운 훈련이 필요하다. 생각을 명료하게 정리할 줄과 글맥을 이어 갈 줄 알아야 하며, 그리고 줄기찬 노력을 바칠 준비가 되어 있어야 한다. 모든 국민이 책 한 권을 남길 수 있을 만큼 쓰는 문화가 발달한 사회가 도래하면, 그때에는 지혜의 르네상스가 가능할 것이다.

'읽는 문화'의 실종, 그것이 바로 현대의 특징이다. 신문의 판매 부수가 날로 떨어져 가는 반면에 텔레비전의 시청률은 날로 증가하고 있다. 깨알 같은 글로 구성된 200쪽 이상의 책보다 그림과 여백이 압도적으로 많이 들어간 만화책 같은 것이 늘어나고 있다. 보는 문화가 읽는 문화를 대체해 가고 있다. 읽는 일에는 피로가 동반되지만 보는 놀이에는 휴식이 따라온다. 일을 저버리고 놀이만 좇는 문화가 범람하고 있지 않은가. 보는 놀이가 머리를 비게 하는 것은 너무나 당연하다. 읽는 일이 장려되지 않는 한 생각 없는 사회로 치달을 수밖에 없다. 책의 문화는 바로 읽는 일과 직결되며, 생각하는 사회를 만드는 지름길이다.

① 지혜가 많은 사람이라고 해서 반드시 글을 쓰는 것은 아니다.
② 쓰는 문화가 발달한 사회라야 지혜의 르네상스가 펼쳐진다.
③ 현대는 읽는 문화보다 보는 문화가 더 발달해 있다.
④ 생각하는 사회는 읽는 문화가 아니라 보는 문화가 만든다.

44

난이도 ★☆☆

해설 ③제시문에는 직접 발화와 간접 발화 중 어떤 발화가 화자의 의도를 더 잘 전달하는지 설명되지 않았다. 따라서 글의 내용과 부합하지 않는 것은 ③이다.

오답분석 ① 1문단 1~2번째 줄에서 확인할 수 있다.
[관련 부분] 구어를 통한 의사소통의 기본 단위는 발화이다.

② 2문단 1~2번째 줄에서 확인할 수 있다.
[관련 부분] 일상 대화에서도 간접 발화는 많이 사용되는데, 그 의미는 맥락에 의존하여 파악된다.

④ 3문단 2~4번째 줄에서 확인할 수 있다.
[관련 부분] 남에게 무언가를 요구하려는 경우 직접 발화보다 청유 형식이나 의문 형식의 간접 발화를 사용하면 공손함이 잘 드러나기도 한다.

45

난이도 ★★☆

해설 ② 2문단의 1~3번째 줄에서 필자는 경찰의 강력한 단속과 처벌이 미봉책(눈가림만 하는 일시적인 계책)에 불과하다고 하였다. 따라서 ②는 제시문의 내용과 일치하지 않는다.
[관련 부분] 경찰의 강력한 단속과 처벌로 이러한 무질서를 바로잡을 수 있을지도 모른다. 하지만 이는 미봉책에 불과할 뿐

오답분석 ① 1문단에서 확인할 수 있다.

③ 2문단 끝에서 1~3번째 줄에서 필자는 쓰레기를 줍는 작은 실천에서 기초 질서 정신이 비롯된다고 보았다.
[관련 부분] 스스로 반성하고 지금 우리 앞에 버려진 쓰레기를 줍는 것부터 시작해야 할 것이다.

④ 1문단 4~7번째 줄에서 확인할 수 있다.
[관련 부분] 아직도 차량 문틈 사이로 함부로 담배 꽁초를 버리는 사람들이 ~ 쓰레기를 그대로 두고 가는 사람들이 더 많다.

46

난이도 ★☆☆

해설 ④2문단 끝에서 1~3번째 줄을 통해, 생각하는 사회는 읽는 문화가 만든다는 것을 알 수 있으므로 답은 ④이다.
[관련 부분] 책의 문화는 바로 읽는 일과 직결되며, 생각하는 사회를 만드는 지름길이다.

오답분석 ①1문단의 2~4번째 줄에서 확인할 수 있다.
[관련 부분] 그러나 지혜를 많이 갖고 있다는 것과 그것을 글로 옮길 줄 아는 것은 별개의 문제이다.

②1문단 끝에서 1~4번째 줄에서 확인할 수 있다.
[관련 부분] 모든 국민이 책 한 권을 남길 수 있을 만큼 쓰는 문화가 발달한 사회가 도래하면, 그때에는 지혜의 르네상스가 가능할 것이다.

③2문단 1번째 줄과 5~6번째 줄에서 확인할 수 있다.
[관련 부분]
• '읽는 문화'의 실종, 그것이 바로 현대의 특징이다.
• 보는 문화가 읽는 문화를 대체해 가고 있다.

47

[2015년 국가직 7급]

다음 글을 통해 알 수 있는 것은?

요한 제바스티안 바흐는 '경건한 종교음악가'로서 천직을 다하기 위한 이상적인 장소를 라이프치히라고 생각하여 27년 동안 그곳에서 열심히 칸타타를 써 나갔다고 알려졌다. 그러나 실은 7년째에 라이프치히의 칸토르(교회의 음악 감독)직으로는 가정을 꾸리기에 수입이 충분치 못해서 다른 일을 하기도 했고 다른 궁정에 자리를 알아보기도 했다. 그것이 계기가 되어 칸타타를 쓰지 않게 되었다는 사실이 최근의 연구에서 밝혀졌다. 또한 볼프강 아마데우스 모차르트의 경우에는 비극적으로 막을 내린 35년이라는 짧은 생애에 걸맞게 '하늘이 이 위대한 작곡가의 죽음을 비통해 하듯' 천둥 치고 진눈깨비 흩날리는 가운데 장례식이 행해졌고 그 때문에 그의 묘지는 행방을 알 수 없게 되었다고 하는데, 그 후 이러한 이야기는 빈 기상대에 남아 있는 기상 자료와 일치하지 않는다는 사실도 밝혀졌다. 게다가 만년에 엄습해 온 빈곤에도 불구하고 다수의 걸작을 남기고 세상을 떠난 모차르트가 실제로는 그 정도로 수입이 적지는 않았다는 사실도 드러나 최근에는 도박벽으로 인한 빈곤설을 주장하는 학자까지 등장하기에 이르렀다.

① 바흐는 일이나 신앙 못지않게 처우를 중시했다.
② 바흐는 생애 중 7년 정도 칸타타를 작곡하였다.
③ 모차르트가 사망하던 당일 빈의 날씨는 궂었다.
④ 모차르트의 작품 수준은 자신의 경제적 상황과 반비례했다.

48

[2014년 사회복지직 9급]

〈보기1〉은 〈보기2〉의 글을 쓰기 위해 글쓴이가 작성한 개요이다. 개요와 글의 내용이 부합하지 않는 것은?

〈보기1〉

(1) 재래시장 활성화 방안의 문제점
　가. 획일적인 시설 현대화 사업 ·························· ㉠
　나. 정착에 어려움을 겪고 있는 상품권 사업 ······· ㉡
(2) 재래시장 활성화를 위한 해결 방안
　가. 장년층 고객 유도 방안 강구 ······················ ㉢
　나. 상인들의 사고 변화와 외부의 지원 촉구 ······· ㉣

〈보기2〉

재래시장 활성화를 위해 현재 시행되고 있는 대표적인 방안은 시설 현대화 사업과 상품권 사업이다. 시설 현대화 사업은 시장의 지붕을 만드는 공사가 중심이었으나, 단순하고 획일적인 사업으로 효과를 내지 못하고 있다. 상품권 사업도 명절 때마다 재래시장 살리기를 호소하는 차원에서 이루어지기 때문에 사업이 정착되기까지는 많은 시간이 필요한 실정이다.

그렇다면 재래시장을 활성화할 근본 방안은 무엇일까? 기존의 재래시장은 장년층과 노년층이 주 고객이었다. 재래시장의 가치를 높이기 위해서는 젊은이들이 찾는 시장이어야 하며, 그러기 위해서는 대형 유통 업체와의 차별화가 중요하다. 또한 상인들은 젊은이들의 기호에 맞추려는 노력을 해야 한다. 다시 말해 주변 환경만 탓하지 말고 스스로 생존할 수 있는 힘을 길러야 한다. 이런 조건들이 갖추어졌을 때 대형 유통 업체와 경쟁할 수 있는 힘을 가지게 된다. 상인들 스스로 노력하여 신자유주의의 급변하는 파고 속에서도 물고기를 잡는 방법을 터득해야 한다. 여기에 정부나 지방 자치 단체의 행정직·재정적인 지원이 더해신다면 우리의 신명 나는 전통이 묻어나는 재래시장이 다시 살아날 것이다.

① ㉠
② ㉡
③ ㉢
④ ㉣

47

해설 ① 4~7번째 줄을 통해 바흐는 종교음악만으로는 수입이 충분치 못해 다른 일을 하기도 했음을 확인할 수 있으므로, 바흐가 신앙 못지않게 처우(수입에 관한 것)도 중시했음을 알 수 있다.

[관련 부분] 라이프치히의 칸토르(교회의 음악 감독)직으로는 가정을 꾸리기에 수입이 충분치 못해서 다른 일을 하기도 했고 다른 궁정에 자리를 알아보기도 했다.

오답 분석 ② 4~8번째 줄을 통해, 바흐가 라이프치히에서 종사한 지 7년째에 수입 문제로 다른 일을 하거나 다른 일자리를 알아본 것이 칸타타를 쓰지 않는 계기가 되었다는 것을 알 수 있으나, 바흐가 언제 칸타타 작곡을 그만두었는지, 또 몇 년 동안 칸타타를 작곡하였는지는 알 수 없다.

[관련 부분] 7년째에 ~ 다른 일을 하기도 했고 다른 궁정에 자리를 알아보기도 했다. 그것이 계기가 되어 칸타타를 쓰지 않게 되었다는 사실이 최근의 연구에서 밝혀졌다.

③ 끝에서 5~9번째 줄을 통해, 날씨가 궂었다고 전해지는 날은 모차르트의 사망 당일이 아니라 장례식 날이며, 기상 자료에 의하면 장례식 날도 실제로는 궂은 날씨가 아니었음을 알 수 있다.

[관련 부분] 천둥 치고 진눈깨비 흩날리는 가운데 장례식이 행해졌고 ~ 이러한 이야기는 빈 기상대에 남아 있는 기상 자료와 일치하지 않는다는 사실도 밝혀졌다.

④ 끝에서 2~4번째 줄을 통해, 많은 걸작을 남긴 모차르트가 사실은 빈곤하지 않았음을 확인할 수 있다.

[관련 부분] 다수의 걸작을 남기고 세상을 떠난 모차르트가 실제로는 그 정도로 수입이 적지는 않았다는 사실도 드러나

48

해설 ③ ©의 '장년층 고객 유도 방안 강구'와는 달리, 〈보기2〉의 2문단 3~4번째 줄에서는 '재래시장의 가치를 높이기 위해서는 젊은이들이 찾는 시장이어야 한다는 주장을 펼치고 있으며 그 뒤에서도 청년층 고객 유도 방안을 강구하고 있으므로, 개요의 ©과 글의 내용이 부합하지 않는다.

오답 분석 ① ㉠은 〈보기2〉 1문단 2~5번째 줄의 내용과 부합한다.

[관련 부분] 시설 현대화 사업은 ~ 단순하고 획일적인 사업으로 효과를 내지 못하고 있다.

② ㉡은 〈보기2〉 1문단 끝에서 1~3번째 줄의 내용과 부합한다.

[관련 부분] 상품권 사업도 ~ 사업이 정착되기까지는 많은 시간이 필요한 실정이다.

④ ㉣은 〈보기2〉 2문단 끝에서 2~5번째 줄의 내용과 부합한다.

[관련 부분] 상인들 스스로 노력하여 신자유주의의 급변하는 파고 속에서도 물고기를 잡는 방법을 터득해야 한다. 여기에 정부나 지방 자치단체의 행정적·재정적인 지원이 더해진다면

49
[2014년 지방직 9급 (6월)]

다음 글의 내용에 부합하지 않는 것은?

책은 인간이 가진 그 독특한 네 가지 능력의 유지, 심화, 계발에 도움을 주는 유효한 매체이다. 하지만, 문자를 고안하고 책을 만들고 책을 읽는 일은 결코 '자연스러운' 행위가 아니다. 인간의 뇌는 애초부터 책을 읽으라고 설계된 것이 아니기 때문이다. 문자가 등장한 역사는 6천 년, 지금과 같은 형태의 책이 등장한 역사 또한 6백여 년에 불과하다. 책을 쓰고 읽는 기능은 생존에 필요한 다른 기능들을 수행하도록 설계된 뇌 건축물의 부수적 파생 효과 가운데 하나이다. 말하자면 그 능력은 덤으로 얻어진 것이다.

그런데 이 '덤'이 참으로 중요하다. 책이 없이도 인간은 기억하고 생각하고 상상하고 표현할 수 있기는 하나 책과 책 읽기는 인간이 이 능력을 키우고 발전시키는 데 중대한 차이를 낳기 때문이다. 또한 책을 읽는 문화와 책을 읽지 않는 문화는 기억, 사유, 상상, 표현의 층위에서 상당한 질적 차이를 가진 사회적 주체들을 생산한다. 그렇기는 해도 모든 사람이 맹목적인 책 예찬자가 될 필요는 없다. 그러나 중요한 것은, 인간을 더욱 인간적이게 하는 소중한 능력들을 지키고 발전시키기 위해서 책은 결코 희생할 수 없는 매체라는 사실이다. 그 능력을 지속적으로 발전시키는 데 드는 비용은 적지 않다. 무엇보다 책 읽기는 결코 손쉬운 일이 아니기 때문이다. 책 읽기에는 상당량의 정신 에너지와 훈련이 요구되며, 독서의 즐거움을 경험하는 습관 또한 요구된다.

① 책 읽기는 별다른 훈련이나 노력 없이도 마음만 먹으면 가능한 일이다.

② 책을 쓰고 읽는 기능은 인간 뇌의 본래적 기능은 아니다.

③ 책과 책 읽기는 인간의 기억, 사유, 상상 등과 관련된 능력을 키우는 데 상당히 중요한 변수로 작용한다.

④ 독서 문화는 특정 층위에서 사회적 주체들의 질적 차이를 유발한다.

50
[2015년 기상직 9급]

다음 글을 읽고 알 수 없는 것은?

역사란 무엇인가 하는 대단히 어려운 물음에 아주 쉽게 답한다면, 그것은 인간 사회의 지난날에 일어난 사실들 자체를 가리키기도 하고 또 그 사실들에 관해 적어 놓은 기록들을 가리키기도 한다고 흔히 말할 수 있다. 그러나 지난날의 인간 사회에서 일어난 사실이 모두 역사가 되는 것은 아니다. 쉬운 예를 들면 김 총각과 박 처녀가 결혼한 사실은 역사가 될 수 없고, 한글이 만들어진 사실, 임진왜란이 일어난 사실 등은 역사가 되는 것이다. 이렇게 보면 사소한 일, 일상적으로 반복되는 일은 역사가 될 수 없고, 거대한 사실, 한 번만 일어나는 사실만이 역사가 될 것 같지만, 반드시 그런 것도 아니다.

고려 시대의 경우를 예로 들면 주기적으로 일어나는 자연 현상인 일식과 월식은 모두 역사로 기록되었으면서도 금속 활자가 세계에서 가장 먼저 발명된 사실은 역사로 기록되지 않았다. 이 때문에 우리는 지금 세계 최고의 금속 활자를 누가 몇 년에 처음으로 만들었는지 모르고 있다. 일식과 월식은 자연 현상이면서도 하늘이 인간 세계의 부조리를 경고하는 것이라 생각했기 때문에 역사가 되었고 목판본이나 목활자 인쇄술이 금속 활자로 넘어가는 중요성이 인식되지 않았기 때문에 그것은 역사로 될 수 없었던 것이다.

① 반복되는 일이 역사로 기록된 예

② 금속 활자가 발명된 사실이 기록되지 않은 이유

③ 거대하고 한 번만 일어나는 사실만이 역사가 되는 이유

④ 김 총각과 박 처녀가 결혼한 사실이 역사가 되지 않는 이유

49   난이도 ★★☆

해설 ① 2문단 끝에서 1~3번째 줄을 통해, 책 읽기에는 상당한 정신 에너지와 훈련, 습관이 요구됨을 알 수 있으므로 답은 ①이다.

[관련 부분] 책 읽기에는 상당량의 정신 에너지와 훈련이 요구되며, 독서의 즐거움을 경험하는 습관 또한 요구된다.

오답 분석 ② 1문단의 3~5번째 줄에서 확인할 수 있다.

[관련 부분] 책을 만들고 책을 읽는 일은 결코 '자연스러운' 행위가 아니다. 인간의 뇌는 애초부터 책을 읽으라고 설계된 것이 아니기 때문이다.

③ ④ 2문단의 2~6번째 줄에서 확인할 수 있다.

[관련 부분] 기억하고 생각하고 상상하고 ~ 책과 책 읽기는 인간이 이 능력을 키우고 발전시키는 데 중대한 차이를 낳기 때문이다. 또한 책을 읽는 문화와 책을 읽지 않는 문화는 기억, 사유, 상상, 표현의 층위에서 상당한 질적 차이를 가진 사회적 주체들을 생산한다.

50   난이도 ★★☆

해설 ③ 1문단 끝에서 1~2번째 줄에서 거대하고 한 번만 일어나는 사실만이 역사가 되지 않는다고 설명하고 있으므로 ③의 내용은 적절하지 않다.

[관련 부분] 거대한 사실, 한 번만 일어나는 사실만이 역사가 될 것 같지만, 반드시 그런 것도 아니다.

오답 분석 ① 2문단 1~2번째 줄을 통해 주기적으로 반복되는 일식과 월식이 고려 시대에 역사로 기록되었음을 알 수 있다.

[관련 부분] 고려 시대의 경우를 예로 들면 주기적으로 일어나는 자연 현상인 일식과 월식은 모두 역사로 기록되었으면서도

② 2문단 끝에서 1~3번째 줄을 통해 금속 활자의 중요성이 인식되지 않았기 때문에 역사가 되지 않았음을 알 수 있다.

[관련 부분] 목판본이나 목활자 인쇄술이 금속 활자로 넘어가는 중요성이 인식되지 않았기 때문에 그것은 역사로 될 수 없었던 것이다.

④ 1문단 6~10번째 줄을 통해 김 총각과 박 처녀가 결혼한 사실은 사소하고 일상적으로 반복되는 일이기 때문에 역사가 되지 않음을 알 수 있다.

[관련 부분] 김 총각과 박 처녀가 결혼한 사실은 역사가 될 수 없고, 한글이 만들어진 사실, 임진왜란이 일어난 사실 등은 역사가 되는 것이다. 이렇게 보면 사소한 일, 일상적으로 반복되는 일은 역사가 될 수 없고,

01
[2021년 국가직 9급]

하버마스의 주장에 부합하는 사례로 가장 적절한 것은?

하버마스는 18세기부터 현대까지 미디어의 등장 배경과 발전 과정을 분석하면서, 공공영역의 부상과 쇠퇴를 추적했다. 하버마스에게 공공 영역은 일반적 쟁점에 대한 토론과 의견을 형성하는 공공 토론의 민주적 장으로서 역할을 한다.

하버마스는 17세기와 18세기 유럽 도시의 살롱에서 당시의 공공 영역을 찾았다. 비록 소수의 사람들만이 살롱 토론 문화에 참여했으나, 공공 토론을 통해 정치적 문제를 해결하는 논리를 도입할 수 있었기 때문에 살롱이 초기 민주주의 발전에 중요한 역할을 했다고 그는 주장한다. 적어도 살롱 문화의 원칙에서 공개적 토론을 위한 공공 영역은 각각의 참석자들에게 동등한 자격을 부여했다.

그러나 하버마스에 따르면, 현대 사회에서 민주적 토론은 문화 산업의 발달과 함께 퇴보했다. 대중매체와 대중오락의 보급은 공공 영역이 공허해지는 원인으로 작용했다. 상업적 이해관계는 공공의 이해관계에 우선하게 되었다. 공공 여론은 개방적이고 합리적 토론을 통해서가 아니라 광고에서처럼 조작과 통제를 통해 형성되고 있다.

미디어가 점차 상업화되면서 하버마스가 주장한 대로 공공 영역이 침식당하고 있다. 상업화된 미디어는 광고 수입에 기대어 높은 시청률과 수익을 보장하는 콘텐츠 제작만을 선호하게 되었다. 그 결과 공적 주제에 대한 시민들의 논의와 소통의 장이 줄어들어 결과적으로 공공 영역이 축소되었다. 많은 것을 약속한 미디어는 이제 민주주의 문제의 일부로 변해 버린 것이다.

① 살롱 문화에서 특정 사회 계층에 대한 비판적인 토론은 허용되지 않았다.

② 인터넷의 발달과 보급은 상업적 광고뿐만 아니라 공익 광고도 증가시켰다.

③ 글로벌 미디어가 발달하더라도 국제 사회의 공공 영역은 공허해지지 않는다.

④ 수익성 위주의 미디어 플랫폼과 콘텐츠가 더 많아지면서 민주적 토론이 감소되었다.

02
[2020년 국가직 9급]

글쓴이의 견해에 부합하지 않는 것은?

사물 인터넷(IoT, Internet of Things)의 정의로 '수십억 개의 사물이 서로 연결되는 것'이라고 설명하는 것은 그리 유용하지 않다. 사물 인터넷이 무엇인지 이해하기 위해서는 '사물'에서 출발하기보다는 '인터넷'에서 출발하는 것이 좋다. 인터넷이 전 세계의 컴퓨터를 서로 소통하도록 만든다는 생각이 실현된 것이라면, 사물 인터넷은 이제 전 세계의 사물들을 '컴퓨터로 만들어' 서로 소통하도록 만든다는 생각을 실현하는 것이다. 컴퓨터는 본래 전원이 있고 칩이 있고, 이것이 통신 장치와 프로토콜을 갖게 되어 연결된 것이다. 그렇다면 이제는 전원이 있었던 전자 기기나 기계 등은 그 자체로, 전원이 없었던 일반 사물들은 새롭게 센서와 배터리, 통신 모듈이 부착되면서 컴퓨터가 되고 이렇게 컴퓨터가 된 사물들이 그들 간에 또는 인간의 스마트 기기와 네트워크로 연결되는 것이다.

현재의 인터넷과 사물 인터넷의 차이를, 혹자는 사람이 개입되는 것은 사물 인터넷이 아니라고 이야기하면서 엄격한 M2M(Machine to Machine)이라는 개념에 근거해 설명한다. 또 혹자는 사물 인터넷이 실현되려면 사람만큼 사물이 판단할 수 있어야 한다고 주장하면서 사물의 지능성을 중요시하는 경우도 있는데, 두 가지 모두 그릇된 것이다. 사물 인터넷을 제대로 이해하려면 기존 인터넷과의 차이점에 주목하기보다는 오히려 공통점을 인식하는 것이 더 중요하다. 컴퓨터를 서로 연결하는 수준에서 출발한 것이 기존의 인터넷이라면, 이제는 사물 각각이 컴퓨터가 되고, 그 사물들이 사람과 손쉽게 닿는 스마트폰, 스마트 워치 등과 서로 소통하는 것이다.

① 사물 인터넷의 개념을 파악하기 위해서는 기존 인터넷과의 공통점을 이해하는 것이 필요하다.

② 센서와 배터리, 통신 모듈 등을 갖춘 사물들이 네트워크로 연결되어 사물 인터넷으로 기능한다.

③ 사물 인터넷은 사람 수준의 지능을 가진 사물들이 네트워크상에서 인간의 개입 없이 서로 소통하는 것으로 정의된다.

④ 사물 인터넷은 컴퓨터가 아니었던 사물도 네트워크로 연결될 수 있다는 점에서 기존의 인터넷과 다르다.

03

[2018년 서울시 9급 (6월)]

〈보기〉의 비판 대상으로 가장 옳지 않은 것은?

─── 〈보기〉 ───

　　폴 매카트니는 도축장의 벽이 유리로 되어 있다면 모든 사람이 채식주의자가 될 거라고 말한 적이 있다. 우리가 식육 생산의 실상을 안다면 계속해서 동물을 먹을 수 없으리라고 그는 믿었다. 그러나 어느 수준에서는 우리도 진실을 알고 있다. 식육 생산이 깔끔하지도 유쾌하지도 않은 사업이라는 것을 안다. 다만 그게 어느 정도인지는 알고 싶지 않다. 고기가 동물에게서 나오는 줄은 알지만 동물이 고기가 되기까지의 단계들에 대해서는 짚어 보려 하지 않는다. 그리고 동물을 먹으면서 그 행위가 선택의 결과라는 사실조차 생각하려 들지 않는 수가 많다. 이처럼 우리가 어느 수준에서는 불편한 진실을 의식하지만 동시에 다른 수준에 서는 의식을 못하는 일이 가능할 뿐 아니라 불가피하도록 조직되어 있는 게 바로 폭력적 이데올로기다.

① 채식주의자
② 식육 생산의 실상
③ 동물을 먹는 행위
④ 폭력적 이데올로기

01

난이도 ★☆☆

해설 ④ 3~4문단 내용에 따르면 하버마스는 문화 산업의 발달과 미디어의 상업화로 인해 민주적 토론이 퇴보하였고 공공 영역이 축소되었다고 주장한다. 이러한 하버마스의 주장에 부합하는 사례로 가장 적절한 것은 ④이다.
[관련 부분]
• 현대 사회에서 민주적 토론은 문화 산업의 발달과 함께 퇴보했다.
• 미디어가 점차 상업화되면서 하버마스가 주장한 대로 공공 영역이 침식당하고 있다.

오답분석 ①② 제시문을 통해 확인할 수 없는 내용이므로 하버마스의 주장에 부합하지 않는다.
③ 3문단 2~4번째 줄을 통해 하버마스는 대중매체와 대중오락의 보급과 같은 문화 산업의 발달이 공공 영역을 공허하게 만드는 원인이라고 생각하였음을 알 수 있으므로 ③은 하버마스의 주장에 부합하지 않는다.
[관련 부분] 대중매체와 대중오락의 보급은 공공 영역이 공허해지는 원인으로 작용했다.

02

난이도 ★☆☆

해설 ③ 2문단 1~7번째 줄을 통해 글쓴이는 사람이 개입되는 것은 사물 인터넷이 아니라는 의견과 사물의 지능성을 중요시하는 생각은 모두 그릇되었다고 말한다. 따라서 ③은 글쓴이의 견해에 부합하지 않는 내용이다.
[관련 부분] 혹자는 사람이 개입되는 것은 사물 인터넷이 아니라고 이야기하면서 ~ 사물의 지능성을 중요시하는 경우도 있는데, 두 가지 모두 그릇된 것이다.

오답분석 ① 2문단 끝에서 4~6번째 줄을 통해 알 수 있다.
[관련 부분] 사물 인터넷을 제대로 이해하려면 기존 인터넷과의 차이점에 주목하기보다는 오히려 공통점을 인식하는 것이 더 중요하다.
② 1문단 끝에서 1~5번째 줄을 통해 알 수 있다.
[관련 부분] 전원이 없었던 일반 사물들은 새롭게 센서와 배터리, 통신 모듈이 부착되면서 컴퓨터가 되고 이렇게 컴퓨터가 된 사물들이 그들 간에 또는 인간의 스마트 기기와 네트워크로 연결되는 것이다.
④ 2문단 끝에서 1~4번째 줄을 통해 알 수 있다.
[관련 부분] 컴퓨터를 서로 연결하는 수준에서 출발한 것이 기존의 인터넷이라면, 이제는 사물 각각이 컴퓨터가 되고, 그 사물들이 이 사람과 손쉽게 닿는 스마트폰, 스마트 워치 등과 서로 소통하는 것이다.

03

난이도 ★★☆

해설 ①〈보기〉의 비판 대상으로 가장 옳지 않은 것은 ① '채식주의자'이다. 필자는 비윤리적인 식육 생산의 실상을 어느 정도 알면서도 이를 고의로 외면하는 경우를 예로 들며 '폭력적 이데올로기'를 설명하고 있다. 또한 제시문의 1~4번째 줄에서 사람들이 식육 생산의 실상을 안다면 '채식주의자'가 된다고 하였으므로, '채식주의자'는 비판의 대상이 아님을 알 수 있다.
[관련 부분] 도축장의 벽이 유리로 되어 있다면 모든 사람이 채식주의자가 될 거라고 말한 적이 있다. 우리가 식육 생산의 실상을 안다면 계속해서 동물을 먹을 수 없으리라고 그는 믿었다.

04

[2020년 지방직 7급]

㉠과 ㉡에 대한 글쓴이의 견해로 적절하지 않은 것은?

'대중예술'이라는 용어는 다소 모호하게 사용된다. 이 용어는 19세기부터 쓰였고, 오늘날에는 대중매체 예술뿐 아니라 서민들이 향유하는 예술에도 적용된다. 이 용어의 사용과 관련하여 제기되는 비판과 의문은, 예술이란 용어 자체가 이미 고유한 미적 가치를 함축하고 있기 때문에 대중예술이라는 개념은 본질적으로 모순이며 범주상의 오류라는 것이다. 이 같은 논쟁은 고급 예술과 대중예술 사이의 위계적 이분법 아래에 예술 대 엔터테인먼트라는 대립이 존재함을 알려 준다.

대중예술과 마찬가지로 엔터테인먼트는 고급 문화와 대비하여 저급한 것으로 널리 규정되어 왔다. 결과적으로 엔터테인먼트와 대중예술에 관한 이론은 대개 두 입장 사이에 놓인다. ㉠첫 번째 입장은 엔터테인먼트가 고급 문화를 차용해서 타락시키는 것이라고 주장하면서, 엔터테인먼트를 고급 문화에 전적으로 의존하고, 종속되며 그것에서 파생되는 것으로 간주한다. ㉡두 번째 입장은 엔터테인먼트를 고급 문화와 동떨어진 영역, 즉 고급 문화에 도전함으로써 대립적인 태도를 유지하면서 엔터테인먼트 자체의 자율적 규칙, 가치, 원리와 미적 기준을 갖고 있는 것으로 규정한다.

첫 번째 입장은 다양한 가치를 이상적인 진리 안에 종속시킴으로써, 예술의 형식과 즐거움의 미적 가치에 대한 어떠한 상대적 자율성도 인정하지 않는다. 두 번째 입장은 대중예술에 대한 극단적 자율성을 주장하는 것으로서, 고급 예술이 대중예술에 대하여 휘두르고 있는 오래된 헤게모니의 흔적을 제대로 평가하지 않을 뿐 아니라 고급 예술과 대중예술 사이의 관계를 설명하지 못한다.

① ㉠은 고급 문화와 엔터테인먼트 사이의 위계성을 설명하지 못한다.

② ㉠은 대중예술과 엔터테인먼트에 비해 고급 예술과 고급 문화의 우월성을 강조한다.

③ ㉡은 고급 예술과 대중예술 사이의 관계성을 설명하지 못한다.

④ ㉡은 고급 예술과 고급 문화에 대해 대중예술과 엔터테인먼트의 독자성을 강조한다.

05

[2019년 지방직 9급]

다음 글쓴이의 입장에 부합하는 것은?

효(孝)가 개인과 가족, 곧 일차적인 인간관계에서 일어나는 행위를 규정한 것이라면, 충(忠)은 가족이 아닌 사람들과의 관계, 곧 이차적인 인간관계에서 일어나는 사회적 행위를 규정한 것이었다. 그런데 언제부터인가 우리는 효를 순응적 가치관을 주입하는 봉건 가부장제 사회의 유습이라고 오해하는가 하면, 충과 효를 동일시하는 오류를 저지르는 경향이 많아졌다. 다음을 보자.

"부모에게 효도하고 형제를 사랑하는 사람은 윗사람의 명령을 거역하는 경우가 드물다. 또 윗사람의 명령을 어기지 않는 사람은 난동을 일으키는 경우도 드물다. 군자는 근본에 힘쓴다. 근본이 확립되면 도가 생기기 때문이다. 효도와 우애는 인(仁)의 근본이다."

위 구절에 담긴 입장을 기준으로 보면 효는 윗사람에 대한 절대 복종으로 연결된다. 곧 종족 윤리의 기본이 되는 연장자에 대한 예우는 물론이고 신분 사회의 엄격한 상하 관계까지 포괄적으로 인정하는 것이다. 하지만 이 구절만을 근거로 효를 복종의 윤리라고 보는 것은 성급한 판단이다. 왜냐하면 원래부터 효란 가족 윤리 또는 종족 윤리로서 사회 윤리였던 충보다 우선시되었을 뿐만 아니라, 유교의 기본 입장은 설사 부모의 명령이라 하더라도 옳고 그름을 가리지 않는 맹목적인 복종은 그 자체가 불효라고 보았기 때문이다.

유교에서는 부모와 자식의 관계가 자연에 의해서 결정된다고 한다. 이 때문에 부모와 자식의 관계는 인위적으로 끊을 수 없다고 본다. 이에 비해 임금과 신하의 관계는 공동의 목표를 위한 관계로서 의리에 의해서 맺어진 관계로 본다. 의리가 맞지 않는다면 언제라도 끊을 수 있다고 생각하는 것이다.

① 효는 봉건 가부장제 사회에서 비롯한 일차적 인간관계이다.

② 효는 부모와 자식 간의 관계이므로 조건 없는 신뢰에 기초한 덕목이다.

③ 윗사람에 대한 복종을 절대시하지 않는 것이 유교적 윤리의 한 바탕이다.

④ 충의 도리를 다함으로써 효의 도리에 도달할 수 있다는 것이 인의 이치다.

04

난이도 ★★☆

해설 ① 2문단 4~7번째 줄에서 ㉠은 엔터테인먼트가 고급 문화에 의존하고 종속되며, 엔터테인먼트가 고급 문화에서 파생된 것으로 본다고 설명한다. 이는 고급 문화와 엔터테인먼트 사이에 위계가 있다고 보는 입장이므로 ①의 설명은 글쓴이의 견해로 적절하지 않다.

[관련 부분] 첫 번째 입장은 ~ 엔터테인먼트를 고급 문화에 전적으로 의존하고, 종속되며 그것에서 파생되는 것으로 간주한다.

오답 분석 ② 2문단 4~7번째 줄 내용에 따르면 ㉠은 엔터테인먼트가 고급 문화를 차용하여 타락시킨다고 주장하면서 엔터테인먼트를 고급 문화의 하위 개념으로 간주하고 있다. 따라서 ㉠이 대중 예술과 엔터테인먼트에 비해 고급 예술과 고급 문화의 우월성을 강조한다는 ②의 설명은 글쓴이의 견해로 적절하다.

[관련 부분] 첫 번째 입장은 엔터테인먼트가 고급문화를 차용해서 타락시키는 것이라고 주장하면서, 엔터테인먼트를 고급 문화에 전적으로 의존하고, 종속되며 그것에서 파생되는 것으로 간주한다.

③ 3문단 3~8번째 줄을 통해 확인할 수 있다.

[관련 부분] 두 번째 입장은 ~ 고급 예술과 대중예술 사이의 관계를 설명하지 못한다.

④ 2문단 끝에서 1~5번째 줄 내용에 따르면 ㉡은 엔터테인먼트가 고급 문화와 동떨어진 영역이며, 자체적으로 규칙, 가치, 원리, 미적 기준을 갖고 있다고 주장한다. 따라서 ㉡이 대중예술과 엔터테인먼트의 독자성을 강조한다는 ④의 설명은 글쓴이의 견해로 적절하다.

[관련 부분] 두 번째 입장은 엔터테인먼트를 고급 문화와 동떨어진 영역, 즉 고급 문화에 도전함으로써 대립적인 태도를 유지하면서 엔터테인먼트 자체의 자율적 규칙, 가치, 원리와 미적 기준을 갖고 있는 것으로 규정한다.

05

난이도 ★★☆

해설 ③ 3문단 끝에서 1~3번째 줄과 4문단 끝에서 1~4번째 줄을 통해 유교적 윤리의 한 바탕이 윗사람(부모, 임금)에 대한 복종을 절대시하지 않는 것이었음을 알 수 있다. 따라서 글쓴이의 입장에 부합하는 것은 ③이다.

[관련 부분]
• 유교의 기본 입장은 설사 부모의 명령이라 하더라도 옳고 그름을 가리지 않는 맹목적인 복종은 그 자체가 불효라고 보았기 때문이다.
• 임금과 신하의 관계는 공동의 목표를 위한 관계로서 의리에 의해서 맺어진 관계로 본다. 의리가 맞지 않는다면 언제라도 끊을 수 있다고 생각하는 것이다.

오답 분석 ① 1문단 1~2번째 줄을 통해 효(孝)가 일차적인 인간관계에서 일어나는 행위임을 알 수 있으나, 1문단 끝에서 2~3번째 줄을 통해 효가 봉건 가부장제 사회의 유습이라는 것은 오해임을 알 수 있다. 따라서 효가 봉건 가부장제 사회에서 비롯된 일차적 인간관계라는 내용은 글쓴이의 입장에 부합하지 않는다.

[관련 부분]
• 효(孝)가 개인과 가족, 곧 일차적인 인간관계에서 일어나는 행위를 규정한 것이라면
• 효를 순응적 가치관을 주입하는 봉건 가부장제 사회의 유습이라고 오해하는가 하면

② 3문단 끝에서 1~3번째 줄을 통해 맹목적인 복종은 그 자체가 불효라고 하였으므로 효가 조건 없는 신뢰에 기초한 덕목이라는 내용은 글쓴이의 입장에 부합하지 않는다.

[관련 부분] 부모의 명령이라 하더라도 옳고 그름을 가리지 않는 맹목적인 복종은 그 자체가 불효라고 보았기 때문이다.

④ 3문단 끝에서 3~5번째 줄을 통해 효는 가족 윤리로서 사회 윤리였던 충보다 우선시되었음을 알 수 있으므로 충의 도리를 다함으로써 효의 도리에 도달할 수 있다는 것이 인의 이치라는 내용은 글쓴이의 입장에 부합하지 않는다.

[관련 부분] 효란 가족 윤리 또는 종족 윤리로서 사회 윤리였던 충보다 우선시되었을 뿐만 아니라

06

[2018년 서울시 7급 (3월)]

〈보기〉의 관점에서 '소비'를 가장 잘못 이해한 사람은?

─────〈보기〉─────

오늘날의 상황을 '소비의 위기'라 부른다. 좀 더 솔직하게 털어놓으면 그만큼 소비에 대한 인식이 위태롭다. 소비의 위기는 민주주의의 위기를 수반한다. 우리가 소비를 덜 할수록 우리 사회의 민주주의적 토대도 허물어진다. 절약하는 것으로는 민주주의를 구현하지 못한다. 좀 더 부정적으로 말할 수도 있다. 민주주의 사회가 계속 유지되기 바란다면 우리는 끊임없이 소비해야 하는 형을 선고받은 것이나 마찬가지이다. 대량 소비가 점점 줄어들거나 대중에게 소비의 폭넓은 접근 가능성이 주어지지 않는다면 사회는 완전히 다른 구조로 넘어갈 수도 있다.

소비자들의 수입이 장기적으로 불안해지는 추세와 함께 이른바 마비 현상이라 부르는 위험한 상황이 도래하고 있다. 불안과 욕구라는 양극단 중 어느 한쪽도 취하지 못해서 생기는 심적인 경련과 리듬 상실의 증세가 나타나고 있는 것이다. 이따금 모든 정상적인 소비 현상을 터무니없는 것으로 여기는 만성 자제력 상실 현상이 발생하기도 한다. 향후 몇 년 안에 달라질 전망은 보이지 않는다.

- 다비트 보스하르트, '소비의 미래'

① 철수 – 소비는 민주주의를 떠받치는 디딤돌이야.
② 영희 – 오늘날은 소비의 위기 시대이니 소비를 장려할 필요가 있겠어.
③ 영수 – 소비와 민주주의 사회는 밀접한 관련이 있어.
④ 순희 – 대량 소비는 민주주의의 근간을 무너뜨리겠군.

07

[2018년 지방직 9급]

밑줄 친 부분의 이유에 대한 필자의 견해로 볼 수 없는 것은?

관리가 본디부터 간악한 것이 아니다. 그들을 간악하게 만드는 것은 법이다. 간악함이 생기는 이유는 이루 다 열거할 수 없다. 대체로 직책은 하찮은데도 재주가 넘치면 간악하게 되며, 지위는 낮은데도 아는 것이 많으면 간악하게 되며, 노력을 조금 들였는데도 효과가 신속하면 간악하게 되며, 자신은 그 자리에 오랫동안 있는데 자신을 감독하는 사람이 자주 교체되면 간악하게 되며, 자신을 감독하는 사람의 행동이 또한 정도에서 나오지 않으면 간악하게 되며, 아래에 자신의 무리는 많은데 윗사람이 외롭고 어리석으면 간악하게 되며, 자신을 미워하는 사람이 자신보다 약하여 두려워하면서 잘못을 밝히지 않으면 간악하게 되며, 자신이 꺼리는 사람이 같이 죄를 범하였는데도 서로 버티면서 죄를 밝히지 않으면 간악하게 되며, 형벌에 원칙이 없고 염치가 확립되지 않으면 간악하게 된다. …… 간악함이 일어나기 쉬운 것이 대체로 이러하다.

① 노력은 적게 들이고 성과를 빨리 얻는다.
② 자신이 범한 과오를 감추고 남의 잘못을 드러낸다.
③ 자신은 같은 자리에 있으나 감독자가 자주 교체된다.
④ 자신의 세력이 밑에서 강한 반면 상부는 외롭고 우매하다.

08

[2017년 지방직 9급 (6월)]

'시'에 대한 견해 중에서 밑줄 친 칸트의 입장과 부합하는 것은?

> 미적인 것이란 내재적이고 선험적인 예술 작품의 특성을 밝히는 데서 더 나아가 삶의 풍부하고 생동적인 양상과 가치, 목표를 예술 형식으로 변환한 것이다. 미(美)는 어떤 맥락으로부터도 자율적이기도 하지만 타율적이다. 미에 대한 자율적 견해를 지닌 칸트도 일견 타당하지만, 미를 도덕이나 목적론과 연관시킨 톨스토이나 마르크스도 타당하다. 우리가 길을 지나다 이름 모를 곡을 듣고서 아름답다고 느끼는 것처럼 순수미의 영역이 없는 것은 아니다. 하지만 그 곡이 독재자를 열렬히 지지하기 위한 선전곡이었음을 안 다음부터 그 곡을 혐오하듯 미(美) 또한 사회 경제적, 문화적 맥락의 영향을 받기도 한다.

① 시는 정제된 시어와 운율을 통하여 감상해야 한다.

② 시는 사회의 모순을 고발할 수 있고, 개혁의 전망도 제시할 수 있다.

③ 시를 읽으면 시인과의 대화를 통해 정서적 성장을 도모할 수 있다.

④ 시를 감상하기 위해서는 당시의 사회 상황을 알아야 한다.

06

난이도 ★☆☆

해설 ④ 1문단 3~5번째 줄에서 소비를 덜 할수록 우리 사회의 민주주의적 토대가 허물어진다고 하였으므로 민주주의가 소비를 토대로 유지됨을 알 수 있다. 또한 1문단 끝에서 1~4번째 줄을 통해 대량 소비가 줄거나 대중이 소비에 폭넓게 접근하지 못하면 다른 구조로 사회가 변할 수 있음을 알 수 있으므로 대량 소비가 민주주의의 근간을 무너뜨린다는 ④'순희'의 설명은 적절하지 않다.

[관련 부분]
• 우리가 소비를 덜 할수록 우리 사회의 민주주의적 토대도 허물어진다.
• 대량 소비가 점점 줄어들거나 대중에게 소비의 폭넓은 접근 가능성이 주어지지 않는다면 사회는 완전히 다른 구조로 넘어갈 수도 있다.

오답분석 ① 1문단 3~5번째 줄을 통해 소비가 민주주의를 떠받치는 디딤돌임을 알 수 있으므로 ①'철수'의 설명은 옳다.
[관련 부분] 우리가 소비를 덜할수록 우리 사회의 민주주의적 토대도 허물어진다.

② 1문단 1번째 줄과 1문단 6~8번째 줄을 통해 오늘날의 상황은 소비의 위기 시대이며, 소비의 장려가 필요한 때임을 알 수 있으므로 ②'영희'의 설명은 옳다.
[관련 부분]
• 오늘날의 상황을 '소비의 위기'라 부른다.
• 민주주의 사회가 계속 유지되기 바란다면 우리는 끊임없이 소비해야 하는 형을 선고받은 것이나 마찬가지이다.

③ 1문단의 내용을 통해 소비와 민주주의는 밀접한 관련이 있음을 알 수 있으므로 ③'영수'의 설명은 옳다.

07

난이도 ★★☆

해설 ② 끝에서 3~5번째 줄을 통해 필자는 꺼려하는 사람과 같이 죄를 지었는데도 서로 죄를 밝히지 않을 때 간악함이 일어나기 쉽다고 주장함을 알 수 있다. 그러나 ②의 설명은 제시문을 통해 확인할 수 없으므로 필자의 견해로 볼 수 없다.
[관련 부분] 자신이 꺼리는 사람이 같이 죄를 범하였는데도 서로 버티면서 죄를 밝히지 않으면 간악하게 되며,

오답분석 ① 5~6번째 줄을 통해 확인할 수 있다.
[관련 부분] 노력을 조금 들였는데도 효과가 신속하면 간악하게 되며,

③ 6~7번째 줄을 통해 확인할 수 있다.
[관련 부분] 자신은 그 자리에 오랫동안 있는데 자신을 감독하는 사람이 자주 교체되면 간악하게 되며,

④ 9~10번째 줄을 통해 확인할 수 있다.
[관련 부분] 아래에 자신의 무리는 많은데 윗사람이 외롭고 어리석으면 간악하게 되며,

08

난이도 ★★☆

해설 ① 칸트는 미에 대해 자율적 견해를 갖는데, 이는 미를 도덕이나 목적론과 연관시키는 것과 대비되는 입장이다. 즉 칸트는 미를 외적 맥락의 영향을 받지 않는 순수한 것으로 보아야 한다는 입장이므로, 내재적 관점에서 작품의 요소만으로 시를 감상해야 한다고 말하는 ①과 가장 부합한다.

오답분석 ②③④ 모두 미에 대한 타율적 견해이다.
②④ 시를 사회적 맥락과 연관시킨 견해이다.
③ 시를 목적론과 연관시킨 견해이다.

09

[2017년 국가직 9급 (10월)]

다음 글에 나타난 필자의 견해로 볼 수 없는 것은?

서양에서 주인공을 '히어로(hero)', 즉 '영웅'이라고 부른 것은 고대 서사시나 희곡의 소재가 되던 주인공들이 초인간적인 능력을 가진 인물들이었기 때문이다. 신화적 세계관 속에서 영웅들은 신과 밀접한 관계를 맺거나 신의 후손이기도 하였다.

신화와 달리 문학 작품은 인물의 행위를 단일한 것으로 통일시킨다. 영웅들의 초인간적이고 신적인 행위는 차차 문학 작품의 구조에 제한되어 훨씬 인간화되었다. 문학 작품의 통일된 구조에 적합하지 않은 것은 대폭 수정되거나 제거되는 수밖에 없었다.

아리스토텔레스는 비극이 '보통보다 우수한 인물'을 모방한다고 하였는데, 이는 문학의 인물이 신화의 영웅이 아닌 보통의 인간임을 지적한 것이다. 극의 주인공은 작품의 통일성을 기하는 데 기여하는 중심적인 인물이면 된다고 한 것으로 볼 수 있다.

낭만주의 및 역사주의 비평가들은 작중 인물을 실제 인물인 양 따로 떼어 내어, 그의 개인적인 역사를 재구성해 보려고도 하였다. 그들은 영웅이라는 표현 대신 '성격(인물, character)'이라는 개념을 즐겨 썼는데, 이 용어는 지금도 비평계에서 애용되고 있다.

① 영웅이라는 말은 고대의 예술적 조건과 자연스럽게 관련된다.
② 신화의 영웅은 문학 작품에 와서 점차 인간화되었다.
③ 아리스토텔레스가 말한 '보통보다 우수한 인물'은 신화적 영웅과 다르다.
④ 역사주의 비평가들은 작중 인물을 역사적 영웅으로 재평가 하려고 했다.

10

[2017년 국가직 9급 (4월)]

필자의 견해로 볼 수 없는 것은?

우리는 우리가 생각한 것을 말로 나타낸다. 또 다른 사람의 말을 듣고, 그 사람이 무슨 생각을 가지고 있는가를 짐작한다. 그러므로 생각과 말은 서로 떨어질 수 없는 깊은 관계를 가지고 있다.

그러면 말과 생각이 얼마만큼 깊은 관계를 가지고 있을까? 이 문제를 놓고 사람들은 오랫동안 여러 가지 생각을 하였다. 그 가운데 가장 두드러진 것이 두 가지 있다. 그 하나는 말과 생각이 서로 꼭 달라붙은 쌍둥이인데 한 놈은 생각이 되어 속에 감추어져 있고 다른 한 놈은 말이 되어 사람 귀에 들리는 것이라는 생각이다. 다른 하나는 생각이 큰 그릇이고 말은 생각 속에 들어가는 작은 그릇이어서 생각에는 말 이외에도 다른 것이 더 있다는 생각이다.

이 두 가지 생각 가운데서 앞의 것은 조금만 깊이 생각해 보면 틀렸다는 것을 즉시 깨달을 수 있다. 우리가 생각한 것은 거의 대부분 말로 나타낼 수 있지만, 누구든지 가슴 속에 응어리진 어떤 생각이 분명히 있기는 한데 그것을 어떻게 말로 표현해야 할지 애태운 경험을 가지고 있을 것이다. 이것 한 가지만 보더라도 말과 생각이 서로 안팎을 이루는 쌍둥이가 아님은 쉽게 판명된다.

인간의 생각이라는 것은 매우 넓고 큰 것이며 말이란 결국 생각의 일부분을 주워 담는 작은 그릇에 지나지 않는다. 그러나 아무리 인간의 생각이 말보다 범위가 넓고 큰 것이라고 하여도 그것을 가능한 한 말로 바꾸어 놓지 않으면 그 생각의 위대함이나 오묘함이 다른 사람에게 전달되지 않기 때문에 생각이 형님이요, 말이 동생이라고 할지라도 생각은 동생의 신세를 지지 않을 수가 없게 되어 있다. 그러니 말을 통하지 않고는 생각을 전달할 수가 없는 것이다.

① 말은 생각보다 범위가 좁다.
② 말은 생각을 나타내는 매개체이다.
③ 말과 생각은 불가분의 관계에 놓여 있다.
④ 말을 통하지 않고도 얼마든지 생각을 전달할 수 있다.

11

[2016년 지방직 9급]

토론자들의 주장을 가장 적절하게 분석한 것은?

> 사회: 최근 보이스피싱 범죄가 모든 금융권으로 확산되면서 피해액이 늘어나고 있습니다. 이에 금융 당국이 은행에도 일부 보상 책임을 지게 하는 방안을 검토하는 것으로 알려지고 있습니다. 이에 대해 어떻게 생각하십니까?
>
> 영수: 개인들이 자신의 정보를 잘못 관리한 책임까지 은행에서 진다는 것은 문제가 있습니다. 도와드릴 수 있다면 좋겠지만, 은행 입장에서도 한계가 있는 부분이 있어 안타까울 뿐입니다.
>
> 민수: 소비자들이 자신의 개인 정보 관리에 다소 부주의함이 있다는 것은 인정합니다. 그러나 개인의 부주의를 얘기하는 것보다는 정부가 근본적인 해결책을 모색하는 것이 더욱 시급합니다.

① 영수와 달리, 민수는 보이스피싱 피해에 대한 책임을 소비자에게만 전가해서는 안 된다고 생각한다.
② 영수와 민수는 보이스피싱 범죄의 확산에 대한 일차적 책임이 은행과 정부에 있다고 생각한다.
③ 영수와 민수는 보이스피싱 범죄로 인한 피해를 방지하기 위해 은행에서 노력하고 있다고 생각한다.
④ 영수는 보이스피싱 범죄를 근본적으로 해결하기 위해 은행의 역할을, 민수는 정부의 역할을 강조한다.

09

난이도 ★★☆

해설 ④ 4문단을 통해 역사주의 비평가들은 작중 인물의 개인적인 역사를 재구성하려고 했을 뿐이며 작중 인물을 영웅으로 표현하지 않았음을 알 수 있다. 따라서 필자의 견해로 볼 수 없는 것은 ④이다.

오답분석 ① 1문단의 1~3번째 줄을 통해, 영웅이라는 말은 고대 서사시나 희곡의 주인공과 연관이 있으므로 고대의 예술적 조건과 관련된다는 것을 알 수 있다.
[관련 부분] 서양에서 주인공을 '히어로(hero)', 즉 '영웅'이라고 부른 것은 고대 서사시나 희곡의 소재가 되던 주인공들이 초인간적인 능력을 가진 인물들이었기 때문이다.

② 2문단의 2~3번째 줄을 통해 확인할 수 있다.
[관련 부분] 영웅들의 초인간적이고 신적인 행위는 차차 문학 작품의 구조에 제한되어 훨씬 인간화되었다.

③ 3문단의 1~3번째 줄을 통해 확인할 수 있다.
[관련 부분] 아리스토텔레스는 비극이 '보통보다 우수한 인물'을 모방한다고 하였는데, 이는 문학의 인물이 신화의 영웅이 아닌 보통의 인간임을 지적한 것이다.

10

난이도 ★☆☆

해설 ④ 4문단 끝에서 1~2번째 줄에서 필자는 '말을 통하지 않고는 생각을 전달할 수가 없는 것이다'라고 하였으므로 ④는 필자의 견해로 볼 수 없다.

오답분석 ① 4문단의 1~3번째 줄에서 확인할 수 있다.
[관련 부분] 말이란 결국 생각의 일부분을 주워 담는 작은 그릇에 지나지 않는다.

② 1문단 1번째 줄, 3문단 2~3번째 줄, 4문단 3~6번째 줄에서 확인할 수 있다.
[관련 부분]
· 우리는 우리가 생각한 것을 말로 나타낸다.
· 우리가 생각한 것은 거의 대부분 말로 나타낼 수 있지만
· 인간의 생각이 말보다 범위가 넓고 큰 것이라고 하여도 그것을 가능한 한 말로 바꾸어 놓지 않으면 ~ 전달되지 않기 때문에

③ 1문단 끝에서 1~2번째 줄에서 확인할 수 있다.
[관련 부분] 생각과 말은 서로 떨어질 수 없는 깊은 관계를 가지고 있다.

11

난이도 ★☆☆

해설 ① 영수는 보이스피싱 피해에 대해 정보를 잘못 관리한 개인(소비자)에게 책임이 있다고 주장하는 반면, 민수는 개인의 부주의를 얘기하기보다는 정부가 근본적인 해결책을 모색하는 것이 시급하다고 보고 있다. 따라서 ①은 적절한 분석이다.

오답분석 ② 영수는 일차적 책임이 개인에게 있다고 생각한다.
③ 영수와 민수는 보이스피싱 범죄 피해 방지를 위한 은행의 노력에 대해 언급하지 않는다.
④ 영수는 보이스피싱 범죄의 근본적 해결 방안에 대해 언급하지 않는다.

12

[2012년 국가직 9급]

다음 글에서 글쓴이가 긍정적으로 평가하는 것만으로 묶인 것은?

언어순결주의자들은 국어의 혼탁을 걱정한다. 그들은 국어의 어휘가 외래어에 감염되어 있다고 개탄하고, 국어의 문체가 번역 문투에 감염되어 있다고 지탄한다. 나는 국어가 혼탁하다는 그들의 진단에 동의한다. 그러나 그 혼탁을 걱정스럽게 생각하지는 않는다. 우선, 국어의 혼탁이 현실적으로 불가피한 일이기 때문이다. 외딴섬에 이상향을 세우고 쇄국의 빗장을 지르지 않는 한국어의 혼탁을 막을 길은 없다.

그러나 내가 국어의 혼탁을 걱정하지 않는 더 중요한 이유는 내가 불순함의 옹호자이기 때문이다. 불순함을 옹호한다는 것은 전체주의나 집단주의의 단색 취향, 유니폼 취향을 혐오한다는 것이고, 자기와는 영 다르게 생겨 먹은 타인에게 너그러울 수 있다는 것이다. 나는 이른바 토박이 말과 한자어(중국산이든 한국산이든 일본산이든)와 유럽계 어휘(영국제이든 프랑스제이든)가 마구 섞인 혼탁한 한국어 속에서 자유를 숨 쉰다. 나는 한문 투로 휘어지고 일본 문투로 굽어지고 서양 문투로 닮은 한국어 문장 속에서 풍요와 세련을 느낀다. 순수한 토박이 말과 토박이 문체로 이루어진 한국어 속에서라면 나는 질식할 것 같다. 언어순결주의, 즉 외국어의 그림자와 메아리에 대한 두려움에서 외국인 노동자에 대한 박해, 혼혈인 혐오, 북벌(北伐)·정왜(征倭)의 망상까지는 그리 먼 걸음이 아니다. 우리가 잊지 말아야 할 것은 '순화'의 충동이란 흔히 '죽임'의 충동이란 사실이다.

① 혼탁, 불순, 감염, 섞임
② 자유, 풍요, 세련, 순결
③ 외딴섬, 쇄국, 빗장, 북벌
④ 단색, 유니폼, 순화, 전체주의

13

[2016년 국가직 7급]

다음 글에 대한 설명으로 가장 적절한 것은?

文學教育論에 관한 관심이 점차 고조되고 있는 반면, 이를 저해하려는 움직임도 없지 않다. 그 같은 움직임은 주로 文學教育이 강화되면 國語科教育이 陳腐한 教訓을 앞세운 道德主義 修身教科로 轉落될지 모른다거나 혹은 文學少年少女의 感傷癖을 만연시키지나 않을까 하는 의구심 등에 기인하는 것으로 보인다. 특히 문제가 되는 것은 國語科를 언어생활의 능력 향상에만 묶어 두려는 견해다. 이들의 주장인즉, "文學活動은 인간이 가지는 여러 가지 言語活動 중의 한 類型에 불과하며, 文學作品이 國語科의 教材로 많이 다루어지는 이유는 그것이 어휘량이 많고 문장 표현의 양상이 다채롭다는 조건뿐이다. 文學이 國語教育의 核心은 될 수 없다. 國語教育은 어디까지나 言語教育이다."라는 주장이다. 그러나 문학작품을 다루면서 왜 言語技能의 形式陶冶에만 그치고 그 본질적 가치는 외면하겠다는 것인지 명분이 선명치 않다. 이것은 분명히 언어의 본질을 用具的, 提報的인 것으로만 보고 感化的인 것을 무시하려는 태도에서 유래한다.

① 문학을 언어활동의 도구로만 보려는 관점을 비판하고 있다.
② 도덕주의를 중시하는 국어교육의 필요성을 역설하고 있다.
③ 문학교육은 국어교육의 핵심이 될 수 없다는 점을 논증하고 있다.
④ 국어교육은 언어활동에 초점을 두어야 함을 적극 옹호하고 있다.

12 난이도 ★★☆

① 제시문에서 글쓴이는 외래어와 번역 문투에 의해 혼탁해지는 국어 어휘와 문체를 개탄하는 언어순결주의자들의 주장을 비판하며, 국어가 혼탁해지는 현상을 긍정적으로 바라보고 있다. 따라서 글쓴이가 긍정적으로 평가하는 것으로 묶인 것은 ①이다.

오답분석
② 글쓴이는 '언어순결주의자'의 주장을 비판하고 있으므로 '순결'은 글쓴이가 긍정적으로 평가하는 단어가 아니다.

③ 1문단 끝에서 1~3번째 줄을 통해 '외딴섬', '쇄국', '빗장'은 국어의 혼탁을 막는 것과 관련된 단어임을 알 수 있고, 2문단 끝에서 2~5번째 줄을 통해 '북벌'은 언어순결주의로 인한 부정적인 결과를 의미함을 알 수 있다.
[관련 부분]
• 외딴섬에 이상향을 세우고 쇄국의 빗장을 지르지 않는 한 국어의 혼탁을 막을 길은 없다.
• 언어순결주의, 즉 외국어의 그림자와 메아리에 대한 두려움에서 ~ 북벌(北伐)·정왜(征倭)의 망상까지는 그리 먼 걸음이 아니다.

④ 2문단 2~4번째 줄을 통해 '단색', '유니폼', '전체주의'는 글쓴이가 혐오하는 대상임을 알 수 있으며, 2문단 끝에서 1~2번째 줄을 통해 '언어순결주의'가 주장하는 '순화'를 글쓴이는 '죽임'의 충동과 동일하다고 보고 있음을 알 수 있다.
[관련 부분]
• 불순함을 옹호한다는 것은 전체주의나 집단주의의 단색 취향, 유니폼 취향을 혐오한다는 것이고,
• '순화'의 충동이란 흔히 '죽임'의 충동이란 사실이다.

13 난이도 ★★☆

① 제시문 6~8번째 줄, 끝에서 3~7번째 줄을 통해 필자는 국어과를 언어생활의 능력 향상에만 묶어 두려는 견해에 문제를 제기하고 '문학이 국어교육의 핵심은 될 수 없다. 국어교육은 어디까지나 언어교육이다'라는 주장을 비판하고 있음을 알 수 있다. 따라서 필자가 비판적으로 보는 이런 주장들은 문학을 언어활동의 도구로만 보려는 관점에 해당하므로 답은 ①이다.
[관련 부분]
• 특히 문제가 되는 것은 國語科(국어과)를 언어생활의 능력 향상에만 묶어 두려는 견해다.
• 文學(문학)이 國語敎育(국어교육)의 核心(핵심)은 될 수 없다. 國語敎育(국어교육)은 어디까지나 言語敎育(언어교육)이다."라는 주장이다. 그러나 문학작품을 다루면서 왜 言語技能(언어기능)의 形式陶冶(형식도야)에만 그치고 그 본질적 가치는 외면하겠다는 것인지 명분이 선명치 않다.

지문풀이
文學敎育論(문학교육론)에 관한 관심이 점차 고조되고 있는 반면, 이를 저해하려는 움직임도 없지 않다. 그 같은 움직임은 주로 文學敎育(문학교육)이 강화되면 國語科敎育(국어과교육)이 陳腐(진부)한 敎訓(교훈)을 앞세운 道德主義(도덕주의) 修身敎科(수신교과)로 轉落(전락)될지 모른다거나 혹은 文學少年少女(문학소년소녀)의 感傷癖(감상벽)을 만연시키지나 않을까 하는 의구심 등에 기인하는 것으로 보인다. 특히 문제가 되는 것은 國語科(국어과)를 언어생활의 능력 향상에만 묶어 두려는 견해다. 이들의 주장인 즉, "文學活動(문학활동)은 인간이 가지는 여러 가지 言語活動(언어활동) 중의 한 類型(유형)에 불과하며, 文學作品(문학작품)이 國語科(국어과)의 敎材(교재)로 많이 다루어지는 이유는 그것이 어휘량이 많고 문장 표현의 양상이 다채롭다는 조건뿐이다. 文學(문학)이 國語敎育(국어교육)의 核心(핵심)은 될 수 없다. 國語敎育(국어교육)은 어디까지나 言語敎育(언어교육)이다." 라는 주장이다. 그러나 문학작품을 다루면서 왜 言語技能(언어기능)의 形式陶冶(형식도야)에만 그치고 그 본질적 가치는 외면하겠다는 것인지 명분이 선명치 않다. 이것은 분명히 언어의 본질을 用具的(용구적), 提報的(제보적)인 것으로만 보고 感化的(감화적)인 것을 무시하려는 태도에서 유래한다.

14

[2017년 서울시 7급]

다음 글에서 이끌어 낼 수 있는 주장과 가장 가까운 것은?

우리 시대에 가장 두드러진 성향 하나는 시장과 시장 친화적 사고가 시장과는 거리가 먼 기준의 지배를 받던 전통적 삶의 영역까지 파고든다는 점이다. 이를테면 국가가 병역이나 죄수 심문을 민간 도급업체나 별도 인력을 고용해 맡길 때, 부모가 개발도상국가 사람들에게 돈을 주고 임신과 출산을 의뢰할 때, 콩팥을 공개시장에서 사고팔 때 어떤 도덕적 문제들이 생기는지 앞에서 살펴본 바 있다. 이런 예는 많다. 학업 성취도가 부진한 학교에 다니는 학생들이 표준화된 시험에서 좋은 성적을 낼 경우 상금으로 포상해야 하는가? 학생들의 성적이 올라갔다면 교사가 보너스를 받아야 하는가? 국가는 이익을 추구하는 기업에 재소자 수용을 맡겨야 하는가?

이는 공리의 합의만을 묻는 게 아니다. 그것은 군 복무, 출산, 가르침과 배움, 범죄자 처벌 등을 받아들이는 일 같은 중요한 사회적 행위의 가치를 측정하는 올바른 방법에 관한 물음이기도 하다. 사회적 행위를 시장에 맡기면 그 행위를 규정하는 규범이 타락하거나 질이 떨어질 수 있기에, 시장이 침입하지 못하도록 보호하고 싶은 비시장 규범이 무엇인지 물을 필요가 있다.

① 시장 친화적 사고는 비도덕적이다.

② 사회적 행위는 올바른 규범이 전제되어야 하기 때문에 시장의 가치에 맡기는 것에 대해 고민할 필요가 있다.

③ 전통적인 삶의 영역으로 시장 친화적 사고가 침투하는 이유는 국가가 공리를 추구하기 때문이다.

④ 군 복무나 출산, 가르침과 배움 등은 시장과 시장 친화적 원리가 적용되기에 적합한 것들이다.

15

[2017년 지방직 9급 (12월)]

다음 글에서 '칸트'의 견해로 볼 수 없는 것은?

칸트는 계몽이란 인간이 자신의 과오로 인한 미성년 상태로부터 벗어나는 것이라고 했다. 이때 '미성년 상태'는 타인의 지도 없이는 스스로의 이성을 사용할 수 없는 상태를 뜻하며, 이를 벗어나는 데 필요한 것은 용기를 내어 스스로의 이성을 사용하려고 하는 것이다.

칸트에 의하면 계몽은 두 가지 양상으로 이루어진다. 하나는 개인적 계몽으로 각자 스스로 미성년 상태를 벗어나서 이성 능력을 발휘하는 것이다. 하지만 모든 사람이 개인적 계몽을 이룰 수 있는 것은 아니다. 미성년 상태는 편하다. 이 상태의 개인은 스스로 생각하고 판단함으로써 저지를지 모르는 실수의 위험을 과장해서 생각한다. 한 개인이 실수의 두려움으로 인해 미성년 상태에 머무르기를 선택하면 편안함에 대한 유혹과 실수에 대한 공포심을 극복하며 스스로를 계몽하기는 힘들다.

대중 일반의 계몽은 이보다는 쉽게 이루어질 수 있다. 어느 시대에나 개인적 계몽에 성공한 독립적인 정신의 사상가들이 있기 마련이고, 이들은 편안함에 안주하며 두려움의 방패 뒤에 도피하려는 사람들의 의식을 일깨워 자각의 계기를 제공해 줄 수 있다. 개인적 계몽에 성공한 이들에게 자신의 생각을 표현하고 발표하는 자유가 주어진다면 계몽 정신은 자연스레 널리 전파될 것이고 사람들은 독립에의 공포심에서 벗어나 스스로 생각하는 성년 단계로 진입하게 될 것이다.

칸트는 대중 일반의 계몽을 위해 필요한 이성의 사용을 이성의 공적 사용이라 일컫는다. 이성의 사용은 사적 사용과 공적 사용으로 구분된다. 이성의 사적 사용은 각자가 개인이나 소규모 공동체의 이익을 위해 이성을 사용하는 것을 말한다. 그러나 한 개인이 몸담고 있는 공동체의 범위를 벗어나 세계 시민의 한 사람으로서 그리고 학자로서 글을 통해 자신의 생각을 대중에게 전달하게 되면 그는 이성을 공적으로 사용하는 것이 된다.

① 개인적 계몽을 모든 사람이 이룰 수 있는 것은 아니다.

② 대중 일반의 계몽을 위한 이성의 사용을 이성의 공적 사용이라 불렀다.

③ 미성년 상태에서 벗어나기 위해서는 스스로의 이성을 사용하려고 해야 한다.

④ 개인적 계몽을 이룬 이들에게 자유가 주어진다면 독립에 대한 공포심에 빠지게 된다.

16

[2017년 사회복지직 9급]

㉠~㉢ 중 밑줄 친 문장에서 강조하는 내용과 의미가 가장 가까운 것은?

> 정보 통신 기술은 컴퓨터를 수단으로 하여 인간의 두뇌와 신경을 비약적으로 ㉠확장 하였다. 정보 통신 기술의 발달은 전 세계적으로 정치, 경제, 산업, 교육, 의료, 생활 양식 등 사회 전반에 걸쳐 혁신적인 ㉡변화 를 일으키고, 인간관계와 사고방식, 가치관에까지 영향을 미칠 것이 틀림없다. 그러나 그 이면에는 불평등과 불균형을 불러올 위험성도 있다.
>
> 사회학자 드 세토(De Certeau)는 "기술은 문을 열 뿐이고, 그 문에 들어갈지 말지는 인간이 결정한다."라는 말을 했다. 정보 통신 기술은 우리의 모든 생활 영역에 ㉢영향 을 미치고 있다. 이 시점에서 우리에게 중요한 것은 정보 통신 기술을 어떻게 활용하느냐이다. 정보 통신 기술이 우리 사회를 변화시키고 있지만, 그 기술의 가치를 이해하고 ㉣선택 하는 주체는 바로 우리이기 때문이다.

① ㉠   ② ㉡
③ ㉢   ④ ㉣

17

[2014년 사회복지직 9급]

㉠, ㉡의 공통된 관점으로 적절한 것은?

> ㉠ "만약 신문을 갖지 않은 정부와 정부를 갖지 않은 신문 중의 어느 것을 선택해야 한다면 나는 주저 없이 후자를 택할 것이다."
>   - 제퍼슨 (미국 대통령)
> ㉡ "획일주의 국가에서 시민의 시계(視界)는 지극히 한정되기 때문에 자기 주위의 세계에 대하여 현명한 반응을 보일 수가 없다."
>   - 더글러스 (미국 판사)

① 표현 제약의 조건   ② 표현 제약의 필요성
③ 표현 자유의 조건   ④ 표현 자유의 필요성

14

난이도 ★☆☆

해설
② 필자는 사회적 행위를 규정하는 규범이 타락할 수 있다는 이유를 들어, 사회적 행위를 시장에 맡기는 것에 대하여 회의적인 반응을 보이고 있다. 이는 곧 올바른 규범이 전제되어야 하는 사회적 행위를 시장에 맡기는 것에 대하여 고민해야 한다는 것으로 볼 수 있다.

오답분석
① 필자는 시장 친화적 사고로 인하여 사회적 행위의 규범이 타락하는 것을 우려하고 있을 뿐, 시장 친화적 사고 자체를 비도덕적으로 보고 있지는 않다.

③ 필자는 시장 친화적 사고가 전통적 삶의 영역까지 침투하고 있다고 주장하고 있지만, 제시문에서 그 이유를 밝히지는 않았다.

④ 필자의 입장과 반대되는 주장이다.

15

난이도 ★☆☆

해설
④ 3문단 끝에서 1~5번째 줄을 통해 칸트는 개인적 계몽을 이룬 이들에게 자유가 주어진다면 독립에 대한 공포심에서 벗어날 수 있다고 보았음을 알 수 있다. 따라서 답은 ④이다.
[관련 부분] 개인적 계몽에 성공한 이들에게 자신의 생각을 표현하고 발표하는 자유가 주어진다면 ~ 독립에의 공포심에서 벗어나 스스로 생각하는 성년 단계로 진입하게 될 것이다.

오답분석
① 2문단의 3~4번째 줄을 통해 확인할 수 있다.
[관련 부분] 모든 사람이 개인적 계몽을 이룰 수 있는 것은 아니다.

② 4문단의 1~2번째 줄을 통해 확인할 수 있다.
[관련 부분] 칸트는 대중 일반의 계몽을 위해 필요한 이성의 사용을 이성의 공적 사용이라 일컫는다.

③ 1문단의 2~5번째 줄을 통해 확인할 수 있다.
[관련 부분] 이때 '미성년 상태'는 타인의 지도 없이는 스스로의 이성을 사용할 수 없는 상태를 뜻하며, 이를 벗어나는 데 필요한 것은 용기를 내어 스스로의 이성을 사용하려고 하는 것이다.

16

난이도 ★☆☆

해설
④ 밑줄 친 문장은 '기술을 사용할지 안 할지는 인간이 결정한다'라는 뜻이므로 이와 의미가 가장 가까운 단어는 ④ '선택'이다.

17

난이도 ★★☆

해설
④ ㉠과 ㉡의 공통된 관점은 '표현 자유의 필요성'이므로 답은 ④이다.
· ㉠: 표현의 자유를 상징하는 '신문'이 정부보다 중요하다는 것을 역설하고 있다.
· ㉡: 획일주의 국가에서 시민의 시계(視界)가 한정되는 것에 대해 '현명한 반응을 보일 수가 없다'라는 부정적인 반응을 보이는데, 이는 역으로 시민의 시계를 자유롭게 하여, '표현의 자유'를 실현해야 한다는 논지로 볼 수 있다.

18

[2014년 사회복지직 9급]

다음 글이 주장하고 있는 것은?

　제아무리 대원군이 살아 돌아온다 하더라도 더 이상 타 문명의 유입을 막을 길은 없다. 어떤 문명들은 서로 만났을 때 충돌을 면치 못할 것이고, 어떤 것들은 비교적 평화롭게 공존하게 될 것이다. 결코 일반화할 수 있는 문제는 아니겠지만 스스로 아끼지 못한 문명은 외래 문명에 텃밭을 빼앗기고 말 것이라는 예측을 해도 큰 무리는 없을 듯싶다. 내가 당당해야 남을 수용할 수 있다.

　영어만 잘하면 성공한다는 믿음에 온 나라가 야단법석이다. 배워서 나쁠 것 없고, 영어는 국제 경쟁력을 키우는 차원에서 반드시 배워야 한다. 하지만 영어보다 더 중요한 것은 우리의 말과 글이다. 한술 더 떠 영어를 공용어로 하자는 주장이 심심찮게 들리고 있다. 그러나 우리의 말과 글을 제대로 세우지 않고 영어를 들여오는 일은 우리 개구리들을 돌보지 않은 채 황소개구리를 들여온 우를 범하는 것과 같다.

　영어를 자유롭게 구사하는 일은 새 시대를 살아가는 중요한 조건이다. 하지만 우리의 말과 글을 바로 세우는 일에도 소홀해서는 절대 안 된다. 황소개구리의 황소 울음 같은 소리에 익숙해져 청개구리의 소리를 잊어서는 안 되는 것처럼.

① 세계화를 위해서는 세계 여러 나라의 언어를 골고루 받아들여 균형 있게 발전시켜야 한다.

② 우리가 설령 언어를 잃게 되더라도 우리 고유의 문화는 잃지 않도록 최선을 다하는 것이 필요하다.

③ 우리 문화에 대한 자신감이 부족할 경우에는 타문명의 유입을 최대한 막을 수 있도록 노력해야 한다.

④ 국제 경쟁력 강화를 위하여 영어 구사 능력도 필요하지만, 우리의 말과 글을 바로 세우는 일이 너 중요하다.

19

[2017년 교육행정직 9급]

윗글에 대한 이해로 적절하지 않은 것은?

(가) 유전자 변형 농작물에 대한 서로 다른 입장이 있다. 하나는 실질적 동등성을 주장하는 입장이고 다른 하나는 사전 예방 원칙을 주장하는 입장이다.

(나) ㉠실질적 동등성의 입장에서는 유전자 재조합 방식*으로 만들어진 농작물이 기존의 품종 개량 방식인 육종으로 만들어진 농작물과 같다고 본다. 육종은 생물의 암수를 교잡하는 방식으로 품종을 개량하는 것인데, 유전자 재조합은 육종을 단기간에 실시한 것에 불과하다는 것이다. 따라서 육종 농작물이 안전하기 때문에 육종을 단기간에 실시한 유전자 변형 농작물도 안전하며, 그것의 재배와 유통에도 문제가 없다는 것이 그들의 주장이다.

(다) ㉡사전 예방 원칙의 입장에서는 유전자 변형 농작물은 유전자 재조합이라는 신기술로 만들어진 완전히 새로운 농작물로 육종 농작물과는 엄연히 다르다고 본다. 육종은 오랜 기간 동안 동종 또는 유사 종 사이의 교배를 통해 이루어지는 데 반해, 유전자 변형은 아주 짧은 기간에 종의 경계를 넘어 유전자를 직접 조작하는 방식으로 이루어지기 때문에 서로 다르다는 것이다. 그리고 안전성에 대한 과학적 증명도 아직 제대로 이루어지지 못했기 때문에 안전성이 증명될 때까지 유전자 변형 농작물의 재배와 유통이 금지되어야 한다고 주장한다.

(라) 유전자 변형 농작물이 인류의 식량 문제를 해결해 줄 수도 있다. 그렇지만 그것의 안전성에 대한 의문이 완전히 해소된 것은 아니다. 따라서 유전자 변형 농작물에 대해 관심을 가지고 보다 현실적인 대비책을 고민해야 한다.

*유전자 재조합 방식: 미세 조작으로 종이나 속이 다른 생물의 유전자를 한 생물에 집어넣어 활동하게 하는 기술.

① ㉠과 ㉡은 유전자 변형 농작물의 성격을 두고 상반된 주장을 하고 있군.

② ㉠과 ㉡은 모두 유전자 변형 농작물의 유통을 위해서는 안전성이 확보되어야 한다고 보는군.

③ ㉠은 유전자 변형 농작물과 육종 농작물이 모두 안전하다고 생각하는군.

④ ㉡은 육종 농작물과 유전자 변형 농작물에 유전자 재조합 방식이 적용된다고 주장하고 있군.

20

[2014년 지방직 7급]

다음 글의 견해와 가장 거리가 먼 것은?

> "오륜(五倫)에 충실하고 오사(五事)를 옳게 하는 것은 사람의 예절이며, 떼를 지어 다니고 어미 새끼가 서로 부르며 먹이는 것은 짐승의 예절이며, 떨기로 무성하고 가지가 뻗어 나가는 것은 초목의 예절이니, 사람으로서 다른 생물들을 보면 사람이 귀하고 다른 생물들이 천하지만 다른 생물로서 사람을 보면 그들이 귀하고 사람은 천할 것이며, 하늘에서 전체를 보면 사람과 모든 생물이 균등할 것이다."
>
> - 홍대용, '의산문답(醫山問答)' 중에서

① 기질로 말한다면 바르고 통하는 기(氣)를 얻은 것은 인(人)이 되고, 치우치고 막힌 기(氣)를 얻은 것은 물(物)이 된다. 바르고 통하는 가운데도 맑고 흐리며, 순수하고 불순한 구분이 있다. 치우치고 막힌 가운데도 이따금 통하기도 하고 아주 막히기도 하는 차이가 있다.

② 하늘이 명한 바에서 본다면, 범이나 사람이나 다 같이 물(物)의 하나이다. 하늘과 땅이 물(物)을 낳는 인에서 논한다면, 범이나 메뚜기, 누에, 벌, 개미가 사람과 함께 양육되어 서로 어그러질 수 없다.

③ 물(物)에는 저것 아닌 것이 없고 이것 아닌 것이 없다. 그러나 저것으로부터는 보지 못하고 스스로 아는 것만 안다. 그러므로 저것은 이것 때문에 생겨나고 이것은 저것 때문에 생겨난다.

④ 무릇 생명이 있는 것이라면, 사람으로부터 소나 말, 돼지와 염소, 개미 같은 곤충에 이르기까지, 삶을 사랑하고 죽음을 싫어하는 법이라오. 어찌 꼭 큰 생물만이 죽음을 싫어하고 작은 생물은 그렇지 않다 하겠소?

18

난이도 ★★☆

해설 ④ 2문단 끝에서 1~4번째 줄과 3문단 2~3번째 줄을 통해 영어를 배우고 공용어로 들여오는 것보다 중요한 것은 우리의 말과 글을 제대로 세우는 것임을 알 수 있으므로 답은 ④이다.

[관련 부분]
- 우리의 말과 글을 제대로 세우지 않고 영어를 들여오는 일은 우리 개구리들을 돌보지 않은 채 황소개구리를 들여온 우를 범하는 것과 같다.
- 하지만 우리의 말과 글을 바로 세우는 일에도 소홀해서는 절대 안 된다.

19

난이도 ★★☆

해설 ④ (다)의 1~5번째 줄을 통해 ⓒ은 유전자 재조합 기술은 유전자 변형 농작물에 적용되는 것이며, 육종 농작물은 동종 또는 유사 종 사이의 교배를 통해 이루어진다고 여김을 알 수 있다. 따라서 ⓒ이 육종 농작물과 유전자 변형 농작물에 유전자 재조합 방식이 적용된다고 주장한다는 내용은 적절하지 않다.

[관련 부분] 유전자 변형 농작물은 유전자 재조합이라는 신기술로 만들어진 ~ 육종은 ~ 동종 또는 유사 종 사이의 교배를 통해 이루어지는

오답분석 ① ㉠은 유전자 변형 농작물이 육종 농작물과 같다고 주장하고 있으며 ⓒ은 유전자 변형 농작물이 육종 농작물과 다르다는 상반된 주장을 하고 있다.

② ㉠과 ⓒ은 안전성을 근거로 유전자 변형 농작물을 유통하는 것에 대해 찬성 또는 반대하고 있으므로 두 입장 모두 유전자 변형 농작물의 유통을 위해서는 안전성이 확보되어야 한다고 생각함을 알 수 있다.

③ ㉠은 유전자 변형 농작물과 육종 농작물은 같으며, 육종 농작물이 안전하므로 유전자 변형 농작물도 안전하다고 주장하고 있다.

20

난이도 ★★☆

해설 ① 필자는 사람과 다른 생물이 균등한 관계에 있다는 관점을 취하고 있다. 그러나 ①은 인(人, 인간)과 물(物, 다른 생물)의 본성에 차이가 있다고 보고 있으므로, 제시문의 견해와 거리가 멀다.

오답분석 ②③④ 모두 대상들 간의 관계가 동등하다는 관점을 보이고 있다.

② 범과 사람을 동등한 범주로 파악하고 있다.

③ 물(物)에는 저것과 이것이 모두 포함되는데, 그것들은 모두 상호 연관된 관계인 것으로 파악하고 있다.

④ 큰 생물과 작은 생물을 모두 동등한 것으로 파악하고 있다.

01

[2021년 국회직 8급]

다음 글의 전개 방식에 대한 설명으로 적절한 것은?

부여의 정월 영고, 고구려의 10월 동맹, 동예의 10월 무천 등은 모두 하늘에 제사를 지내고, 나라 안 사람들이 모두 모여서 음주가무를 하였던 일종의 공동 의례였다. 이것은 상고시대 부족들의 종교·예술 생활이 담겨 있는 제정일치의 표현이라고 볼 수 있다. 제천행사는 힘든 농사일과 휴식의 관계 속에서 형성된 농경사회의 풍속이다. 씨뿌리기가 끝나는 5월과 추수가 끝난 10월에 각각 하늘에 제사를 지냈는데, 이때는 온 나라 사람이 춤추고 노래 부르며 즐겼다. 농사일로 쌓인 심신의 피로를 풀며 모든 사람들이 마음껏 즐겼던 일종의 공동체적 축제이자 동시에 풍년을 기원하고 추수를 감사하는 의식이었던 것이다.

이러한 고대의 축제는 국가적 공의(公儀)와 민간인들의 마을굿으로 나뉘어 전해 내려오게 되었다. 이것은 사졸들의 위령제였던 신라의 '팔관회'를 거쳐 고려조에서는 일종의 추수감사제 성격의 공동체 신앙으로 10월에 개최된 '팔관회'와, 새해 농사의 풍년을 기원하는 성격으로 정월 보름에 향촌 사회를 중심으로 향촌 구성원을 결속시켰던 '연등회'라는 두 개의 형식으로 구분되어서 전해 내려오게 되었다. 팔관회는 지배 계층의 결속을 강화하는 역할을 하였고, 연등회는 농경의례적인 성격의 종교집단행사였다고 볼 수 있다. 오늘날의 한가위 추석도 이런 제천의식에서 그 유래를 찾을 수 있다.

조선조에서는 연등회나 팔관회가 사라지고 중국의 영향을 받아 산대잡극이 성행했다. 즉 광대줄타기, 곡예, 재담, 음악 등이 연주되었다. 즉 공연자와 관람자가 분명히 구분되었고, 직접 연행을 벌이는 사람들의 사회적 지위는 그들을 관람하는 사람들보다 낮은 것으로 평가되었다. 그러나 민간 차원에서는 마을굿이나 두레가 축제적 고유 성격을 유지하였다. 즉 도당굿, 별신굿, 단오굿, 동제 등이 지역민을 묶어주는 역할을 하였다는 것이다.

① 두 개념의 장단점을 비교하여 서술하고 있다.
② 시대별로 비판을 제시하며 대안을 서술하고 있다.
③ 다양한 사례를 제시하여 개념을 정당화하고 있다.
④ 두 개의 이론을 제시하고 새로운 이론을 도출하고 있다.
⑤ 시대별로 중심 화제의 성격 변화를 서술하고 있다.

02

[2018년 지방직 7급]

다음 글의 논지 전개 방식으로 적절한 것은?

군산이 일본으로 쌀을 이출하는 전형적인 식민 도시였다면, 금강과 만경강 하구 사이에서 군산을 에워싸고 있는 옥구는 그 쌀을 생산하는 대표적인 식민 농촌이었다. 1903년 미야자키 농장을 시작으로 1910년 강점 이전에 이미 10개의 일본인 농장이 세워졌으며, 1930년 무렵에는 15~16개로 늘어났다. 1908년 한국인 지주들도 조선 최초의 수리조합인 옥구 서부 수리 조합을 세우긴 했지만 일본인의 기세를 꺾지 못했다. 1930년 무렵 일본인은 전라북도 경지의 대략 1/4을 차지하였으며, 평야 지역인 옥구는 절반 이상이 일본인 땅이었다. 쌀을 군산으로 보내기 편한 철도 부근의 지역에서는 일본인 지주의 비중이 더 높았을 것이다. '이리부터 군산에 이르는 철도 연선의 만경강 쪽 평야는 90%가 일본인이 경영한다.'는 말이 허풍만은 아닐 거다. 일본인이 좋은 땅 다 차지하고 조선인은 '산비탈 흙구덩이'에 몰려 사는 처지라는 푸념 또한 과언이 아닐 거다.

① 인과적 연결을 통해 대상을 논증하고 있다.
② 반어적 수사를 동원하여 대상을 비판하고 있다.
③ 풍자와 해학을 동원하여 대상을 희화화하고 있다.
④ 구체적인 사실과 정보를 중심으로 대상을 설명하고 있다.

03

[2019년 지방직 9급]

다음 글의 글쓰기 방식에 대한 설명으로 적절한 것은?

> 멕시코의 환경 운동가로 유명한 가브리엘 과드리는 1960년대 이후 중앙아메리카 숲의 25% 이상이 목초지 조성을 위해 벌채되었으며 1970년대 말에는 중앙아메리카 전체 농토의 2/3가 축산 단지로 점유되었다고 주장했다. 실제로 1987년 이후로도 멕시코에만 1,497만 3,900ha의 열대 우림이 파괴되었는데, 이렇게 중앙아메리카의 열대림을 희생하면서까지 생산된 소고기는 주로 유럽과 미국으로 수출되었다. 그렇지만 이 소고기들은 지방분이 적고 미국인의 입맛에 그다지 맞지 않아 대부분 햄버거의 재료로 사용되었다.

① 통계 수치를 활용하여 논거의 타당성을 높이고 있다.

② 이론적 근거를 나열하여 주장의 전문성을 강화하고 있다.

③ 전문 용어의 뜻을 쉽게 풀이하여 독자의 이해를 돕고 있다.

④ 예측할 수 없는 결과를 나열하여 사태의 심각성을 알리고 있다.

01

난이도 ★★☆

해설 ⑤ 제시문은 중심 화제인 '축제'의 성격 변화를 시대의 흐름에 따라 서술하고 있다.
- 1문단: 고대 축제의 성격 (부여의 영고, 고구려의 동맹, 동예의 무천 등)
- 2문단: 신라, 고려 시대 축제의 성격 (팔관회, 연등회)
- 3문단: 조선 시대 축제의 성격 (산대잡극, 마을굿, 두레)

오답분석 ①②④ 제시문을 통해 확인할 수 없는 서술 방식이다.

③ 제시문에서 다양한 축제의 사례를 제시한 것은 맞지만, 이러한 사례를 통해 어떠한 개념을 정당화하고 있지는 않다.

02

난이도 ★★☆

해설 ④ 제시문은 구체적인 시기와 수치를 중심으로 일제 강점기 시기의 대표적 식민 농촌이었던 '옥구'에 대해 설명하고 있다. 따라서 제시문의 논지 전개 방식으로 적절한 것은 ④이다.

오답분석 ①③은 제시문과 관련 없는 설명이다.

② 일본에 대한 필자의 비판 의식을 엿볼 수 있으나, 반어적 수사를 활용하지는 않았다.

03

난이도 ★☆☆

해설 ① '숲의 25% 이상', '전체 농토의 2/3', '1,497만 3,900ha'와 같은 통계 수치를 활용하여 축산 단지 조성을 위해 중앙아메리카의 숲이 파괴되고 있다는 논거의 타당성을 높이고 있다. 따라서 제시문의 글쓰기 방식에 대한 설명으로 적절한 것은 ①이다.

오답분석 ② 이론적 근거를 나열한 부분은 나타나지 않는다.

③ 전문 용어의 뜻을 쉽게 풀이한 부분은 나타나지 않는다.

④ 중앙아메리카의 열대 우림 파괴 사례를 나열하여 사태의 심각성을 알리는 것은 맞으나, 예측할 수 없는 결과를 나열하는 것은 제시문에 나타나지 않는다.

04

[2020년 국가직 7급]

(가)와 (나)의 표현상 특징을 이해한 것으로 적절하지 않은 것은?

> (가) 한국 아이스하키가 북한을 제압, 동메달을 추가했다. 한국 팀은 13일 쓰키사무 실내 링크에서 벌어진 동계 아시안게임 아이스하키 최종 경기에서 북한을 6대 5로 제치고 1승 2패를 마크, 일본 중국에 이어 3위에 입상했다. 당초 열세가 예상됐던 한국 팀은 이날 필승의 정신력으로 똘똘 뭉쳐 1피리어드 초반부터 파상적인 공격을 펴던 중 3분쯤 첫 골을 성공시키면서 기세를 높였다.
>
> (나) 아이스하키 남북 대결에서 한국이 예상을 뒤엎고 6대 5로 승리, 동계 아시안게임 동메달을 획득했다. 한국 팀은 13일 삿포로 쓰키사무 실내 링크에서 열린 북한 팀과의 경기에서 초반 수비 치중에 기습 공격 작전이 적중하면서 승세를 타기 시작, 한 차례의 동점도 허용하지 않고 경기를 끝냈다. 한국 팀은 이로써 북한 팀과의 대표 대결에서 3승 1패로 앞섰다.

① (가)는 '제압', (나)는 '승리'라는 말을 사용한 것으로 보아 (나)는 (가)보다 경기 결과를 객관적인 태도로 표현했어.

② (가)는 '필승의 정신력으로 똘똘 뭉쳐', (나)는 '수비 치중에 기습 공격 작전이 적중하면서'라는 말을 사용한 것으로 보아 (가)는 (나)보다 선수들의 의욕을 강조했어.

③ (가)는 '당초 열세가 예상됐던', (나)는 '예상을 뒤엎고'라는 말을 사용한 것으로 보아 (가)와 (나) 모두 경기 전에 한국 팀의 실력이 북한 팀의 실력보다 낮게 평가되었음을 표현했어.

④ (가)는 '3위에 입상했다', (나)는 '동메달을 획득했다'라는 말을 사용한 것으로 보아 (가)와 (나) 모두 아쉬운 경기 결과였음을 강조했어.

05

[2019년 서울시 7급 (10월)]

〈보기〉 글의 서술 방식으로 가장 옳은 것은?

> ─────〈보기〉─────
>
> 이러한 음악의 한배를 있게 한 실제적 기준은 호흡이었다. 즉, 숨을 들이쉬고 내쉼이 한배의 틀이 된 것이었다. 이를 기준으로 해서 이루어진 방법을 선인들은 양식척(量息尺)이라고 불렀다. '숨을 헤아리는 자(尺)'라는 의미로 명명된 이 방법은 우리 음악에서 한배와 이에 근거한 박절을 있게 한 이론적 근거가 되었다. 시계가 없었던 당시에 선인들은 건강한 사람의 맥박의 6회 뜀을 한 호흡(一息)으로 계산하여 1박은 그 반인 3맥박으로 하였다. 그러니까 한 호흡을 2박으로 하여 박자와 한배의 기준으로 삼았던 것이다. 반면 서양인들은 우리와 달리 음악적 시간을 심장의 고동에서 구하여 이를 기준으로 하였다. 즉, 맥박을 기준으로 하여 템포를 정하였다. 건강한 성인은 보통 1분에 70회 전후로 맥박이 뛴다고 한다. 이에 의해 그들은 맥박 1회를 1박의 기준으로 하였고, 1분간에 70박 정도 연주하는 속도를 그들 템포의 기본으로 하였다. 그래서 1분간 울리는 심장 박동에 해당하는 빠르기가 바로 '느린 걸음걸이의 빠르기'인 안단테로 이들의 기준적 빠르기 말이 되었다.

① 주장을 먼저 제시한 뒤 다양한 실례를 들어 타당성을 증명하고 있다.

② 서로 대립되는 두 견해를 제시하고 검토한 뒤 제3의 견해를 도출하고 있다.

③ 대상의 특성을 분석한 뒤 대조하여 대상의 특징을 제시하고 있다.

④ 구체적인 사례를 먼저 제시한 뒤 통념을 반박하여 해결책을 모색하고 있다.

06

[2019년 국가직 9급]

다음 글의 글쓰기 전략으로 볼 수 없는 것은?

> 고전파 음악은 어떤 음악인가? 서양 음악의 뿌리는 종교 음악에서 비롯되었다. 바로크 시대까지는 음악이 종교에 예속되어 있었으며, 음악가들 또한 종교에 예속되어 있었다. 고전파는 이렇게 종교에 예속되었던 음악을, 음악을 위한 음악으로 정립하려는 예술 운동에서 출발하였다. 따라서 종래의 신을 위한 음악에서 탈피해 형식과 내용의 일체화를 꾀하고 균형 잡힌 절대 음악을 추구하였다. 즉 '신'보다는 '사람'을 위한 음악, '음악'을 위한 음악을 이루어 나가겠다는 굳은 결의를 보여 준 것이다.
>
> 또한 고전파 음악은 음악적 형식과 내용의 완숙을 이룬 음악이기도 하다. 이 시기에는 하이든, 모차르트, 베토벤 등 음악의 역사에서 가장 위대한 작곡가들이 배출되기도 하였다. 이때에는 성악이 아닌 기악만으로도 음악이 가능하게 되었으며, 교향곡의 기본을 이루는 소나타 형식이 완성되었다. 특히 옛 그리스나 로마 때처럼 보다 정돈된 형식을 가진 음악을 해 보자고 주장하였기에 '옛것에서 배우자는 의미의 고전'과 '청정하고 우아하며 흐림 없음, 최고의 예술적 경지에 다다름으로서의 고전'을 모두 지향하게 되었다.
>
> 이렇듯 역사적으로 고전파 음악은 종교의 영역에서 음악 자체의 영역을 확보하였으며 최고 수준의 음악적 내용과 형식을 수립하였다. 고전파 음악이 서양 전통 음악 전체를 대표하게 된 것은 고전파 음악이 이룩한 역사적인 성과에서 비롯된 것일지도 모른다. 따라서 고전 음악의 개념을 이해하기 위해서는 고전파 음악의 성격과 특질에 대한 이해가 선행되어야 할 것이다.

① 고전파 음악이 지닌 음악사적 의의를 밝힌다.
② 고전파 음악의 음악가를 예시하여 이해를 돕는다.
③ 고전파 음악의 특징이 형식과 내용의 분리에 있음을 강조한다.
④ 질문을 통해 화제를 제시함으로써 호기심을 유발한다.

04

난이도 ★★☆

해설 ④ (가)의 '3위에 입상했다', (나)의 '동메달을 획득했다'라는 표현은 모두 경기 결과에 대한 객관적인 사실을 나타낸 것일 뿐, 아쉬운 경기 결과였음을 강조하는 표현은 아니다.

오답분석 ① '승리'는 '제압'보다 경기 결과에 대한 사실적인 판단을 나타내는 표현이므로 (나)가 (가)보다 경기 결과를 객관적인 태도로 표현했다는 해석은 적절하다.
 • 제압(制壓): 위력이나 위엄으로 세력이나 기세 등을 억눌러서 통제함
 • 승리(勝利): 겨루어서 이김

② (가)의 '필승의 정신력'은 선수들의 태도, 자세, 마음가짐 등에 초점을 둔 표현이고, (나)의 '기습 공격 작전의 적중'은 전략적인 측면에 초점을 둔 표현이므로 (가)가 (나)보다 선수들의 의욕을 강조했다는 해석은 적절하다.

③ '당초 열세가 예상됐던', '예상을 뒤엎고'라는 표현을 통해 (가)와 (나) 모두 경기 시작 전에는 북한 팀보다 한국 팀의 실력을 낮게 평가한 것으로 볼 수 있다.
 • 열세(劣勢): 상대편보다 힘이나 세력이 약함. 또는 그 힘이나 세력
 • 예상(豫想): 어떤 일을 직접 당하기 전에 미리 생각하여 둠. 또는 그런 내용

05

난이도 ★★☆

해설 ③ 제시문은 우리 음악의 음악적 시간을 나타내는 '양식척'의 특성을 분석한 후 서양의 음악적 시간의 기준인 맥박과 대조하여 설명하고 있다. 이를 통해 우리 음악과 서양의 음악적 시간의 특징을 제시하고 있으므로 답은 ③이다.

06

난이도 ★★☆

해설 ③ 1문단 끝에서 2~4번째 줄을 통해 고전파 음악의 특징이 형식과 내용의 분리에 있는 것이 아니라, 형식과 내용의 일체화에 있음을 알 수 있다.
 [관련 부분] 따라서 종래의 신을 위한 음악에서 탈피해 형식과 내용의 일체화를 꾀하고 균형 잡힌 절대 음악을 추구하였다.

오답분석 ① 3문단 1~3번째 줄을 통해 고전파 음악이 지닌 음악사적 의의를 밝히고 있다.
 [관련 부분] 이렇듯 역사적으로 고전파 음악은 종교의 영역에서 음악 자체의 영역을 확보하였으며 최고 수준의 음악적 내용과 형식을 수립하였다.

② 2문단 2~4번째 줄에서 고전파 음악의 음악가를 예시하여 이해를 돕고 있다.
 [관련 부분] 이 시기에는 하이든, 모차르트, 베토벤 등 음악의 역사에서 가장 위대한 작곡가들이 배출되기도 하였다.

④ 1문단 1번째 줄에서 질문을 통해 화제를 제시함으로써 호기심을 유발하고 있다.
 [관련 부분] 고전파 음악은 어떤 음악인가?

07

[2019년 국가직 9급]

다음 글에 대한 설명으로 적절하지 않은 것은?

(가) 20세기 들어서 생태학자들은 지속성 농약이 자연 생태계에 어떤 악영향을 미치는지를 밝힐 수 있었다. 예컨대 제2차 세계대전 이후 전 세계에서 해충 구제용으로 널리 사용됨으로써 농업 생산량 향상에 커다란 기여를 한 디디티(DDT)는 유기 염소계 살충제의 대명사이다.

(나) 그렇지만 이 유기 염소계 살충제는 물에 잘 녹지 않고 자연에서 햇빛에 의한 광분해나 미생물에 의한 생물학적 분해가 거의 이루어지지 않는다. 그래서 디디티는 토양이나 물속의 퇴적물 속에 수십 년간 축적된다. 게다가 디디티는 지방에는 잘 녹아서 먹이사슬을 거치는 동안 지방 함량이 높은 동물 체내에 그 농도가 높아진다. 이렇듯 많은 양의 유기 염소계 살충제를 체내에 축적하게 된 맹금류는 물질대사에 장애를 일으켜서 껍질이 매우 얇은 알을 낳기 때문에, 포란 중 대부분의 알이 깨져 버려 멸종의 길을 걷게 된다.

(다) 디디티는 쉽게 분해되지 않기 때문에 한번 뿌려진 디디티는 물과 공기, 생물체 등을 매개로 세계 전역으로 퍼질 수 있다. 그래서 디디티에 한 번도 노출된 적이 없는 알래스카 지방의 에스키모 산모의 젖에서도 디디티가 검출되었고, 남극 지방의 펭귄 몸속에서도 디디티가 발견되었다. 이러한 생물 농축과 잔존성의 특성이 밝혀짐으로써 미국에서는 1972년부터 디디티 생산이 전면 중단 되었고, 1980년대에 이르러서는 유기 염소계 농약의 사용이 대부분 금지되었다.

(라) 이와 같이 디디티의 생물 농축 현상에서처럼 생태학자들은 한 생물 종에 미치는 오염의 영향이 오랫동안 누적되면 전체 생태계를 훼손시킬 수 있다는 사실을 발견하였다. 그래서인지 최근 우리나라에서도 사소한 환경오염 행위가 상차 어떠한 재앙을 볼고 올 수 있는지에 대한 연구가 활발히 이루어지고 있다.

① (가)는 중심 화제를 소개하고, 핵심어를 제시함으로써 전개될 내용을 암시하고 있다.

② (나)는 디디티가 끼칠 생태계의 영향을 인과 분석의 방법으로 설명하고 있다.

③ (다)는 디디티의 악영향을 제시하고, 그것의 사용 금지를 주장하고 있다.

④ (라)는 환경오염에 대한 경각심을 암시적으로 드러내고 있다.

08

[2017년 지방직 9급 (12월)]

다음 글의 전개 방식에 대한 설명으로 적절한 것은?

유럽의 18~19세기는 혁신적 지성의 열기로 가득 찬 시대였다. 혁신적 지성은 정치적, 경제적, 사회적 여건의 성숙과 더불어 서양 근대 사회의 확립에 주도적 역할을 하였다. 수많은 개혁 사상과 혁명 사상의 제공자는 물론이요, 실천 면에서도 개혁가와 혁명가는 지성인 출신이었다. 그들은 새로운 미래를 제시하고, 그것을 뒷받침할 이데올로기를 마련하고, 그것을 실현할 구체적인 방안을 제시하는 동시에, 현실의 모순을 과감하게 비판하고 몸소 실천에 뛰어들기도 하였다.

하지만 20세기에 이르러 사태는 달라지기 시작하였다. 근대 사회 성립에 주도적 역할을 담당했던 혁신적 지성은 그 혁신적 성격과 개혁적 정열을 점차로 상실하고, 직업적이고 기술적인 지성으로 변모하였다. 이는 근대 사회가 완성되고 성숙함에 따른 당연한 귀결일지도 모르며, 오늘날 고도로 발달한 서구 사회에 직업적이고 기술적인 지성이 필요 불가결하기도 하다. 그러나 지성이 고도로 발달한 사회에서 직업적이고 전문적인 지식과 기술을 제공하는 것으로 만족할 것인가의 문제는 다시 한 번 생각해 봄직하다.

만일 서구 사회가 현재에 안주하고 현상 유지를 계속할 수가 있다면 문제는 다르다. 그러나 그것은 사회의 전면적인 침체를 가지고 올 것이며, 그것은 또한 불길한 몰락의 징조일지도 모른다.

현재의 모순과 문제를 파헤치고 이를 개혁하여 새로운 미래로 나아가는 구체적 방안을 모색하는 임무는 누가 져야 할 것인가? 그것은 역시 지성의 임무이다. 지성은 거의 영구불변의 기능이라고 할 수 있는 문화 창조의 기능을 가져야 한다. 현대의 지성은 전문 지식과 기술을 제공하는 데 그치지 말고, 현실을 비판하며 실현 가능한 구체적 방안을 모색하여 새로운 미래를 제시하는 혁신적 성격을 상실해서는 안 될 것이다.

① 자신의 주장을 밝히고 이와 상반된 견해를 반박하고 있다.

② 상호 대립된 견해를 제시하고 자신의 입장을 밝히고 있다.

③ 용어에 대한 개념 차이를 밝히며 자신의 주장을 펼치고 있다.

④ 시대적 변천 양상을 살피면서 바람직한 방향을 제시하고 있다.

09

〈보기〉에 대한 설명으로 가장 옳은 것은?

――――〈보기〉――――

　　화랑도(花郎道)란, 신라 때의 청소년들이 자신의 마음과 몸을 닦고 목숨을 바쳐 나라를 지키려는 우리 고유의 정신적 흐름을 말한다. 그리고 이를 실천하기 위하여 조직된 단체를 화랑도(花郎徒)라 한다. 그 사회의 중심인물이 되기 위하여 마음과 몸을 단련하고, 올바른 사회생활의 규범을 익히며, 나라가 어려운 시기에 처할 때 싸움터에서 목숨을 바치려는 기풍은 고구려나 백제에도 있었지만, 특히 신라에서 가장 활발하였다.

- 변태섭, '화랑도' 중에서

① 용어 정의를 통해 독자의 이해를 돕고 있다.

② 자신의 체험담을 제시하여 독자의 이해를 돕고 있다.

③ 반론을 위한 전제를 제시하여 독자의 이해를 돕고 있다.

④ 통계적 사실이나 사례 제시를 통해 독자의 이해를 돕고 있다.

07

난이도 ★★☆

해설 ③ (다)는 '디디티는 쉽게 분해되지 않기 때문에 한번 뿌려진 디디티는 물과 공기, 생물체 등을 매개로 세계 전역으로 퍼질 수 있다'를 통해 디디티의 악영향을 제시하고 있지만, 디디티의 사용 금지를 주장하고 있지는 않다. 따라서 글에 대한 설명으로 적절하지 않은 것은 ③이다.

오답 분석 ① (가)는 중심 화제인 '지속성 농약'을 소개하고, 핵심어 '디디티 (DDT)'를 제시함으로써 앞으로 지속성 농약이 자연 생태계에 끼치는 악영향에 대한 내용을 전개할 것을 암시하고 있다.

② (나)는 디디티가 물에 잘 녹지 않고 광분해나 생물학적 분해가 거의 이루어지지 않지만 지방에는 잘 녹아서(원인) 많은 양의 유기 염소계 살충제를 체내에 축적하게 된 맹금류가 멸종하게 됨(결과)을 인과 분석의 방법으로 설명하고 있다.

④ (라)는 '사소한 환경오염 행위가 장차 어떠한 재앙을 몰고 올 수 있는지에 대한 연구가 활발히 이루어지고 있다'를 통해 환경오염에 대한 경각심을 암시적으로 드러내고 있다.

08

난이도 ★☆☆

해설 ④ 제시문은 중심 화제인 '지성'의 역할에 대한 시대적 변천 양상을 살펴보고, 현대 사회에서 지성이 나아가야 할 방향을 제시하고 있다. 따라서 글의 전개 방식에 대한 설명으로 옳은 것은 ④이다.
- 1문단: 혁신적인 역할을 수행한 18~19세기의 지성
- 2문단: 직업적이고 기술적인 역할을 수행한 20세기의 지성
- 3문단: 지성의 변화를 촉구하는 배경 및 이유
- 4문단: 창조적, 비판적, 혁신적 역할을 수행해야 할 현대의 지성

오답 분석 ① 제시문에서 필자의 주장과 상반된 견해가 드러난 부분은 찾을 수 없다.

② 제시문은 시대에 따라 달라진 지성의 역할에 대해 분석하고 있을 뿐이며, 각 견해가 상호 대립된다고 보기도 어렵다.

③ 제시문에서 용어에 대한 개념적인 차이를 드러내며 전개한 부분은 찾아볼 수 없다.

09

난이도 ★★☆

해설 ① 제시문 1~4번째 줄에서 '화랑도(花郎道)'와 '화랑도(花郎徒)'의 개념을 정의함으로써 독자들의 이해를 돕고 있으므로 답은 ①이다.

[관련 부분] 화랑도(花郎道)란, 신라 때의 청소년들이 자신의 마음과 몸을 닦고 목숨을 바쳐 나라를 지키려는 우리 고유의 정신적 흐름을 말한다. 그리고 이를 실천하기 위하여 조직된 단체를 화랑도(花郎徒)라 한다.

오답 분석 ② ③ ④는 모두 제시문과 관련이 없는 설명이다.

10

〈보기〉에 나타난 설명 방식으로 가장 옳지 않은 것은?

―――――〈보기〉―――――

필로티(pilotis) 문제가 아니라 왜 필로티 건축인가를 물어야 한다. 이는 주차 문제와 관련이 있다. 소형 주택·상가에서 법정 주차대수를 맞추려면 대지 내에 빼곡히 주차 면을 만들어야 한다. 반면에 상부 건물은 대지 경계선으로부터 띄워야 하므로 1층을 필로티로 하여 차가 삐죽 나오도록 하는 것은 논리적 귀결이다. 세월호 평형수가 저렴하도록 반(半)강제된 여객운임과 관련이 있듯이 필로티에 대한 선호 또한 저렴 주택, 나아가 저렴 도시와 관련이 깊다. 다세대·다가구주택은 단독주택용 필지에 부피 늘림만 허용한 1970, 80년대 주택공급 정책의 결과다. 공공에서 책임져야 할 주차·도로·녹지를 모두 개별 대지 안에서 해결하려니 설계는 퍼즐 풀기가 되었고 이때 필로티는 모범답안이었다.

① 현상 이면의 구조적 문제를 파악하고 있다.

② 인과관계를 통해 사회 현상을 설명한다.

③ 반복되는 사회적 문제를 환기한다.

④ 유추를 통해 해결 방안을 제시한다.

11

다음 글의 진술 방식에 대한 설명으로 적절하지 않은 것은?

언어도 인간처럼 생로병사의 과정을 겪는다. 언어가 새로 생겨나기도 하고 사멸 위기에 처하기도 하는 것이다. 〈중 략〉 하와이어도 사멸 위기를 겪었다. 하와이어의 포식 언어는 영어였다. 1778년 당시 80만 명에 달했던 하와이 원주민은 외부로부터 유입된 감기, 홍역 등의 질병과 정치 문화적 박해로 1900년에는 4만 명까지 감소했다. 당연히 하와이어 사용자도 급감했다. 1898년에 하와이가 미국에 합병되면서부터 인구가 증가하였으나, 하와이어의 위상은 영어 공용어 교육 정책 시행으로 인하여 크게 위축되었다. 1978년부터 몰입식 공교육을 통한 하와이어 복원이 시도 되고 있으나, 하와이어 모국어를 구사할 수 있는 원주민 수는 현재 1,000명 정도에 불과하다. 〈중 략〉

언어의 사멸은 급속하게 진행된다. 어떤 조사에 따르면 평균 2주에 1개 정도의 언어가 사멸하고 있다. 우비크, 쿠페뇨, 맹크스, 쿤월, 음바람, 메로에, 컴브리아어 등이 사라진 언어이다. 이러한 상태라면 금세기 말까지 지구에 존재하는 언어 가운데 90%가 사라지게 될 것이라는 추산도 가능하다.

① 통계 수치를 활용하여, 언어 사멸 현상을 설명하고 있다.

② 예상되는 반론을 제기하고, 언어가 사멸된다고 주장하였다.

③ 구체적인 예를 활용하여, 언어 사멸의 위기를 증명하였다.

④ 언어를 생명체에 비유하고, 수많은 언어가 사멸할 수 있다고 주장하였다.

12

[2016년 지방직 9급]

다음 글에 대한 설명으로 적절하지 않은 것은?

어떤 사회적 현상을 설명할 때, 상징적 행동을 배제하게 되면 남는 것은 실용성과 관련된 설명뿐이다. 그러나 아메리카에서 시가가 유행하는 현상에 대해서는 그런 기능적 설명이 통하지 않는다. 가령, 사람들이 여전히 담배를 피우고 싶어 하기 때문에 그런 현상이 생긴다는 주장을 들어 보자. 일견 수긍되는 점이 있다. 사람들의 흡연 욕구가 여전하다는 것은 전혀 틀린 말이 아니기 때문이다. 그러나 그것만으로는 아메리카 사회가 시가를 피우는 사람들에게는 관대하고, 궐련을 피우는 사람들에게는 관대하지 않은 까닭을 설명할 수가 없다.

궐련을 피우는 사람들은 이제 공공건물 앞의 보도에 한데 모여서 흡연을 해야 하는 신세가 되었다. 그들 사이에 즉각적 연대감을 형성하면서 말이다. 그런 그들에게 더러 경멸의 눈길을 보내는 사람들도 있지만, 대부분의 사람들은 그들에게 관심을 보이지 않는다. 그들이 공공건물 밖에서 흡연을 하는 한, 남에게 해가 될 게 전혀 없다고 생각하기 때문이다. 그런데 시가를 피우는 사람들의 사정은 전혀 다르다. 그들은 저녁 식사가 끝날 즈음에, 또는 파티 도중에 전리품을 자랑하듯이 당당하게 시가를 꺼내어 입에 문다. 그들의 행동에 눈살을 찌푸리는 사람은 아무도 없다.

어찌하여 이런 차별이 생긴 것일까? 연기를 삼키지 않기 때문에 시가가 몸에 덜 해롭다는, 일반적 주장은 설득력이 없다. 연기를 들이마시지 않고 뱉어 내는 것은 간접 흡연의 피해를 줄이는커녕, 오히려 실내 공기를 더욱 심하게 오염시키기 때문이다. 그렇다면 진짜 이유는 무엇일까? 가장 설득력 있는 설명은 다음과 같다. 먼저 보건 당국에서 국민 건강을 위한 캠페인의 일환으로 궐련과의 투쟁을 선포했다. 그러자 궐련은 죽음의 상징이 되었고, 그 캠페인은 상류층 사람들 사이에 즉각적 반향을 불러일으켰다. 이제 최고급 레스토랑에서는 아무도 궐련을 피우지 않지만, 싸구려 술집에는 여전히 궐련 연기가 자욱하다.

① 자문자답 형식을 사용하여 독자의 흥미를 유발하고 있다.

② 난해한 용어의 정의를 제시하여 독자의 이해를 돕고 있다.

③ 자신과 다른 견해를 일부 인정하면서도 그 한계를 지적하고 있다.

④ 다른 현상과의 비교를 통해 특정 현상에 담긴 의미를 밝히려 한다.

10

난이도 ★★☆

해설 ④ 제시문의 6~9번째 줄에서 '세월호 평형수'와 '필로티 건축의 선호'의 공통점을 밝혀 설명하는 '비교'의 방식이 사용되었음을 알 수 있으나, 유추를 통해 해결 방안을 제시하는 부분은 드러나지 않는다.

[관련 부분] 세월호 평형수가 저렴하도록 반(半)강제된 여객운임과 관련이 있듯이 필로티에 대한 선호 또한 저렴 주택, 나아가 저렴 도시와 관련이 깊다.

오답 분석 ① 필로티 건축의 문제점이라는 현상 이면에 주택공급 정책과 관련된 사회 구조적 문제가 있음을 파악하고 있다.

② 소형 주택이나 상가 건축 시 필로티 방식을 선호하는 현상이 법정 주차대수와 관련이 있음을 인과관계를 통해 설명하고 있다.

③ 오늘날 필로티 건축 방식의 문제가 1970, 80년대 주택공급 정책의 결과라고 설명하며 과거부터 현재에 이르기까지 반복되는 사회적 문제임을 환기하고 있다.

11

해설 ② 제시문에 예상되는 반론을 제기한 부분은 나타나지 않는다.

오답 분석 ① 2문단에서 평균 2주에 1개 정도의 언어가 사멸하고 있는 지금의 상태가 계속된다면 금세기 말에는 언어의 90%가 사라지게 될 것이라는 구체적인 통계를 활용하였고, 이를 통해 급속하게 진행되는 언어 사멸 현상을 설명하고 있다.

③ 1문단에서 '하와이어의 사멸 위기'와 같은 구체적인 예를 활용하여 언어 사멸의 위기를 증명하였다.

④ 1문단의 1~3번째 줄에서 확인할 수 있다.

[관련 부분] 언어도 인간처럼 생로병사의 과정을 겪는다. 언어가 새로 생겨나기도 하고 사멸 위기에 처하기도 하는 것이다.

12

난이도 ★☆☆

해설 ② 제시문에 난해한 용어의 정의는 나타나지 않는다.

오답 분석 ① 3문단 1번째 줄과 5~6번째 줄에서 질문을 던진 후, 그에 대한 답을 하는 자문자답의 형식을 통해 독자의 흥미를 유발하고 있다.

[관련 부분]
• 어찌하여 이런 차별이 생긴 것일까?
• 그렇다면 진짜 이유는 무엇일까?

③ 1문단의 4~10번째 줄에서 확인할 수 있다.

[관련 부분]
• 가령, 사람들이 여전히 담배를 피우고 싶어 하기 때문에 그런 현상이 생긴다는 주장을 들어 보자. 일견 수긍되는 점이 있다.
• 그러나 그것만으로는 아메리카 사회가 ~ 궐련을 피우는 사람들에게는 관대하지 않은 까닭을 설명할 수가 없다.

④ 2문단에서 궐련이 천대받는 현상과 시가가 유행하는 현상을 비교하고, 3문단에서 이러한 차별적 현상이 생긴 것은 보건 당국의 캠페인으로 궐련이 죽음의 상징이 되었기 때문임을 밝히고 있다.

13

[2015년 사회복지직 9급]

다음 글의 서술상 특징으로 옳지 않은 것은?

> 문자는 크게 세 가지 종류로 나눌 수 있다. 하나는 그림문자이고, 다른 하나는 뜻문자이고, 또 다른 하나는 소리문자이다. 그림문자란 문자를 그림으로 나타내어 표현한 것이고 그 예로는 상형 문자를 들 수 있다. 뜻문자는 단어를 상징적인 의미의 기호로 표현한 문자로서 한자가 대표적이다. 반면, 소리문자는 알파벳과 같이, 단어의 요소나 소리를 기호로 나타내는 문자이다. 이 세 가지 중에서 소리문자가 가장 발달된 문자인데, 그 중에서도 으뜸은 한글이다. 적은 수의 기본자로 많은 말소리를 자유자재로 표기할 수 있기 때문이다.

① 근거를 갖추어 주장을 펼치고 있다.

② 기존의 주장을 반박하는 방식으로 논지를 펼치고 있다.

③ 용어의 정의를 통해서 논지에 대한 독자의 이해를 돕고 있다.

④ 예시와 열거 등의 설명 방법을 구사하여 주장의 설득력을 높이고 있다.

13

난이도 ★★☆

해설 ② 제시문에 기존 주장에 대한 반박은 나타나지 않으므로, 서술 상 특징으로 옳지 않은 것은 ②이다.

오답 분석 ① 끝에서 1~3번째 줄을 통해 확인할 수 있다.

[관련 부분]
• 소리문자가 가장 발달된 문자인데, 그 중에서도 으뜸은 한글이다.(주장)
• 적은 수의 기본자로 많은 말소리를 자유자재로 표기할 수 있기 때문이다.(근거)

③④ 3~7번째 줄에서 '그림문자', '뜻문자', '소리문자'의 개념을 정의하고 '상형 문자', '한자', '알파벳'과 같은 예시를 열거하고 있다.

Section 5
추론적 독해

1분 만에 파악하는 **7개년 기출 트렌드**

● Section별 출제율
최근 7개년(2015~2021년) 국가직/지방직/서울시 7·9급

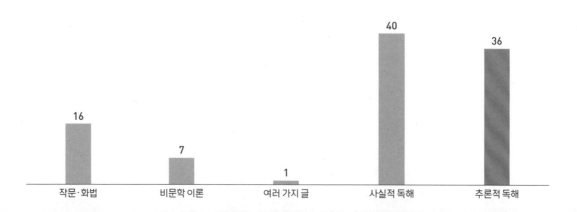

작문·화법	비문학 이론	여러 가지 글	사실적 독해	추론적 독해
16	7	1	40	36

● Section 기출 트렌드

- 추론적 독해는 사실적 독해와 함께 비문학 영역에서 가장 많이 출제되는 Section입니다.

- 문장이나 글의 배열 순서를 묻거나 빈칸에 들어갈 내용을 찾는 문제, 제시문에 드러나지 않은 정보를 추리하거나 이어질 내용을 파악해야 하는 문제 등 다양한 유형이 출제됩니다.

- 지문에 제시된 정보를 바탕으로 새로운 정보, 생략된 내용 등을 추론하여 풀어야 하므로 심도 있는 독해력이 요구됩니다. 우선 문제 유형별 풀이 전략을 익힌 후 기출문제를 풀면서 독해력을 키워야 합니다.

1. 문단 배열

01

[2021년 국회직 8급]

(가) ~ (마)를 논리적 순서에 맞게 나열한 것은?

(가) 내일 날씨는 못 맞히어도 다음 계절 기후는 맞힐 수 있다. 즉, 오늘 날짜로부터 정확히 1개월 혹은 2개월 뒤에 한반도에 비가 올지 말지의 여부는 맞히지 못하지만 계절 평균 강수량이 평년에 비해 많을지 적을지 정도는 예측할 수 있다는 얘기이다. 주가로 치면 하루하루의 등락은 맞히지 못하더라도 수개월의 추세 정도는 맞힐 수 있다는 것이다.

(나) 그렇다면 다음 계절의 기후를 정확하게 예측하기 위해서는 3개월간의 날씨를 모두 정확히 맞히어야만 하는 것인가? 내일부터 3개월 후의 미래까지 매일매일의 날씨를 정확히 맞힌다는 것은 현재의 기상 예측 기술로는 절대 불가능하다. 내일의 날씨 정도야 이제는 어느 정도 정확하게 맞히고 있지만, 사나흘 이후의 강수 예보가 정확하지 않다는 것은 특별한 설명이 필요 없지 않은가?

(다) 더구나 이론적으로도 날씨 예측은 2주일 정도가 한계라고 알려져 있다. 그렇다면 기후 예측은 모두 허구일까? 기후 예측 관련 기사에 단골로 달리는 댓글 말마따나 내일 비가 올지 말지도 모르면서 다음 계절에 비가 많이 올지 말지를 맞히겠다는 헛소리를 하고 있는 것인가? 그것은 기상 예측과 기후 예측의 차이를 정확히 이해하지 못하는 데서 오는 착각이다.

(라) 기상청에서는 매일의 날씨 예측 정보를 제공하는 일 외에도 올 여름이 평년에 비해 더 더울지 혹은 올 겨울이 평년에 비해 추울지 등에 대한 예측 정보도 정기적으로 제공한다. 전자는 기상 예측이라고 하며, 후자는 기후 예측이라고 한다.

(마) 기후는 짧게는 한 달, 통상적으로는 약 세 달 동안의 평균 날씨라고 이해하면 되는데, 기상 현상들의 누적이 기후로서 정의가 되다 보니 기상과 기후는 어느 정도 관련성이 있다. 특정해 여름철에 폭염인 날들이 많았다면 그해 여름철 평균 온도도 높은 식이다. 따라서 날씨 예측이 정확하면 기후 예측도 정확하리라는 것은 쉽게 예상할 수 있다.

① (가) – (다) – (나) – (라) – (마)
② (가) – (마) – (라) – (나) – (다)
③ (라) – (나) – (마) – (가) – (다)
④ (라) – (마) – (나) – (다) – (가)
⑤ (마) – (라) – (나) – (다) – (가)

02

[2019년 서울시 9급 (2월)]

〈보기〉의 지문은 설명문의 일종이다. 두괄식 설명문으로 구성하고자 할 때 논리적 전개에 가장 부합하게 배열한 것은?

———— 〈보기〉 ————

㉠ 문장을 구성하는 기본적인 언어 단위를 어절이라 한다. 띄어 쓴 문장 성분을 각각 어절이라고 하는데, 하나의 어절이 하나의 문장 성분이 되는 것은 문장 구성의 기본적인 성질이다.

㉡ 문장은 인간의 생각을 완결된 형태로 담을 수 있는 언어 단위이다. 문장은 일정한 구성 성분으로 이루어지는데, 맥락을 통해서 알 수 있을 경우에는 문장 성분을 생략할 수도 있다.

㉢ 띄어 쓴 어절이 몇 개 모여서 하나의 문장 성분이 되는 경우가 있다. '그 남자가 아주 멋지다.'라는 문장에서 '그 남자가'와 '아주 멋지다'는 각각 두 어절로 이루어져서 주어와 서술어 역할을 하고 있다.

㉣ 두 개 이상의 어절이 모여서 하나의 문장 성분을 이룬 것을 구(句)라고 한다. 절은 주어와 서술어를 갖고 있다는 점에서 구와 구별되지만, 독립적으로 사용되지 못한다는 점에서 문장과 구별된다.

① ㉠-㉡-㉣-㉢
② ㉠-㉣-㉢-㉡
③ ㉡-㉠-㉢-㉣
④ ㉡-㉢-㉠-㉣

글의 구조 파악

33%

57% 10%

내용 추론

적용하기

01

난이도 ★★☆

해설 ④ (라) - (마) - (나) - (다) - (가)의 순서가 자연스럽다.

순서	중심 내용	순서 판단의 단서와 근거
(라)	기상 예측과 기후 예측의 개념	지시 표현이나 접속어로 시작하지 않으면서 중심 화제인 '기상 예측'과 '기후 예측'을 제시함
(마)	기상 예측과 기후 예측의 관련성	(라)에 이어 중심 화제에 대한 설명을 더하고 있음
(나)	• 기후 예측에 대한 의문 제기 • 현재 기상 예측 기술의 한계	접속어 '그렇다면': (마)의 내용을 근거로 기후 예측에 대한 의문을 제기함
(다)	기후 예측에 대한 비판적인 시각: 기상 예측과 기후 예측의 차이를 이해하지 못하는 데서 온 착각	접속어 '더구나': (나)에서 제시한 기상 예측의 불확실성에 더해 기후 예측의 실효성에 대한 의문을 제기함
(가)	특정 기간 동안 기후의 추세를 파악하면 기후 예측이 가능함	앞서 언급한 내용을 바탕으로 기상 예측이 정확하지 않더라도 기후 예측이 가능하다는 결론을 내림

02

난이도 ★☆☆

해설 ③ ○ - ○ - ○ - ○의 순서가 논리적 전개에 가장 부합한다.

순서	중심 내용	순서 판단의 단서와 근거
○	문장은 일정한 구성 성분으로 이루어진 언어 단위임	글의 첫머리에 중심 내용인 문장과 문장의 구성 성분에 대해 서술함
○	문장을 구성하는 기본적인 언어 단위는 어절임	키워드 '어절': 문장을 구성하는 기본적인 언어 단위에 대해 설명하므로 ○ 뒤에 오는 것이 적절함
○	띄어 쓴 어절이 몇 개 모여서 하나의 문장 성분이 되는 경우가 있음	○에서 언급한 문장 구성의 기본적인 언어 단위인 어절에 대해 구체적인 예를 들어 설명하므로 ○ 뒤에 오는 것이 적절함
○	두 개 이상의 어절이 모여서 구와 절이 됨	키워드 '구', '절': 두 개 이상의 어절이 모인 문장 성분에 대해 구별하여 설명하므로 ○ 뒤에 오는 것이 적절함

이것도 알면 **합격**

문단 구성 방식을 알아두자.

두괄식 문단	주제나 결론이 문단의 앞부분에 나오는 구성 방식
미괄식 문단	주제나 결론이 문단의 끝부분에 나오는 구성 방식
양괄식 문단	주제나 결론이 문단의 앞부분과 끝부분에 반복하여 나오는 구성 방식
중괄식 문단	주제나 결론이 문단의 중간 부분에 나오는 구성 방식

03

[2018년 지방직 9급]

다음 글의 전개 순서로 가장 자연스러운 것은?

(가) 생명체들은 본성적으로 감각을 갖고 태어나지만, 그들 가운데 일부의 경우에는 감각으로부터 기억이 생겨나지 않는 반면 일부의 경우에는 생겨난다. 그리고 그 때문에 후자의 경우에 해당하는 생명체들은 기억 능력이 없는 것들보다 분별력과 학습력이 더 뛰어난데, 그중 소리를 듣는 능력이 없는 것들은 분별은 하지만 배움을 얻지는 못하고, 기억에 덧붙여 청각 능력이 있는 것들은 배움을 얻는다.

(나) 앞에서 말했듯이, 유경험자는 어떤 종류의 것이든 감각을 가지고 있는 사람들보다 더 지혜롭고, 기술자는 유경험자들보다 더 지혜로우며, 이론적인 지식들은 실천적인 것들보다 더 지혜롭다는 것이 일반적인 견해이다. 그러므로 지혜는 어떤 원리들과 원인들에 대한 학문적인 인식임이 분명하다.

(다) 하지만 발견된 다양한 기술 가운데 어떤 것들은 필요 때문에, 어떤 것들은 여가의 삶을 위해서 있으니, 우리는 언제나 후자의 기술들을 발견한 사람들이 전자의 기술들을 발견한 사람들보다 더 지혜롭다고 생각한다. 그 이유는 그들이 가진 여러 가지 인식은 유용한 쓰임을 위한 것이 아니기 때문이다. 그러므로 그런 종류의 모든 발견이 이미 이루어지고 난 뒤, 여가의 즐거움이나 필요, 그 어느 것에도 매이지 않는 학문들이 발견되었으니, 그 일은 사람들이 여가를 누렸던 여러 곳에서 가장 먼저 일어났다. 그러므로 이집트 지역에서 수학적인 기술들이 맨 처음 자리 잡았으니, 그곳에서는 제사장(祭司長) 가문이 여가의 삶을 허락받았기 때문이다.

(라) 인간 종족은 기술과 추론을 이용해서 살아간다. 인간의 경우에는 기억으로부터 경험이 생겨나는데, 그 까닭은 같은 일에 대한 여러 차례의 기억은 하나의 경험 능력을 만들어 내기 때문이다. 그리고 경험은 학문적인 인식이나 기술과 거의 비슷해 보이지만, 사실 학문적인 인식과 기술은 경험의 결과로서 사람들에게 생겨나는 것이다. 그 까닭은 폴로스가 말하듯 경험은 기술을 만들어 내지만, 무경험은 우연적 결과를 낳기 때문이다. 기술은, 경험을 통해 안에 쌓인 여러 관념들로부터 비슷한 것들에 대해 하나의 일반적인 관념이 생겨날 때 생긴다.

① (가) – (다) – (나) – (라)
② (가) – (다) – (라) – (나)
③ (가) – (라) – (나) – (다)
④ (가) – (라) – (다) – (나)

04

[2018년 지방직 7급]

다음 글의 전개 순서로 가장 자연스러운 것은?

(가) 미술 작품에 등장하는 동물은 그 성격에 따라 나누어 보면 종교적·주술적인 동물, 신을 위한 동물, 인간을 위한 동물로 구분할 수 있다. 물론 이 구분은 엄격한 것이 아니므로 서로의 개념을 넘나들기도 하며, 여러 뜻을 동시에 갖기도 한다.

(나) 인류가 남긴 수많은 미술 작품을 살펴보다 보면 다양한 동물들이 등장하고 있음을 알 수 있다. 미술 작품 속에 등장하는 동물에는 일상에서 흔히 접할 수 있는 개나 고양이, 꾀꼬리 등도 있지만 해태나 봉황 등 인간의 상상에서 나온 동물도 적지 않음을 알 수 있다.

(다) 종교적·주술적인 성격의 동물은 가장 오랜 연원을 가진 것으로, 사냥 미술가들의 미술에 등장하거나 신앙을 목적으로 형성된 토템 등에서 확인할 수 있다. 여기에 등장하는 동물들은 대개 초자연적인 강대한 힘을 가지고 인간 세계를 지배하거나 수호하는 신적인 존재이다. 인간의 이지가 발달함에 따라 이들의 신적인 기능은 점차 감소되어, 결국 이들은 인간에게 봉사하는 존재로 전락하고 만다.

(라) 동물은 절대적인 힘을 가진 신의 위엄을 뒷받침하고 신을 도와 치세(治世)의 일부를 분담하기 위해 이용되기도 한다. 이 동물들 역시 현실 이상의 힘을 가지며 신성시되는 것이 보통이지만, 이는 어디까지나 신의 권위를 강조하기 위한 것에 지나지 않는다. 이들은 신에게 봉사하기 위해서 많은 동물 중에서 특별히 선택된 것들이다. 그리하여 그 신분에 알맞은 모습으로 조형화되었다.

① (가) – (나) – (라) – (다)
② (가) – (다) – (나) – (라)
③ (나) – (가) – (다) – (라)
④ (나) – (다) – (라) – (가)

03

난이도 ★★☆

해설 ④ (가) - (라) - (다) - (나)의 순서가 가장 자연스럽다.

순서	중심 내용	순서 판단의 단서와 근거
(가)	생명체들은 감각을 갖고 태어나는데 그중 일부는 감각으로부터 기억이 생겨나고, 기억을 통해 배움을 얻음	지시어나 접속어로 시작하지 않으면서 '생명체'라는 '인간'의 상위 개념을 제시함
(라)	인간의 경우 기억으로부터 경험이 생겨나고, 경험의 결과로 기술이 생겨남	키워드 '인간의 경우': 생명체의 하위 개념인 '인간'을 사례로 들어 설명하므로 (가) 뒤에 오는 것이 적절함
(다)	기술 중에는 여가의 삶을 위한 이론적 기술이 필요에 의한 기술보다 더욱 지혜로움	접속어 '하지만': (라)의 마지막 문장 내용과 달리 '기술'의 발생은 두 가지 원인으로 분류됨
(나)	감각보다 경험이, 경험보다 기술이 지혜로우며 이론적 지식이 실천적 지식보다 더욱 지혜로움	키워드 '앞에서 말했듯이': (다)의 내용을 요약하여 다시 설명함

04

난이도 ★★☆

해설 ③ '(나) - (가) - (다) - (라)'의 순서가 가장 자연스럽다.

순서	중심 내용	순서 판단의 단서와 근거
(나)	인류가 남긴 미술 작품에는 다양한 동물들이 등장함	제시문의 중심 화제인 '미술 작품에 등장하는 동물'에 대해 언급함
(가)	미술 작품에 등장하는 동물은 종교적·주술적인 동물, 신을 위한 동물, 인간을 위한 동물로 구분됨	키워드 '미술 작품에 등장하는 동물': 미술 작품에 등장하는 동물들을 성격에 따라 분류하고 있으므로 (나) 뒤에 이어지는 것이 자연스러움
(다)	종교적·주술적 성격의 동물은 인간의 이지가 발달함에 따라 그 기능이 변화되었음	키워드 '종교적·주술적인 성격의 동물': (가)에서 언급한 첫 번째 유형인 '종교적·주술적인 동물'에 대해 설명함
(라)	신의 위엄을 뒷받침하고 신의 치세를 돕기 위해 동물이 조형화되기도 함	키워드 '신의 권위를 강조하기 위한 것': (가)에서 언급한 두 번째 유형인 '신을 위한 동물'에 대해 설명함

05

[2017년 국가직 9급 (4월)]

내용의 전개에 따라 바르게 배열한 것은?

(가) 사물은 저것 아닌 것이 없고, 또 이것 아닌 것이 없다. 이쪽에서 보면 모두가 저것, 저쪽에서 보면 모두가 이것이다.

(나) 그러므로 저것은 이것에서 생겨나고, 이것 또한 저것에서 비롯된다고 한다. 이것과 저것은 저 혜시(惠施)가 말하는 방생(方生)의 설이다.

(다) 그래서 성인(聖人)은 이런 상대적인 방법에 의하지 않고, 그것을 절대적인 자연의 조명(照明)에 비추어 본다. 그리고 커다란 긍정에 의존한다. 거기서는 이것이 저것이고 저것 또한 이것이다. 또 저것도 하나의 시비(是非)이고 이것도 하나의 시비이다. 과연 저것과 이것이 있다는 말인가. 과연 저것과 이것이 없다는 말인가.

(라) 그러나 그, 즉 혜시(惠施)도 말하듯이 삶이 있으면 반드시 죽음이 있고, 죽음이 있으면 반드시 삶이 있다. 역시 된다가 있으면 안 된다가 있고, 안 된다가 있으면 된다가 있다. 옳다에 의거하면 옳지 않다에 기대는 셈이 되고, 옳지 않다에 의거하면 옳다에 의지하는 셈이 된다.

① (가) – (나) – (다) – (라)
② (가) – (나) – (라) – (다)
③ (가) – (다) – (나) – (라)
④ (가) – (라) – (나) – (다)

06

[2016년 국가직 7급]

다음 글을 문맥에 맞게 배열한 것은?

욕은 공격성의 표현이자, 말로 하는 폭력이다. 아이가 욕을 배워 친구 앞에서 욕을 하는 것은 어른 세계에 대한 반항이자 거기서 벗어나고 싶다는 표현이다.

(가) 그들이 집회에서 내뱉는 폭언은 자신들과 기성세대의 차이를 분명하게 구분 짓는 행동 양식이었다. 기성세대와는 다른 그들만의 독자성을 가진 집단을 만들어 내기 위한 방법이었다.

(나) 그러나 욕은 특수 용어가 아니다. 특수 용어는 개념을 더 정확하게 나타내고 미묘한 뉘앙스 차이를 분명하게 한다. 언어 그 자체를 약화시키는 것이 아니라 오히려 이해에 도움을 주는 것이다. 하지만 욕과 같은 추한 말은 언어를 저하시키고 못쓰게 만든다.

(다) 1968년 이탈리아에서 학생운동이 시작되었을 당시, 학생들이 귀에 담기에 힘든 폭언을 내뱉은 것도 같은 이유에서였다. 자신들은 규범을 깨뜨릴 것이며 이제 기성세대에, 국가 권력에 따르지 않겠다는 성명이었다. 학생 집회에 참가했던 사람들은 놀라서 그 자리에 못이 박히고 말았다. 입만 열면 욕설이 난무하는 집단 속에서는 말을 할 수가 없었다. 바보나 멍청이로밖에 보이지 않을 것이기 때문이다. 그렇다고 해서 학생들 흉내를 내며 학생들 편에 설 수도 없었다.

(라) 어떤 집단이나 직업에도 특수한 말이 있다. 의사, 변호사, 공증인 등 이들이 외부 사람들이 알아듣기 어려운 전문 용어를 쓰는 것은 동료 간의 의사소통에 편리할 뿐만 아니라 타 분야와 확실히 구별을 짓고 싶기 때문이다. 그래서 화자가 특수 용어를 쓰지 않고 일반적인 말을 쓰면 그 분야 사람들은 화를 낸다. 배신당한 기분이 들기 때문이다.

① (다) – (가) – (나) – (라)
② (다) – (가) – (라) – (나)
③ (라) – (나) – (가) – (다)
④ (라) – (나) – (다) – (가)

05   난이도 ★★☆

해설 ② (가) - (나) - (라) - (다)의 순서가 가장 자연스럽다.

순서	중심 내용	순서 판단의 단서와 근거
(가)	사물은 모두 이쪽에서 보면 저것이고 저쪽에 서 보면 이것임	접속어로 시작하지 않으면서, 중심 화제가 되는 상대적 관점에 대해 서 술함
(나)	그러므로 저것은 이것 에서, 이것은 저것에 서 생겨남. 이것과 저 것은 혜시가 말하는 방 생의 설임	접속어 '그러므로': (가)에 따른 결과 를 나타냄
(라)	혜시가 말하듯 '삶·죽 음', '된다·안 된다', '옳다·옳지 않다'로 보 는 것은 상대적인 것에 의지하는 것임	• 접속어 '그러나': (나)의 관점에 따 른 한계를 나타냄 • 키워드 '혜시': (나)에서 언급된 '혜시'가 (라)에서 반복됨
(다)	성인(聖人)은 상대적 인 관점에 의하지 않 고, 절대적이고 긍정 적인 관점을 취함	• 접속어 '그래서':(라)에 나타난 상 대적 관점의 맹점을 극복한 성인 의 새로운 관점을 제시함 • 지시 표현 '이런 상대적인 방법': 앞서 언급된 방법(관점)을 가리킴

06   난이도 ★★☆

해설 ② (다) - (가) - (라) - (나)의 순서가 가장 자연스럽다.

순서	중심 내용	순서 판단의 단서와 근거
(가)의 앞	욕의 공격성과 아이가 욕을 하는 이유	-
(다)	1968년 이탈리아의 학생운동에서 학생들 이 폭언을 내뱉은 이유	키워드 '같은 이유': 첫 문단의 아이 가 욕을 하는 이유와 (다)의 내용이 같음을 의미함
(가)	학생들은 폭언을 통해 기성세대와 차이를 만 들어 냄	지시 표현 '그들': (다)의 '학생들'을 가리킴
(라)	어떤 집단이나 직업에 서는 타 분야와 구별을 짓기 위해 특수 용어를 사용함	'욕'처럼 말을 통해 자신의 집단과 다 른 집단을 구분 짓는 또 다른 사례를 제시함
(나)	특수 용어는 개념의 이 해에 도움을 주지만 욕 은 언어를 저하시킴	접속어 '그러나': (라)에서 언급한 '특수 용어'와 '욕'의 차이점을 설명 함

07   [2015년 지방직 9급]

다음 글의 전개 순서로 가장 자연스러운 것은?

> (가) 21세기 인류의 운명은 과학 기술 체계에 부여된 힘이 어떻게 사용되는가에 따라서 좌우될 것이다. 기술 공학에 의해 새로운 유토피아가 도래할 것이라는 소박하고 성급한 희망과, 기술이 인간을 대신해서 역사의 주체로 등극하리라는 허무주의적인 전망이 서로 엇갈리는 기로에 우리는 서 있다. 기술 공학적 질서의 본질과 영향력을 고려하지 않은 모든 문화론은 공허할 수밖에 없다.
>
> (나) 그러나 모든 생산 체제가 중앙 집중적인 기업 문화를 포기할 수는 없으며, 기업 문화의 전환은 어디까지나 조직의 자기 보존, 생산의 효율성, 이윤의 극대화 등을 달성하기 위한 것이다. 또 무엇보다 기업 내부의 문화적 전환을 떠나서 환경이나 자원, 에너지 등의 범사회적인 문제들이 심각해질수록 사람들은 기술 공학의 마술적 힘에 매달리고, 그러한 위기들을 중앙 집중적 권력에 의해 효과적으로 통제·관리하는 기술 사회에 대한 유혹을 강하게 느낄 것이다.
>
> (다) 기술적 질서는 자연은 물론 인간들의 삶의 방식에도 심층적인 변화를 초래했다. 관리 사회로의 이행이나 노동 과정의 자동화 등은 사회 공학적 기술이 정치 부문과 생산에 적용된 대표적인 사례들이다. 물론 기술 사회가 반드시 획일화된 관리 사회나 중앙 집권적 기업 문화로만 대표되지는 않는다. 소프트웨어 중심의 컴퓨터 산업이나 초전도체 산업 등 고도 기술 사회의 일부 산업 분야는 중앙 집권적 기업 문화를 지양하고 자율성과 개방성을 특징으로 지니는 유연한 체제를 채택할 것이라는 견해가 상당히 유력하다.
>
> (라) 생활 세계의 질서를 좌우하고 경제적 행위의 목적으로 자리 잡은 기술은 더 이상 상품의 부가 가치를 높여 주는 생산 수단만으로 이해되지 않는다. 기술의 체계는 이제 여러 연관된 기술들과 기술적 지식들에 의해서 구성된 유기적인 앙상블로 기능하는 것이다. 기술은 그 자체의 질서와 역동성을 지니는 체계이며 유사 주체로서의 양상을 보이기 때문이다.

① (가) - (나) - (다) - (라)
② (가) - (나) - (라) - (다)
③ (가) - (다) - (나) - (라)
④ (가) - (라) - (다) - (나)

08   [2015년 지방직 7급]

다음 글의 전개 순서로 가장 자연스러운 것은?

> (가) 현대 사회에서의 사회계층은 일반적으로 학력, 직업, 재산이나 수입 등의 요소를 기준으로 구분한다. 이에 따른 사회계층의 분화가 분명히 상정될 수 있을 때 그에 상응하여 언어 분화의 존재도 인정될 터이지만 현대 한국 사회는 그처럼 계층 사이의 경계가 확연한 그런 사회가 아니다. 언어와 연관해서는 그저 특정 직업 또는 해당 지역의 주요 산업에 의거한 구분 정도가 제기될 수 있을 뿐이다.
>
> (나) 사회계층은 한 사회 안에서 경제적·신분적으로 구별되는 인간 집단을 말한다. 그러기에 동일한 계층에 속하는 구성원들끼리 사회적으로 더 많이 접촉하며, 상이한 계층에 속하는 구성원들 사이에 그러한 접촉이 훨씬 더 적은 것은 매우 자연스러운 일이다.
>
> (다) 그런데 한 사회를 구성하는 성원들 사이에 접촉이 적어지고 그러한 상태가 오래 지속되면 언어적으로 분화가 이루어진다. 이러한 사실을 고려할 때 사회계층의 구별이 엄격한 사회일수록 그에 따른 언어 분화가 쉬 일어나리라는 점은 충분히 예상하고도 남는다. 반상(班常)의 구별이 있었던 한국의 전통 사회에서 양반과 평민(상민, 서얼 등)의 언어가 달랐다는 여럿의 보고가 이러한 사실을 뒷받침해 준다.
>
> (라) 그렇더라도 사회계층에 따른 언어의 변이를 확인하려는 시도가 전혀 없었던 것은 아니다. '잽히다(잡히다)' 등에 나타나는 움라우트의 실현율이 학력과 밀접히 관련된다는 보고는 바로 그러한 시도 중의 하나라할 수 있다.

① (가) - (다) - (나) - (라)
② (가) - (라) - (나) - (다)
③ (나) - (다) - (가) - (라)
④ (나) - (라) - (가) - (다)

07

해설 ③ (가) - (다) - (나) - (라)의 순서가 가장 자연스럽다.

순서	중심 내용	순서 판단의 단서와 근거
(가)	• 21세기 인류의 운명은 과학 기술 체계에 부여된 힘이 어떻게 사용되는가에 따라서 좌우될 것임 • 기술 공학적 질서의 본질과 영향력을 고려하지 않은 문화론은 공허함	지시 표현이나 접속어로 시작하지 않으며 글의 중심 화제인 '기술 공학적 질서'를 제시함
(다)	• 기술적 질서는 인간들의 삶의 방식에 심층적인 변화를 초래함 • 일부 기술 산업 분야는 중앙집권적 기업 문화를 지양하고 유연한 체제를 채택할 것임	키워드 '기술적 질서': (가) 마지막 문장의 '기술 공학적 질서'가 변형되어 반복됨
(나)	• 모든 생산 체제가 중앙 집중적인 기업 문화를 포기할 수는 없음 • 사람들은 중앙 집권적 권력이 통제하는 기술 사회에 대한 유혹을 느끼게 될 것임	• 접속어 '그러나': (다)의 마지막 문장과 상반되는 내용이 (나)에 제시됨 • 키워드 '중앙 집중적인 기업 문화': (다) 마지막 문장의 '중앙 집권적 문화'가 변형되어 반복됨
(라)	기술은 더 이상 상품의 부가 가치를 높여 주는 생산 수단만으로 이해되지 않음. 유기적인 앙상블로 기능함	(가)~(다)를 종합하여 현대 사회에서 기술의 의미와 그 기능에 대해 언급함

08

해설 ③ (나) - (다) - (가) - (라)의 순서가 가장 자연스럽다.

순서	중심 내용	순서 판단의 단서와 근거
(나)	• '사회계층'의 의미 • 상이한 계층 간의 접촉은 동일한 계층 간의 접촉보다 훨씬 더 적음	중심 화제 중 하나인 '사회계층'의 개념을 제시함
(다)	• 사회 구성원 간 접촉이 적어진 상태가 지속되면 언어적 분화가 이루어짐 • 사회 계층의 구별이 엄격한 사회일수록 언어 분화가 쉽게 일어남	키워드 '접촉': (나)에서 언급된 키워드가 반복됨
(가)	현대 한국 사회는 계층 사이의 경계가 확연한 사회가 아니므로, 언어 분화가 적게 나타남	키워드 '현대 사회': (다)의 마지막에서 '전통 사회'를 언급하였으므로, 그에 대응하는 '현대 사회'에 대한 내용을 제시함
(라)	사회 계층에 따른 언어의 변이를 확인하려는 시도가 전혀 없었던 것은 아님	접속어 '그렇더라도': (가)의 내용과 상반된 내용인 '계층에 따른 언어 변이 현상'의 예를 덧붙임

• 2. 문장 배열

09

[2021년 국가직 9급]

㉠~㉤의 전개 순서로 가장 자연스러운 것은?

> 폭설, 즉 대설이란 많은 눈이 시간적, 공간적으로 집중되어 내리는 현상을 말한다.
> ㉠ 그런데 눈은 한 시간 안에 5cm 이상 쌓일 수 있어 순식간에 도심 교통을 마비시키는 위력을 가지고 있다.
> ㉡ 또한, 경보는 24시간 신적설이 20cm 이상 예상될 때이다.
> ㉢ 다만, 산지는 24시간 신적설이 30cm 이상 예상될 때 발령된다.
> ㉣ 이때 대설의 기준으로 주의보는 24시간 새로 쌓인 눈이 5cm 이상이 예상될 때이다.
> ㉤ 이뿐만 아니라 운송, 유통, 관광, 보험을 비롯한 서비스 업종과 사회 전반에 영향을 미친다.

① ㉠-㉤-㉡-㉢-㉣
② ㉠-㉣-㉤-㉢-㉡
③ ㉣-㉡-㉢-㉠-㉤
④ ㉣-㉠-㉤-㉢-㉡

10

[2020년 국가직 7급]

다음 글의 전개 순서로 가장 자연스러운 것은?

> (가) 이처럼 면 대 면 소통에는 시간과 공간의 제약이 따른다.
> (나) 인간의 소통 방식 중 가장 오래되고 직접적인 것은 면 대 면 소통이다.
> (다) 그러나 점차 매체가 발달함에 따라 현대 사회에서는 인간이 시간과 공간의 제약을 벗어나 전신, 전파, 인터넷 등을 통해 의미를 주고받는 다양한 소통 방식이 가능해졌다.
> (라) 면 대 면 소통은 소통에 참여하는 사람들이 같은 시간과 공간에 존재하면서 음성, 몸짓, 표정 등을 통해 의미를 주고받는 방식으로 이루어진다.

① (나)-(라)-(가)-(다)
② (나)-(라)-(다)-(가)
③ (라)-(가)-(나)-(다)
④ (라)-(나)-(다)-(가)

11

[2020년 지방직 9급]

다음 글의 전개 순서로 가장 자연스러운 것은?

> ㄱ. 1700년대 중반에 이미 미국 이주민들의 평균 소득은 영국인들의 평균 소득을 넘어섰다.
> ㄴ. 그러나 미국은 사실 그러한 분야에서는 다른 산업 국가들에 비해 특별한 우위를 갖고 있지 않았다.
> ㄷ. 미국 이주민들의 평균 소득이 높아지게 된 배경에는 좋은 환경으로부터 비롯된 낙관성과 자신감이 있었다. 이후로도 다소 불안정하기는 했지만 미국인들의 소득은 계속해서 크게 증가했다.
> ㄹ. 대부분의 미국인들은 남북 전쟁 이후 급속히 경제가 성장한 이유를 농업적 환경뿐만 아니라 19세기의 과학적, 기술적 대전환, 기업가 정신과 규제가 없는 시장 경제 때문이라고 단순하게 생각하는 경향이 있다.
> ㅁ. 미국인들이 이처럼 초기 정착기에 풍요로움을 누릴 수 있었던 것은 비옥한 토지, 풍부한 천연자원, 흑인 노동력에 힘입은 농산물 수출 덕분이었다.

① ㄱ-ㄷ-ㅁ-ㄹ-ㄴ
② ㄱ-ㄹ-ㄷ-ㄴ-ㅁ
③ ㄹ-ㄴ-ㅁ-ㄱ-ㄷ
④ ㄹ-ㅁ-ㄴ-ㄷ-ㄱ

12

[2020년 지방직 7급]

㉠~㉣의 전개 순서로 가장 자연스러운 것은?

> 1900년대 이후로 다른 문자를 지양하고 한글로만 문자 생활을 영위하고자 하는 경향이 나타났다.
> ㉠ 이에 따라 각급 학교 교재에 한자는 괄호 안에 넣는 조치를 취했다.
> ㉡ 그 과정에서 그들이 가장 고심했던 일은 우리말 어휘의 반 이상을 차지하는 한자어를 어떻게 처리하느냐 하는 것이었다.
> ㉢ 한글학회의 『큰사전』에서는 모든 단어의 표제어는 한글로 적었고 괄호 속에 한자, 로마자 등 다른 문자를 병기하였다.
> ㉣ 이로 인해 1930년대 이후에 우리 어문 연구가들은 맞춤법과 외래어 표기법을 제정하고 표준어를 사정하였으며 이를 바탕으로 사전 편찬 사업을 추진했다.

① ㉡-㉠-㉢-㉣
② ㉡-㉣-㉠-㉢
③ ㉣-㉡-㉢-㉠
④ ㉣-㉢-㉠-㉡

09 난이도 ★★☆

해설 ③ ㉣-㉡-㉢-㉠-㉤의 순서가 가장 자연스럽다.

순서	중심 내용	순서 판단의 단서와 근거
㉠의 앞	대설(폭설)의 정의	-
㉣	대설 주의보의 기준	앞서 설명한 '대설'의 개념에 더하여 '대설 주의보'의 기준을 설명하고 있음
㉡	대설 경보의 기준	접속어 '또한': ㉣에서 설명한 '대설 주의보'의 기준에 이어 '대설 경보'의 기준을 소개함
㉢	산지에서의 대설 경보의 기준	접속어 '다만': ㉡의 설명에 예외적인 사항을 덧붙임
㉠	눈의 위력 1: 도시 교통을 마비시킴	접속어 '그런데': 앞에 내용과 관련시키면서 내용을 다른 방향으로 이끌어 나감
㉤	눈의 위력 2: 서비스업종과 사회 전반에 미치는 영향	접속 표현 '이뿐만 아니라': ㉠에서 설명한 내용을 덧붙여 또 다른 눈의 위력에 대해 설명함

10 난이도 ★☆☆

해설 ① (나) - (라) - (가) - (다)의 순서로 배열되는 것이 가장 자연스러우므로 답은 ①이다.

순서	중심 내용	순서 판단의 단서와 근거
(나)	가장 오래되고 직접적인 소통 방식인 면 대 면 소통	지시 표현이나 접속어로 시작하지 않으며 글의 중심 화제인 '면 대 면 소통'을 제시함
(라)	면 대 면 소통이 이루어지는 방식	(나)에서 제시한 '면 대 면 소통'이 이루어지는 방식을 구체적으로 설명함
(가)	면 대 면 소통에는 시공간적 제약이 따름	지시 표현 '이처럼': (라)에서 언급한 '면 대 면 소통'의 방식을 가리킴
(다)	매체의 발달을 통해 소통의 시공간적 제약을 극복함	접속어 '그러나': (가)의 내용과 상반된 내용을 제시함

11 난이도 ★★☆

해설 ① ㄱ-ㄷ-ㅁ-ㄹ-ㄴ의 순서가 가장 자연스럽다.

순서	중심 내용	순서 판단의 단서와 근거
ㄱ	1700년대 중반에 미국 이주민들의 평균 소득 수준	지시어나 접속어로 시작하지 않으면서 '미국 이주민들의 평균 소득'이라는 중심 화제를 제시함
ㄷ	미국 이주민들의 평균 소득이 높아지게 된 배경과 계속된 소득의 증가세	ㄱ의 중심 화제인 '미국 이주민들의 평균 소득'이 높아진 배경을 이어서 설명함
ㅁ	초기 정착기에 미국인들이 부유할 수 있었던 실제 이유	지시어 '이처럼': ㄷ에서 설명한 '미국 이주민들의 평균 소득이 높아진 상황'을 가리킴
ㄹ	대부분의 미국인들이 생각하는 급속한 경제 성장의 이유	미국인들이 생각하는 초기 경제 성장의 원동력은 ㅁ에서 언급한 농업적 환경뿐이 아님을 밝힘
ㄴ	(과학·기술의 전환, 기업가 정신, 시장 경제의 자유의 측면에서) 미국은 다른 산업 국가들에 비해 우위를 갖고 있지 않았음	• 지시어 '그러한': ㄹ에서 설명한 '과학·기술의 전환, 기업가 정신, 시장 경제의 자유'를 가리킴 • 접속어 '그러나': 앞에서 설명한 내용과 달리 미국은 다른 산업 국가들에 비해 우위를 가진 분야가 없었음을 밝힘

12 난이도 ★★☆

해설 ③ ㉣-㉡-㉢-㉠의 순서가 가장 자연스럽다.

순서	중심 내용	순서 판단의 단서와 근거
㉠의 앞	1900년대 이후 한글로만 문자 생활을 영위하려는 경향이 나타남	-
㉣	1930년대 이후 사전 편찬 사업이 추진됨	지시 표현 '이로 인해': 앞 문장의 '한글로만 문자 생활을 영위하고자 하는 경향'을 가리킴
㉡	어문 연구가들이 사전 편찬 과정에서 한자어 처리 방안을 고심함	• 지시 표현 '그 과정': ㉣에 제시된 '사전 편찬 과정'을 의미함 • 지시 표현 '그들': ㉣에 제시된 '우리 어문 연구가들'을 가리킴
㉢	한글학회의 『큰사전』에서 한글이 아닌 다른 문자는 괄호 안에 병기함	㉡에서 언급한 한자어 처리 문제에 대한 해결 방안이 ㉢에 제시됨
㉠	각급 학교 교재에도 한자는 괄호 안에 넣어 표기함	지시 표현 '이에 따라': ㉢에서 제시한 『큰사전』 표제어 병기 방식을 가리킴

13

[2019년 국회직 8급]

(가)~(마)의 글을 논리적 순서에 맞게 나열한 것은?

(가) 흔히 방언에 따라 발음이 다르다고 하는 것은 이러한 상황을 가리키는 것에 불과하다.

(나) 그런데 언어 변화는 지역에 따라 차이를 보이기도 하고, 동일한 지역이라도 성별이나 연령, 계층 등의 사회적 변수에 따라 달리 진행되기도 한다.

(다) 만약 언어 변화가 모든 지역의 모든 언중에게서 같은 모습으로 나타난다면 발음의 변이란 생길 수가 없다.

(라) 발음의 변이가 나타나는 가장 중요한 이유는 언어 변화가 일률적으로 일어나지 않은 데 있다.

(마) 이처럼 언어 변화가 여러 조건들에 따라 상이하게 이루어지기 때문에 그와 더불어 발음의 변이도 발생하게 된다.

① (가) – (나) – (라) – (마) – (다)
② (다) – (나) – (마) – (라) – (가)
③ (다) – (라) – (나) – (가) – (마)
④ (라) – (가) – (다) – (나) – (마)
⑤ (라) – (다) – (나) – (마) – (가)

14

[2017년 지방직 9급 (12월)]

문맥에 따른 배열로 가장 적절한 것은?

(가) 그러나 사람들은 소유에서 오는 행복은 소중히 여기면서 정신적 창조와 인격적 성장에서 오는 행복은 모르고 사는 경우가 많다.

(나) 소유에서 오는 행복은 낮은 차원의 것이지만 성장과 창조적 활동에서 얻는 행복은 비교할 수 없이 고상한 것이다.

(다) 부자가 되어야 행복해진다고 생각하는 사람은 스스로 부자라고 만족할 때까지는 행복해지지 못한다.

(라) 하지만 최소한의 경제적 여건에 자족하면서 정신적 창조와 인격적 성장을 꾀하는 사람은 얼마든지 차원 높은 행복을 누릴 수 있다.

(마) 자기보다 더 큰 부자가 있다고 생각될 때는 여전히 불만과 불행에 사로잡히기 때문이다.

① (나) – (라) – (가) – (다) – (마)
② (나) – (가) – (마) – (라) – (다)
③ (다) – (마) – (라) – (나) – (가)
④ (다) – (라) – (마) – (가) – (나)

15

[2019년 서울시 7급 (10월)]

〈보기1〉에 이어질 글을 〈보기2〉에서 찾아 순서대로 바르게 나열한 것은?

───── 〈보기1〉 ─────

구글은 몇 년 전부터 독감 관련 검색어에 대한 연구를 실시했다.

───── 〈보기2〉 ─────

(가) 다시 말해 독감과 관련된 단어 검색량을 보면, 실제 독감 환자 수, 독감 유행지역 등을 예측할 수 있다는 뜻이다.

(나) 그리고 이러한 패턴을 미국 질병통제예방센터 데이터와 비교해보았더니, 검색 빈도와 독감 증세를 보인 환자 수 사이에 매우 밀접한 상관관계가 있다는 사실을 발견했다.

(다) 이는 검색 빈도수가 개인의 생활을 반영한다는 평범한 사실을 보여주지만, 여기에 개인의 유전 정보와 진료 정보 등이 합쳐지면 세계 시민의 보건복지에 크게 기여할 수 있다는 것이 구글의 주장이다.

(라) 그 결과, 매년 독감 시즌마다 특정 검색어(독감 이름, 독감 예방법 등) 패턴이 눈에 띄게 증가하는 것을 발견했다.

① (가) – (나) – (라) – (다)
② (가) – (라) – (나) – (다)
③ (라) – (가) – (나) – (다)
④ (라) – (나) – (가) – (다)

13

난이도 ★★☆

해설 ⑤ (라) - (다) - (나) - (마) - (가)의 순서가 가장 자연스럽다.

순서	중심 내용	순서 판단의 단서와 근거
(라)	발음의 변이는 언어 변화가 일률적이지 않기 때문에 일어남	지시어나 접속어로 시작하지 않으면서 '언어 변화와 발음의 변이'라는 중심 화제를 제시하고 있음
(다)	언어 변화가 모든 지역과 언중에게 동일하게 일어난다면 발음의 변이는 생기지 않음	(라)에서 언급한 '발음의 변이'가 일어나지 않는 상황을 가정하여 중심 화제에 대해 부연 설명함
(나)	언어 변화는 지역적, 사회적 변수에 따라 다르게 진행됨	접속어 '그런데': 언어 변화가 모든 지역과 언중에게 동일하게 일어나는 것을 가정한 (다)의 내용과 상반되는 내용을 제시함
(마)	여러 조건에 의해 언어 변화가 발생하고 이에 따라 발음의 변이도 발생하게 됨	지시어 '이처럼': 변수에 따라 언어 변화가 달리 진행된다는 (나)의 내용을 가리킴
(가)	방언에 따라 발음이 다른 것은 이러한 상황을 말하는 것임	지시 표현 '이러한 상황': (마)에서 언급한 여러 조건에 따라 일어나는 언어 변화로 인한 발음의 변이가 발생하는 상황을 가리킴

14

난이도 ★★☆

해설 ③ (다) - (마) - (라) - (나) - (가)의 순서가 가장 적절하다.

순서	중심 내용	순서 판단의 단서와 근거
(다)	부자가 되어야 행복해진다고 생각하는 사람은 행복을 느끼기 어려움	접속어나 지시어로 시작하지 않으면서 글의 중심 화제인 '행복'의 기준을 제시함
(마)	자신보다 경제적으로 풍요로운 사람이 있다고 생각할 때 불만과 불행을 느낌	(다)에서 언급한 내용에 대한 근거를 제시함
(라)	최소한의 경제적 여건에서도 정신적 창조와 인격적 성장을 통해 행복을 누릴 수 있음	접속어 '하지만': (다), (마)의 내용과 상반되는 내용이 이어짐
(나)	소유에서 얻는 행복과 달리 성장과 창조적 활동에서 얻는 행복은 고상함	키워드 '성장과 창조적 활동에서 얻는 행복': (라)에서 언급한 '정신적 창조와 인격적 성장'을 비슷한 용어로 반복 설명함
(가)	사람들은 성장과 창조적 활동에서 얻는 행복에 대해 무지한 경우가 많음	접속어 '그러나': 창조와 성장에서 얻는 행복의 가치를 강조하는 (나)와 대립되는 내용이 이어짐

15

난이도 ★★☆

해설 ④ (라) - (나) - (가) - (다)의 순서가 가장 자연스럽다.

순서	중심 내용	순서 판단의 단서와 근거
〈보기1〉	구글은 몇 년 전부터 독감 관련 검색어에 대한 연구를 실시함	-
(라)	매년 독감 시즌마다 독감 관련 검색어 패턴이 눈에 띄게 증가함	지시어 '그 결과': 〈보기1〉에서 언급한 연구에 대한 결과를 가리킴
(나)	검색 빈도와 독감 증세를 보인 환자 수 사이에 밀접한 상관관계가 있음	지시어 '이러한 패턴': (라)의 특정 검색어 패턴을 가리킴
(가)	독감 관련 단어 검색량을 통해 실제 독감 환자 수, 독감 유행 지역 등을 예측할 수 있음	키워드 '다시 말해': (나)에서 언급한 '검색 빈도와 독감 증세를 보인 환자 수 사이의 상관관계'를 구체적으로 설명함
(다)	구글은 검색 빈도수가 개인의 생활을 반영하고, 나아가 이를 활용하면 세계 시민의 보건 복지에 크게 기여할 수 있음을 주장함	지시어 '이는': (가)의 내용을 가리키면서 그와 관련된 내용을 정리함

16

[2017년 서울시 9급]

다음 문장들을 두괄식 문단으로 구성하고자 할 때, 문맥상 가장 먼저 와야 할 문장은?

> ㉠신라의 진평왕 때 눌최는 백제국의 공격을 받았을 때 병졸들에게, "봄날 온화한 기운에는 초목이 모두 번성하지만 겨울의 추위가 닥쳐오면 소나무와 잣나무는 늦도록 잎이 지지 않는다. ㉡이제 외로운 성은 원군도 없고 날로 더욱 위태로우니, 이것은 진실로 지사·의부가 절개를 다하고 이름을 드러낼 때이다."라고 훈시하였으며 분전하다가 죽었다. ㉢선비 정신은 의리 정신으로 표현되는 데서 그 강인성이 드러난다. ㉣죽죽(竹竹)도 대야성에서 백제 군사에 의하여 성이 함락될 때까지 항전하다가 항복을 권유받자, "나의 아버지가 나에게 죽죽이라 이름 지어 준 것은 내가 추운 겨울에도 잎이 지지 않으며 부러질지언정 굽힐 수 없도록 하려는 것이었다. 어찌 죽음을 두려워하여 살아서 항복할 수 있겠는가."라고 결의를 밝혔다.

① ㉠   ② ㉡

③ ㉢   ④ ㉣

17

[2015년 국가직 9급]

다음을 논리적 순서로 배열한 것은?

> ㄱ. 그 덕분에 인류의 문명은 발달될 수 있었다.
> ㄴ. 그 대신 사람들은 잠을 빼앗겼고 생물들은 생체 리듬을 잃었다.
> ㄷ. 인간은 오랜 세월 태양의 움직임에 따라 신체 조건을 맞추어 왔다.
> ㄹ. 그러나 밤에도 빛을 이용해 보겠다는 욕구가 관솔불, 등잔불, 전등을 만들어 냈고, 이에 따라 밤에 이루어지는 인간의 활동이 점점 많아졌다.

① ㄱ - ㄴ - ㄷ - ㄹ   ② ㄴ - ㄱ - ㄹ - ㄷ

③ ㄷ - ㄹ - ㄱ - ㄴ   ④ ㄹ - ㄷ - ㄴ - ㄱ

18

[2015년 서울시 9급]

다음 문장들을 미괄식 문단으로 구성하고자 할 때 문맥상 전개 순서로 가장 옳은 것은?

> ㄱ. 숨 쉬고 마시는 공기와 물은 이미 심각한 수준으로 오염된 경우가 많고, 자원의 고갈, 생태계의 파괴는 더 이상 방치할 수 없는 지경에 이르고 있다.
> ㄴ. 현대인들은 과학 기술이 제공하는 물질적 풍요와 생활의 편리함의 혜택 속에서 인류의 미래를 낙관적으로 전망하기도 한다.
> ㄷ. 자연 환경의 파괴뿐만 아니라 다양한 갈등으로 인한 전쟁의 발발 가능성은 도처에서 높아지고 있어서, 핵전쟁이라도 터진다면 인류의 생존은 불가능해질 수도 있다.
> ㄹ. 이런 위기들이 현대 과학 기술과 밀접한 관계가 있다는 사실을 알게 되는 순간, 과학 기술에 대한 지나친 낙관적 전망이 얼마나 위험한 것인가를 깨닫게 된다.
> ㅁ. 오늘날 주변을 돌아보면 낙관적인 미래 전망이 얼마나 가벼운 것인지를 깨닫게 해 주는 심각한 현상들을 쉽게 찾아볼 수 있다.

① ㄱ - ㄷ - ㅁ - ㄹ - ㄴ

② ㄴ - ㄹ - ㅁ - ㄱ - ㄷ

③ ㄴ - ㅁ - ㄱ - ㄷ - ㄹ

④ ㅁ - ㄹ - ㄱ - ㄷ - ㄴ

16 난이도 ★☆☆

해설 ③ 두괄식 문단으로 구성하기 위해서는 중심 문장이 문단의 가장 처음에 와야 한다. 제시문의 중심 내용은 '선비 정신의 강인성'이므로, 이에 대해 진술한 문장인 ⓒ이 문단의 가장 처음에 배치되어야 한다. 따라서 답은 ③이다.

오답 분석 ①② ㉠, ㉡은 주제와 관련된 눌최의 일화로, 부분적인 내용이므로 두괄식 문단의 첫머리에 올 수 없다.

④ ②은 주제와 관련된 죽죽의 일화로, 부분적인 내용이므로 두괄식 문단의 첫머리에 올 수 없다.

18 난이도 ★★☆

해설 ③ ㄴ - ㅁ - ㄱ - ㄷ - ㄹ의 순서가 가장 자연스럽다.

순서	중심 내용	순서 판단의 단서와 근거
ㄴ	현대인들은 과학 기술이 제공하는 이점 때문에 인류의 미래를 낙관적으로 전망하기도 함	'현대인들은 과학 기술이 제공하는 이점 때문에 미래를 낙관적으로 전망한다'는 화두를 제시하여 논의를 시작하고 있음
ㅁ	주변에서 낙관적인 미래 전망이 가벼운 것임을 깨닫게 해 주는 심각한 현상을 쉽게 찾아볼 수 있음	키워드 '낙관적인 미래 전망': ㄴ에서 언급된 내용이 반복됨
ㄱ	심각한 현상의 예 1: 공기와 물의 오염, 자원의 고갈, 생태계의 파괴	ㅁ에서 언급한 '심각한 현상'의 예를 제시함
ㄷ	심각한 현상의 예 2: 전쟁의 발발 가능성이 높아짐	키워드 '자연 환경의 파괴뿐만 아니라': ㄱ에서 언급한 예에 이어 또 다른 예를 덧붙임
ㄹ	과학 기술에 대한 지나친 낙관적 전망은 위험함	지시 표현 '이런 위기들': ㄱ, ㄷ에서 언급한 심각한 현상들을 가리킴

17 난이도 ★☆☆

해설 ③ ㄷ - ㄹ - ㄱ - ㄴ의 순서가 가장 자연스럽다.

순서	중심 내용	순서 판단의 단서와 근거
ㄷ	인간은 오랜 세월 태양의 움직임에 따라 신체 조건을 맞추어 왔음	지시어와 접속어로 시작되지 않는 ㄷ이 가장 먼저 오는 문장으로 적절함
ㄹ	조명 도구의 개발로 밤에 이루어지는 인간의 활동이 점점 많아짐	접속어 '그러나': ㄷ의 내용과 상반되는 내용이 이어짐
ㄱ	조명 도구의 개발로 인간의 밤 활동이 많아짐으로 인한 긍정적 결과	지시 표현 '그 덕분에': '그'는 ㄹ에서 설명한 인간의 밤 활동이 많아진 사실을 가리킴
ㄴ	조명 도구의 개발로 인간의 밤 활동이 많아짐으로 인한 부정적 결과	지시 표현 '그 대신': '그'는 ㄱ에서 설명한 인간의 밤 활동이 많아지면서 얻은 긍정적 결과를 가리킴

3. 접속어의 사용

19

[2021년 지방직 9급]

(가) ~ (라)에 들어갈 말로 가장 적절한 것은?

정철, 윤선도, 황진이, 이황, 이조년 그리고 무명씨. 우리말로 시조나 가사를 썼던 이들이다. 황진이는 말할 것도 없고 무명씨도 대부분 양반이 아니었겠지만 정철, 윤선도, 이황은 양반 중에 양반이었다. (가) 그들이 우리말로 작품을 썼던 걸 보면 양반들도 한글 쓰는 것을 즐겨 했다는 것을 부정할 수는 없다. (나) 허균이나 김만중은 한글로 소설까지 쓰지 않았던가. (다) 이들이 특별한 취향을 가진 소수의 양반이었다면 이야기는 달라진다. 우리말로 된 문학 작품을 만들겠다는 생각을 가진 특별한 양반들을 제외하고 대다수 양반들은 한문을 썼기 때문에 한글을 모를 수도 있었기 때문이다. 실학자 박지원이 당시 양반 사회를 풍자한 작품 호질은 한문으로 쓰여 있다. (라) 한 가지 분명한 것은 양반 대부분이 한글을 이해하지 못하는 상황이었다면 정철도 이황도 윤선도도 한글로 작품을 쓰지는 않았을 것이란 사실이다.

	(가)	(나)	(다)	(라)
①	그런데	게다가	그렇지만	그러나
②	그런데	그리고	그래서	또는
③	그리고	그러나	하지만	즉
④	그래서	더구나	따라서	하지만

20

[2020년 서울시 9급]

〈보기〉의 ㉠에 들어갈 접속 부사로 가장 옳은 것은?

〈보기〉

격분의 물결은 사람들의 주의를 동원하고 묶어내는 데는 대단히 효과적이다. 하지만 매우 유동적이고 변덕스러운 까닭에 공적인 논의와 공적인 공간을 형성하는 역할을 감당하지는 못한다. 격분의 물결은 그러기에는 통제하기도 예측하기도 어렵고, 불안정하며, 일정한 형태도 없이 쉽게 사라져 버린다. 격분의 물결은 갑자기 불어났다가 또 이에 못지않게 빠른 속도로 소멸한다. 여기서는 공적 논의를 위해 필수적인 안정성, 항상성, 연속성을 찾아 볼 수 없다. (㉠) 격분의 물결은 안정적인 논의의 맥락 속에 통합되지 못한다. 격분의 물결은 종종 아주 낮은 사회적, 정치적 중요성밖에 지니지 않는 사건들과 관련하여 발생한다.

격분 사회는 스캔들의 사회다. 이런 사회에는 침착함, 자제력이 없다. 격분의 물결에 특징적으로 나타나는 반항기, 히스테리, 완고함은 신중하고 객관적인 커뮤니케이션을 허용하지 않는다. 어떤 대화도, 어떤 논의도 불가능하다. 게다가 격분 속에서는 사회 전체에 대한 염려의 구조를 갖춘 안정적인 우리가 형성되지 않는다. 이른바 분개한 시민의 염려라는 것도 사회 전체에 대한 것이라기보다는 대체로 자신에 대한 염려일 뿐이다. (㉠) 그러한 염려는 금세 모래알처럼 흩어져 버린다.

- 한병철, '투명사회' 중에서

① 그런데   ② 그리고

③ 따라서   ④ 하지만

19

난이도 ★☆☆

[해설] ① (가)~(라)에 들어갈 접속어는 순서대로 '그런데 – 게다가 – 그렇지만 – 그러나'이므로 답은 ①이다.

• **(가)**: (가)의 앞에는 우리말로 시조나 가사를 썼던 작가들 중 정철, 윤선도, 이황은 양반이었다는 내용이 제시되고, (가)의 뒤에서 양반들도 한글을 즐겨 사용했음을 부정할 수 없다는 내용이 나온다. 따라서 (가)에는 화제를 앞의 내용과 관련시키면서 다른 방향으로 전환할 때 쓰는 접속어 '그런데'가 들어가는 것이 적절하다.

• **(나)**: (나)의 앞에는 양반들도 한글을 사용하여 작품을 썼다는 내용이 제시되고, (나) 뒤에는 허균이나 김만중은 한글로 소설까지 썼다는 내용이 나온다. 따라서 (나)에는 앞에서 언급한 사실에 또 다른 내용을 덧붙일 때 사용하는 접속어 '게다가, 더구나' 또는 앞뒤의 내용을 병렬적으로 이어주는 접속어 '그리고'가 들어가는 것이 적절하다.

• **(다)**: (다)의 앞에는 양반들이 한글을 쓰는 것을 즐겨했다는 내용이 제시되고, (다)의 뒤에는 소수의 양반들을 제외하고 대다수 양반들은 한문을 사용했다는 상반된 내용이 나온다. 따라서 (다)에는 역접의 접속어 '그렇지만, 하지만'이 들어가는 것이 적절하다.

• **(라)**: (라)의 앞에는 대다수 양반들이 한글을 몰랐을 가능성에 대한 내용이 제시되고, (라)의 뒤에는 정철, 이황, 윤선도를 언급하여 양반들이 한글을 이해했을 것이라는 상반된 내용을 설명하고 있다. 따라서 (라)에는 역접의 접속어 '그러나, 하지만'이 들어가는 것이 적절하다.

20

난이도 ★★☆

[해설] ③ ㉠의 앞뒤 내용이 모두 원인과 결과의 관계이므로 ㉠에는 앞서 말한 일이 뒤에서 말할 일의 원인, 이유, 근거가 됨을 나타내는 접속 부사 ③ '따라서'가 들어가는 것이 적절하다.

• **첫번째 ㉠ 앞뒤 내용**: 격분의 물결에서 안정성, 항상성, 연속성을 찾아낼 수 없어서(원인) 격분의 물결은 안정적인 논의의 맥락 속에 통합되지 못한다(결과)로 이어짐

• **두번째 ㉠ 앞뒤 내용**: 분개한 시민의 염려가 자신에 대한 것이므로(원인) 그러한 염려는 금세 끝어진다(결과)는 내용임

[이것도 알면 **합격**]

접속어와 접속 표현의 기능을 알아두자.

그리고, 그러므로, 그러니, 그래서	순접: 앞의 내용을 이어받아 순조롭게 연결함
그러나, 하지만, 그렇지만	역접: 앞의 내용과 반대되거나 일치하지 않는 내용을 연결함
그러므로, 따라서, 그래서	인과: 앞과 뒤의 내용을 원인과 결과의 관계로 이음
그리고, 또한, 및	대등: 앞과 뒤의 내용을 동등한 자격으로 나열하여 이음
그리고, 아울러, 게다가, 더구나	첨가, 보충: 앞의 내용에 새로운 내용을 덧붙이거나 보충함
그런데, 한편, 아무튼	전환: 앞의 내용과 다른 생각이나 사실을 서술하여 화제를 바꿈
예를 들면, 예컨대, 이를테면, 가령	예시: 앞의 내용에 대한 구체적인 예를 듦
요컨대, 즉, 요약하자면, 말하자면, 바꾸어 말하면, 다시 말하면	요약, 환언: 앞의 내용을 요약하거나, 말을 바꾸어 다시 말함

21

[2019년 법원직 9급]

빈칸 (가) ~ (다)에 들어갈 말을 순서대로 적은 것은?

최근 몇십 년간 광범위한 영향력을 행사해 왔던 신고전파 경제학은 특유의 신앙을 가지고 있다. 시장이 모든 것에 우선한다는 것이다. 그들은 "태초에 시장이 있었다."라고 주장하며, 국가의 개입은 시장의 결함이 극도로 심화된 이후에야 나타나야 할 인위적 대체물로 본다.

(가) 태초에 시장은 없었다는 것이 진실이다. 경제 사학자들에 따르면, 시장 체제는 인류의 경제생활에서 큰 비중을 차지하지 못했고, 발생 단계부터 거의 항상 국가의 개입에 의존해 왔다. 자본주의 초기 단계에서는 더욱 그랬다. 폴라니는 그의 고전적 저작인 "대전환"을 통해 '자연 발생적으로' 시장 경제가 나타난 것으로 흔히 간주되는 영국에서조차 시장의 발생에 정부가 결정적 역할을 해냈음을 보여 주면서 다음과 같이 이야기한다.

"자유 시장으로 가는 길은 정부가 꾸준히 개입을 늘리는 방식으로 시작되고 유지되었다. 애덤 스미스의 '단순하고 자연적인 자유'의 개념을 인간 사회에 실현하는 일은 매우 복잡한 일이었다. 토지의 사유를 제도화한 인클로저 법들의 조항은 얼마나 복잡하였던가? 시장 개혁의 과정에서 얼마나 많은 관료적 통제가 필요하였던가?"

미국에서도 초기 산업화의 성공에 결정적인 영향을 미친 것은 역시 소유권의 확립, 주요 사회 간접 시설의 건설, 농업 연구에 대한 자금 공급 등을 통한 정부의 개입이었다.

(나) 미국은 '유치산업 보호'라는 아이디어의 발생지였으며, 제2차 세계 대전이 발발하기 이전의 100년 동안 산업 보호 장벽이 가장 견고하였던 나라였다.

산업화에 성공한 국가 가운데, 정부가 경제 발전에 강력하게 개입하지 않은 경우는 없었다. 물론 정부가 시장에 개입하는 형태는 매우 다양하다. 사회주의 혁명에 맞서 복지 국가 체계를 수립한 비스마르크의 독일, 전후(戰後)산업 복구 정책을 편 프랑스, 국가적으로 연구 개발을 지원한 스웨덴, 공기업 부문을 통해 제조업의 발전을 이룬 오스트리아, 국가의 주도로 압축 성장을 이룬 한국 등의 동아시아 국가가 그것이다. 정부의 개입 형태는 이렇듯 다양하지만, 분명한 것은 산업화의 과정에서 엄청난 규모의 국가 개입이 있었다는 것이다. 거의 모든 선진국은 사실상 정부의 강도 높은 개입이라는 '비(非)자연적 방법'을 통하여 발전해 왔다. (다) 시장을 인위적 개입이 없는 자연적 현상으로 바라보는 관점은 실제 사실이 아닌 희망 사항에 기반을 둔 것이다.

시장 제도가 모든 것보다 우선하는지의 여부는 한 나라의 경제 정책 설계에 관한 매우 중요한 문제이다. 이를테면 공산주의 국가에서 자본주의 국가로 '대대적인' 개혁을 실시하였던 많은 나라들은 한동안 심각한 경제 위기를 겪었다. 이것은 '잘 작동하는' 정부 없이 '잘 작동하는' 시장 경제를 건설할 수 없음을 명백하게 보여 준다.

신고전학파 경제학자들이 믿는 대로 시장이 '자연스럽게' 진화한다면, 이 옛 공산 국가들은 진작 그 같은 혼란에서 빠져 나왔어야만 한다. 또한 수많은 개발도상국들이 자국의 경제 발전 문제를 해결하는 데 정부가 개입하지 못하게 막는 것은 매우 위험한 태도라 할 것이다.

① 그러므로 – 게다가 – 그러나
② 그리고 – 반면 – 그래서
③ 그러나 – 반면 – 그래서
④ 그러나 – 게다가 – 그러므로

22

[2017년 국가직 9급 (10월)]

㉠ ~ ㉢에 들어갈 적절한 접속어를 순서대로 나열한 것은?

역사의 연구는 개별성을 추구하는 것이라고 할 수가 있다. (㉠) 구체적인 과거의 사실 자체에 대해 구명(究明)을 꾀하는 것이 역사학인 것이다. (㉡) 고구려가 한족과 투쟁한 일을 고구려라든가 한족이라든가 하는 구체적인 요소들을 빼 버리고, 단지 "자주적 대제국이 침략자와 투쟁하였다."라고만 진술해 버리는 것은 한국사일 수가 없다. (㉢) 일정한 시대에 활약하던 특정한 인간 집단의 구체적인 활동을 서술하지 않는다면 그것을 역사라고 말할 수 없는 것이다.

	㉠	㉡	㉢
①	즉	가령	요컨대
②	가령	한편	역시
③	이를테면	역시	결국
④	다시 말해	만약	그런데

23

[2017년 지방직 9급 (12월)]

㉠~㉢에 들어갈 말을 바르게 연결한 것은?

> 많은 사람들에게 유일한 현실은 '타이타닉 호'라는 배 뿐입니다. 타이타닉 호 속에는 판에 박은 일상사가 있습니다. (㉠) 선원은 엔진에 연료를 넣지 않으면 안 되고, 배가 전진하기 위해서는 온갖 기계를 확실히 관리하지 않으면 안 됩니다. 모두 각자 일상사를 가지고 있고 그것을 계속하는 사람이 현실주의자입니다.
>
> 누군가가 "엔진을 멈추어야 한다."라고 말하면, 그것은 비현실주의적입니다. 왜냐하면 타이타닉 호라는 배는 전진하도록 되어 있어서 전진하지 않으면 저마다의 일거리가 없어지기 때문입니다. 오늘날 세계 경제에 퍼져 있는 현실주의는 바로 그러한 현실주의라고 생각됩니다. 현실주의적인 경제학자가 타이타닉 호에 "전속력으로!"라는 명령을 하려고 합니다. 이것이 타이타닉 호의 논리입니다.
>
> 이 논리는 타이타닉 호가 전 세계라는 점을 전제로 성립합니다. 마찬가지로 경제학자의 논리도 세계 경제 시스템 이외에 아무런 현실이 없다고 한다면 합리적인 논리라고 할 수 있습니다. (㉡) 타이타닉 호의 바깥에는 바다가 있고 빙산이 있습니다. 세계 경제의 바깥에는 재난이 있습니다. 바로 이것이 문제입니다. 여기서 타이타닉 호의 비유가 갖는 한계를 알 수 있는데, 타이타닉 호의 경우는 하나의 빙산이 있고, 장래에 배가 거기에 부딪힌다는 것입니다. 그러나 우리들의 세계 경제 시스템은 장래에 빙산이 기다리고 있는 게 아닙니다. 재난은 이미 시작되었습니다. (㉢) 차례차례 빙산에 부딪히고 있는 중입니다.

	㉠	㉡	㉢
①	그리고	그러면	만약
②	그리고	그렇지만	만약
③	예를 들면	그러면	말하자면
④	예를 들면	그렇지만	말하자면

21

난이도 ★☆☆

해설 ④ (가)~(다) 안에 들어갈 접속어는 순서대로 '그러나 - 게다가 - 그러므로'이므로 답은 ④이다.

- (가): (가)의 앞에서 신고전파 경제학이 "태초에 시장이 있었다."라고 주장한다고 했지만, (가)의 뒤에서 태초에 시장은 없었다는 것이 진실이라고 언급했으므로 (가)에는 역접의 접속어 '그러나'가 들어가야 한다.
- (나): (나)의 앞에서 미국의 초기 산업화 성공에 결정적인 영향을 미친 것이 정부의 개입이었다고 언급했고, (나)의 뒤에서 또 다른 형태의 정부 개입에 대해 부연 설명하고 있으므로 (나)에는 첨가, 보충의 접속어 '게다가'가 들어가야 한다.
- (다): (다)의 앞에서 거의 모든 선진국은 정부가 강도 높게 개입하는 '비자연적 방법'을 통해 발전했다고 언급했고, (다)의 뒤에서 이에 대한 결론으로 시장을 인위적 개입이 없는 자연적 현상으로 바라보는 관점은 실제 사실이 아닌 희망 사항이라고 설명하였으므로 (다)에는 인과의 접속어 '그러므로'가 들어가야 한다.

22

난이도 ★☆☆

해설 ① ㉠~㉢ 안에 들어갈 접속어는 순서대로 '즉 - 가령 - 요컨대'이므로 답은 ①이다.

- ㉠: ㉠의 앞에서 역사의 연구에 대한 정의를 내리고 ㉠의 뒤에서 이에 대해 더욱 구체적으로 설명하고 있으므로, ㉠에는 '다시 말하여'를 뜻하는 접속어 '즉'이나 '다시 말해'가 들어가는 것이 적절하다.
- ㉡: ㉡의 앞에서 역사학의 정의를 내리고 ㉡의 뒤에서 역사가 될 수 없는 것에 대한 구체적인 예시를 들고 있으므로, ㉡에는 예를 들기 위해 사용할 수 있는 접속어 '가령'이 들어가는 것이 적절하다.
- ㉢: ㉢의 뒤에 결론에 해당하는 내용이 나오므로, ㉢에는 앞의 내용을 정리하고 요약하는 기능의 접속어인 '요컨대'가 들어가는 것이 적절하다.

23

난이도 ★☆☆

해설 ④ ㉠~㉢ 안에 들어갈 접속어는 순서대로 '예를 들면 - 그렇지만 - 말하자면'이므로 답은 ④이다.

- ㉠: ㉠의 앞에서 타이타닉 호에 일상사가 존재함을 밝히고, ㉠의 뒤에서 구체적 예시로 선원이 일상적으로 해야 하는 일을 언급하였으므로 ㉠에는 '예를 들면'이 들어가는 것이 적절하다.
- ㉡: ㉡의 앞에서 세계 경제 시스템 이외에 아무런 현실이 없는 상황을 가정하였고, ㉡의 뒤에서 세계 경제의 바깥에는 재난이 있다는 현실을 설명하였으므로 ㉡에는 역접의 접속어인 '그렇지만'이 들어가는 것이 적절하다.
- ㉢: ㉢의 앞에서 세계 경제의 재난은 이미 시작되었다고 말하며, ㉢의 뒤에서 앞부분의 내용을 비유적으로 설명하고 있으므로, ㉢에는 '말하자면'이 들어가는 것이 적절하다.

24

[2018년 법원직 9급]

다음 글의 흐름을 고려할 때 (㉠)에 들어갈 접속어로 가장 적절한 것은?

대부분의 물질은 온도가 올라갈수록 밀도가 작아진다. 구리 동전을 예로 들어 보자. 동전에 열을 가하면 구리 원자들이 더 빨리 움직이면서 널리 퍼진다. 그리하여 구리 동전은 부피가 좀 더 늘어난다. 즉 밀도가 줄어드는 것이다. 계속 동전을 가열하면, 결국 동전은 녹을 것이다. 액체 상태가 된 구리 동전의 밀도는 고체 상태 때보다 더 작다.

액체 상태가 된 구리를 계속 가열하면 그 분자들은 계속 퍼져 나가려 하고, 그 결과 밀도는 점점 작아진다. 이러한 현상은 순수한 거의 모든 물질에서 볼 수 있다.

그러나 물만은 다르다. 10℃의 물이 있다고 하자. 이 온도에서 물은 액체 상태이다. 구리의 경우와는 반대로, 이번에는 물을 냉각시켜 보자. 물을 냉각시키면 물 분자들은 움직임이 점점 느려지고 서로 간의 거리가 가까워진다. 기대한 바대로 밀도가 증가하는 것이다. (㉠) 4℃에 이르면 이상한 일이 일어난다. 그리고 그 이하로 온도가 내려갈수록 물 분자들이 서로 멀리 떨어지기 시작한다. 0℃에서 물이 얼 때에는 물 분자들은 더욱 멀리 떨어진다.

다시 말해서, 4℃의 물은 0℃의 물보다 밀도가 더 크다. 실제로 4℃일 때의 물은 다른 어떠한 온도의 물(액체 상태) 보다 밀도가 크다. 그리고 어떤 온도의 물(액체 상태)도 고체 상태의 얼음보다 밀도가 더 크다. 얼음 덩어리가 유리컵 위에 떠다니거나 빙산이 바다 위를 떠다니는 것은 바로 이 때문이다. 이러한 기이한 현상은 얼음이 될 때 물 분자들이 속이 빈 결정 구조를 이루기 때문에 일어난다. 얼음이 녹으면 이 결정 구조가 무너져 물 분자들이 서로 접근하기 때문에, 밀도가 높아지는 것이다. 속이 빈 결정 구조는 물의 온도가 4℃에 이를 때까지 완전히 없어지지는 않는다.

물의 이러한 기이한 행동 때문에 우리 주변의 세계에는 재미있는 일들이 벌어진다. 계절이 변할 때 호수나 연못에 일어나는 변화를 한번 살펴보자. 겨울이 다가오면 기온은 내려간다. 호수 표면의 물도 온도가 내려가 밀도가 높아지므로 호수 아래로 가라앉고, 그 대신 아래쪽에 있던 물들이 호수 표면으로 올라간다. 그런데 4℃이하로 온도가 더 내려가게 되면, 냉각된 물은 아래로 내려가지 않고 호수 표면에 머문다. 그리하여 호수의 물은 위에서부터 얼기 시작한다. 다른 액체 물질들은 거의 아래쪽에서부터 얼기 시작하여 위로 올라가는 것과는 대조적이다.

이렇게 호수나 연못의 물은 위에서부터 얼기 시작하기 때문에, 그 아래에 있는 물들은 기온이 0℃아래로 내려가더라도 계속 액체 상태로 남아 있을 수 있다. 표면의 얼음 층이 차가운 기온을 차단하는 벽의 역할을 해주기 때문이다. 아주 얇은 연못을 제외하고 호수나 강에 있는 대부분의 물은 얼음 층 아래에서 액체 상태로 남아 있다. 덕분에 물속에 사는 생물들은 추운 겨울에도 살아남을 수 있다.

- B.E.짐머맨, '물의 기이한 성질'

① 그러나   ② 그리고
③ 그러므로   ④ 따라서

25

[2015년 국가직 7급]

㉠~㉣에 들어갈 말로 가장 적절한 것은?

태평양 전쟁이 격화되자 일제는 식민지 조선 내에서 황국 신민화 정책을 강화함과 동시에 일본인으로서의 투철한 국가관과 '국민' 의식을 주입하는 데 주력하게 되었다. (㉠) '국민'이란 말이 일본 내에서 실체적인 함의를 지니게 된 것은 청일 전쟁 이후였다. (㉡) 이 경우 천황 아래 모두가 평등한 신민, 즉 일본의 '국민'으로서 재탄생하여야 한다는 당위적 명제는 다른 면에서는 '비국민'으로 낙인 찍힐지도 모른다는 불안감을 조장하는 일이기도 했다. (㉢) 이러한 사정은 식민지 조선 내에서도 마찬가지로 작용하였다. (㉣) '국민' 의식의 강조는 이때까지만 해도 여전히 민족적인 이질감을 유지하고 있었던 조선인들에게는 심리적인 포섭의 원리인 동시에 '비국민'으로서의 공포감을 동반한 강력한 배제의 원리로 작용하였던 셈이다.

	㉠	㉡	㉢	㉣
①	사실	그런데	그리고	요컨대
②	사실	게다가	또한	그러므로
③	실제로	또한	게다가	요컨대
④	실제로	그러나	그리고	그러므로

26

[2015년 지방직 7급]

다음 글의 ㉠~㉢에 들어갈 말로 가장 적절한 것은?

〈2001: 스페이스 오디세이〉에서 스탠리 큐브릭은 영화 음악으로 상당한 예술적 성과를 거두었다. 원래 큐브릭은 알렉스 노스에게 영화 음악을 의뢰했었다. (㉠) 영화를 편집할 때 임시 사운드 트랙으로 채택했던 클래식 음악들에서 만족스러운 효과를 얻자 그는 그 음악들을 그대로 영화에 사용했다. (㉡) 요한 슈트라우스의 '아름답고 푸른 다뉴브'와 리하르트 슈트라우스의 '차라투스트라는 이렇게 말했다'가 인간이 우주를 인식하고 새로운 경지의 정신에 다다르는 경이로운 장면들에 배경 음악으로 등장하게 되었다. 클래식 음악이 대중적인 오락물과 결부될 때, 그 음악은 평이한 수준으로 전락해 버리는 것이 흔한 일이다. (㉢) 큐브릭의 영화는 이미지와 결부된 클래식 음악의 가치가 높아진, 거의 유일한 경우이다.

	㉠	㉡	㉢
①	그러나	그리고	그런데
②	하지만	그래서	그러나
③	그런데	그리고	그러나
④	그래서	그런데	하지만

24

난이도 ★★☆

해설 ① ㉠의 앞뒤 내용이 상반되므로 ㉠에 들어갈 접속어로 가장 적절한 것은 ① '그러나'이다.

- ㉠의 앞: 온도가 올라가면 밀도가 작아진다는 일반적인 원리에 따라 물을 냉각시키면 물 분자 간의 거리가 가까워져서 밀도가 증가한다.
- ㉠의 뒤: 물의 온도가 4°C 이하로 내려가면 물 분자들이 멀리 떨어지기 시작하여 일반적인 원리와 다르게 밀도가 점차 감소한다.

25

난이도 ★★☆

해설 ① ㉠ ~ ㉣에 들어갈 접속어는 순서대로 '사실 - 그런데 - 그리고 - 요컨대'가 가장 적절하므로 답은 ①이다.

- ㉠: ㉠ 뒤에서 앞의 내용(태평양 전쟁이 격화되자 일제가 조선에 투철한 국가관과 '국민' 의식을 주입하는 데 주력함)과 연결되는 사실을 언급하고 있으므로 ㉠에는 '사실'과 '실제로' 모두 들어갈 수 있다.
- ㉡: ㉡ 뒤에서는 앞의 내용과 다른 방향으로 글이 전개되고 있으므로 ㉡에는 전환의 접속어 '그런데'가 들어가야 한다.
- ㉢: ㉢ 뒤에서는 앞의 설명('국민' 의식이 일본 내에 미친 영향)에 대한 또 다른 내용을 덧붙이고 있다. 따라서 ㉢에는 내용을 병렬적으로 연결하는 접속어 '그리고, 또한'이 들어가는 것이 적절하다.
- ㉣: ㉣ 뒤에서는 앞에서 언급한 내용을 요약하여 제시하고 있으므로 '요컨대'가 들어가는 것이 적절하다.

26

난이도 ★★☆

해설 ② ㉠ ~ ㉢ 안에 들어갈 접속어는 순서대로 '하지만 - 그래서 - 그러나'이므로 답은 ②이다.

- ㉠: ㉠ 앞에서는 큐브릭이 알렉스 노스에게 영화 음악을 의뢰했으나 ㉠ 뒤에서는 이와 달리 알렉스 노스의 음악이 아닌 클래식 음악을 영화에 사용하였음을 언급하고 있다. 따라서 ㉠에는 역접의 접속사 '그러나, 하지만, 그런데'가 들어가는 것이 적절하다.
- ㉡: ㉡ 뒤에서는 앞의 내용에 따른 결과에 해당하는 내용을 설명하고 있으므로 '그래서'가 들어가는 것이 적절하다.
- ㉢: ㉢ 앞에서는 대중적인 오락물과 결합할 때 클래식 음악이 평이한 수준으로 전락해 버린다는 내용을 제시하고 있으나 ㉢ 뒤에서는 이와 상반된 내용이 이어지고 있다. 따라서 ㉢에는 '그런데, 그러나, 하지만'이 들어가는 것이 적절하다.

4. 들어갈 위치

27

[2021년 국회직 8급]

㉠~㉤ 중 〈보기〉의 문장이 들어가기에 가장 적절한 곳은?

(㉠) 서구에서는 고대부터 인간을 정신과 신체로 양분하여 탐구하였다. 정신은 이성계로서 지식에 관여하는 반면, 신체는 경험계로서 행위에 관계되는 것으로 간주했다. (㉡) 플라톤은 정신계와 물질계를 본질계와 현상계로 구분한다. (㉢) 전자는 이데아계로서 이성적인 영역이고 후자는 경험계로서 감각적 영역이라고 보았다. (㉣) 그러나 그의 이데아론을 기반으로 신체를 경시하거나 배척하던 경향과는 달리, 최근에는 신체에 가치를 부여하여 그것을, 영혼을 보호하는 공간으로 인식하는 경향이 대두되었다. (㉤)

〈보기〉

여기서 참된 실체는 이데아계로서 경험계가 추구해야 할 궁극적 대상이며, 경험계는 이데아의 그림자, 허상, 모사에 불과하다고 간주했다.

① ㉠

② ㉡

③ ㉢

④ ㉣

⑤ ㉤

28

[2020년 군무원 9급]

다음 (가)의 위치로 가장 적절한 것은?

계해년(癸亥年) 겨울에 우리 전하께서 정음 28자를 처음으로 만들어 예의(例義)를 간략하게 들어 보이고 이름을 훈민정음(訓民正音)이라 하였다. (①) 천지인(天地人) 삼극(三極)의 뜻과 음양(陰陽)의 이기(二氣)의 정묘함을 포괄(包括)하지 않은 것이 없다. 28자로써 전환이 무궁하고 간요(簡要)하며 모든 음에 정통하였다. 그러므로 슬기로운 사람은 하루아침을 마치기도 전에 깨우치고, 어리석은 이라도 열흘이면 배울 수 있다. (②) 이 글자로써 글을 풀면 그 뜻을 알 수 있고, 이 글자로써 송사를 심리하더라도 그 실정을 알 수 있게 되었다. (③) 한자음은 청탁을 능히 구별할 수 있고 악기는 율려에 잘 맞는다. 쓰는 데 갖추어지지 않은 바가 없고, 가서 통달되지 않는 바가 없다. 바람 소리, 학의 울음, 닭의 홰치며 우는 소리, 개 짖는 소리일지라도 모두 이 글자를 가지고 적을 수가 있다. (④)

- '훈민정음 해례(解例)' 정인지(鄭麟趾) 서문(序文) 중에서

(가) 상형을 기본으로 하고 글자는 고전(古篆)을 본떴고 사성을 기초로 하고 음(音)이 칠조(七調)를 갖추었다.

① 　　　　　　　　　　②
③ 　　　　　　　　　　④

29

[2019년 국가직 9급]

다음 글에서 〈보기〉가 들어가기에 가장 적절한 곳은?

―――〈보기〉―――

아침기도는 간략한 아침 뉴스로, 저녁기도는 저녁 종합 뉴스로 바뀌었다.

철학자 헤겔이 주장했듯이, 삶을 인도하는 원천이자 권위의 시금석으로서의 종교를 뉴스가 대체할 때 사회는 근대화된다. 선진 경제에서 뉴스는 이제 최소한 예전에 신앙이 누리던 것과 동등한 권력의 지위를 차지한다. 뉴스 타전은 소름이 돋을 정도로 정확하게 교회의 시간 규범을 따른다. (㉠) 뉴스는 우리가 한때 신앙심을 품었을 때와 똑같은 공손한 마음을 간직하고 접근하기를 요구하기도 한다. (㉡) 우리 역시 뉴스에서 계시를 얻기 바란다. (㉢) 누가 착하고 누가 악한지 알기를 바라고, 고통을 헤아려 볼 수 있기를 바라며, 존재의 이치가 펼쳐지는 광경을 이해하길 희망한다. (㉣) 그리고 이 의식에 참여하길 거부하는 경우 이단이라는 비난을 받기도 한다.

① ㉠   ② ㉡
③ ㉢   ④ ㉣

27

난이도 ★★☆

[해설] ④ ㉣ 앞에서는 플라톤이 정신계와 물질계를 이데아계와 경험계로 구분하였음을 설명하고 ㉣ 뒤에서는 플라톤의 주장과 반대되는 경향이 대두되고 있음을 밝히고 있다. 따라서 '플라톤'의 주장을 보충 설명하는 〈보기〉의 문장이 들어가기에 가장 적절한 곳은 ④ '㉣'이다.

28

난이도 ★☆☆

[해설] ① ㉠의 앞 문장에서 훈민정음의 창제 의도를 밝히고 있으며, ㉠의 뒤 문장에서는 모음의 제자 원리를 설명하고 있으므로 자음의 제자 원리를 설명한 (가)는 ㉠에 들어가는 것이 가장 적절하다.

29

난이도 ★☆☆

[해설] ① 제시문에서 ㉠의 앞 문장은 선진 경제에서 뉴스가 종교를 대체하며, 정확하게 '교회의 시간 규범'을 따른다는 내용을 담고 있다. 〈보기〉는 ㉠ 앞의 내용에 대한 예시이자 부연 설명이므로 ㉠에 들어가는 것이 가장 적절하다. 따라서 답은 ①이다.

30

[2016년 국회직 8급]

다음 중 〈보기〉가 들어갈 위치로 가장 적절한 것은?

――― 〈보기〉 ―――

데카르트나 칸트 모두 그렇게도 투명한 이성에 의한 보편적 사고를 강조했지만, 결과적으로 볼 때 그들의 사고는 보편적인 것이 아니라 자신의 문화전통에 짙게 물든 지역적인 것이었다.

(가) 지난 한 세기 동안 우리는 서구의 문물을 받아들이는 일에 안간힘을 기울여왔다. 그리고 우리가 서구로부터 받아들인 문물은 삶의 조건을 향상시켜 주는 일에 실로 많은 기여를 했다. 그 덕분에 우리는 기아와 빈곤에서 벗어나 물질적 풍요를 맛볼 수 있게 되었고, 미신과 억압에서 벗어나 합리적이고 자유로운 삶을 엿볼 수 있게 되었다. 그러나 우리는 서구의 문물을 참으로 몰주체적으로 받아들였고, 심지어 받아들이지 않아도 될 것까지도 숭배해왔으며, 나아가 우리의 사상과 문화는 돌보지 않고 암매장하듯 내팽개쳐 두었다.

(나) 우리는 서양 것이라면 무조건 받아들이기에 급급했지 왜 특정 시기, 특정 지역의 학문이 지구의 다른 구석에서도 보편으로 숭배되어야 하는지 묻지 않았다. 오늘날 한국에서 보편이라고 인식되고 교육되는 서구 문화의 내용을 조금만 자세히 살펴보면 그것이 얼마나 지역적인 것인지 곧 알 수 있음에도 불구하고, 우리는 그것을 보편이라고 여기는데 추호도 의심을 품지 않았으며, 역으로 우리의 학문과 사상을 지역적인 것으로 치부해 왔다.

(다) 문화 각 영역에서 드러나는 사대주의적 혹은 종속주의적 현상은 문화의 꽃이라 할 수 있는 철학의 영역에서 두드러지게 나타난다. 이 땅에서는 철학이라고 하면 곧 서양철학만 가리키고, 동양철학은 철학이 아니라고 폄하하는 일이 당연하게 여겨진다. 한 영역에만 집중적으로 몰두할 수 있는 서양철학자와 달리, 동양철학자는 혼자서 한국철학과 중국철학 그리고 인도철학까지 다 소화해서 가르쳐야만 한다. 이렇게 열악한 조건에 처해 있는 동양철학자들에게 쏟아지는 말이라고는 "도대체 철학적 소양이 없다"라는 식의 비판 뿐이다.

(라) 많은 철학자들은 자국의 역사·문화·현실에 관한 이해가 결여된 자신을 탓하기에 앞서, 일단 서구중심적 입장에서 스스로의 전통철학을 깎아내리고 폄하하기에 바쁘다. 제국주의 시기에 서구 이외의 문화를 연구하던 서구 학자들 역시 해석학적 동참의 노력도 없이 자신의 문화를 잣대로 서구 이외 지역의 문화에 대해 미개와 야만이라고 폄하해 왔음을 우리는 아직도 생생하게 기억하고 있다. 이제 우리는 편견에 물든 오리엔탈리즘의 사고를 서구로부터 받아들여 스스럼없이 자신의 본토에 적용하고 있는 것이다.

① (가)의 앞
② (가)와 (나) 사이
③ (나)와 (다) 사이
④ (다)와 (라) 사이
⑤ (라)의 뒤

31

[2015년 국가직 7급]

다음 글이 들어갈 곳으로 가장 적절한 것은?

인형은 사람처럼 박자에 맞춰 춤을 추고 노래도 부르고 심지어 공연이 끝날 무렵에는 구경하던 후궁들에게 윙크를 하며 추파를 던지기까지 했다. 인형의 추태에 화가 난 목왕이 그 기술자를 죽이려고 하자 그는 서둘러 인형을 해체했고 그제야 인형의 실체가 드러났다.

(㉠) 어느 날 서쪽 지방으로 순행을 나간 목왕은 곤륜산을 넘어 돌아오는 길에 재주가 뛰어난 기술자를 만났다. 목왕은 그 기술자에게 그가 만든 가장 훌륭한 물건을 가져 오라고 명했다. 하지만 그가 가지고 온 것은 물건이 아니었다. 이를 이상히 여긴 목왕이 왜 물건을 가지고 오지 않고 사람을 데리고 왔는지 묻자, 그는 이것이 움직이는 인형이라고 답했다. (㉡) 이에 놀란 목왕은 그 인형을 꼼꼼히 살펴봤지만 사람과 다른 점을 하나도 발견할 수 없었다. (㉢) 그것은 색을 칠한 가죽과 나무로 만들어진 기계 장치였다. 하지만 그것은 오장육부는 물론 뼈, 근육, 치아, 피부, 털까지 사람이 갖춰야 할 모든 것을 갖추고 있었다. 마침내 목왕은 그에게 "자네 솜씨는 조물주에 버금가도다!"라고 크게 칭찬했다. (㉣)

① ㉠
② ㉡
③ ㉢
④ ㉣

32

[2017년 국가직 7급 (8월)]

〈보기〉가 들어갈 가장 적절한 위치는?

─────── 〈보기〉 ───────

　결과적으로 이러한 기술 진보는 주체와 주체 간의 더 큰 이해와 소통 가능성을 마련한 것이 사실이다. 그러나 기술의 진보가 곧 선(善)이 된다고 볼 수는 없다. 본래 기술이란 사회의 변화나 인식론적 변화를 선도할 수 있을 망정 가치 판단을 내포하지는 못하기 때문이다. 즉 정보화 사회의 기술들은 개인과 개인, 개인과 집단 간의 소통의 통로를 마련해 주었지만, 그 소통의 올바른 방법이나 방향 마련에 대해서는 무력하다.

────────── ① ──────────

　우리나라도 어느덧 정보화 사회로 접어들게 됨에 따라, IT 기술이나 인터넷 및 네트워크 기술이 큰 폭으로 발전하였다. 그중에서도 우리가 가장 주목할 기술적 진보는 개인 대 개인, 개인 대 집단과 같은 다양한 주체가 서로 만나고 다양한 이슈에 동참할 수 있는 담론 공간의 마련이다. 인터넷 게시판이나 SNS 등을 활용하면, 누구나 쉽게 사회나 정치 이슈를 주제로 활발하게 타자(他者)와 접하며 토론할 수 있게 된 것이다.

────────── ② ──────────

　이에 따라 우리는 소통의 가능성을 넘어 그것을 현명하게 실현하는 방법에 대한 고민도 해야 할 때가 되었다. 물론, 이러한 고민이 불필요하게 생각되거나 그것이 없다고 해서 무슨 문제가 있느냐고 반문할지도 모른다. 그러나 인터넷에 있는 수많은 악성 댓글과 루머, 인신공격 등의 병리 현상은 철학이나 가치 부재의 기술 진보가 주는 위험성을 잘 드러내준다. 우리는 기술 진보에 따라 확보된 수많은 소통 통로 속에서 그것을 주체와 주체 간의 참다운 만남으로 실천하는 방법을 아직까지 찾지 못하고 있다.

────────── ③ ──────────

　그렇다면, 이러한 문제를 궁극적으로 해결하기 위해 부각되고 연구되어야 하는 분야는 어떠한 것들일까? IT 또는 첨단 제품을 개발하고 성공시켰다는 면에서 세계적으로 유명한, 미국의 어느 한 기업가는 신제품을 출시하는 장소에서 자사의 혁신적 제품은 인문학을 빼놓고는 말할 수 없다는 취지의 연설을 하였다. 즉 첨단의 정보화 기술과 인문학의 관련성을 역설한 것이다.

────────── ④ ──────────

30

난이도 ★★☆

해설　③ 〈보기〉는 데카르트와 칸트의 사고는 결과적으로 봤을 때 자신의 문화전통에 짙게 물든 지역적인 것이라는 내용이다. 따라서 서양의 지역적 문화를 보편으로 여기면서 우리의 학문과 사상은 지역적인 것으로 치부함을 지적하는 (나)를 뒷받침하는 내용이므로 ③'(나)와 (다) 사이'에 들어가는 것이 적절하다.

31

난이도 ★★☆

해설　③ 제시문은 '그제야 인형의 실체가 드러났다'로 끝나므로 그 뒤에는 인형의 실체에 대한 내용이 이어져야 한다. ⓒ의 뒤 문장에서 인형의 실체가 기계 장치였다고 언급하고 있으므로 제시문은 ③'ⓒ'에 들어가는 것이 가장 적절하다.

32

난이도 ★★☆

해설　② 제시문은 기술의 진보에 따라 정보화 사회에서는 주체와 주체 간의 참다운 소통이 필요하다고 주장하고 있다. 〈보기〉는 ②의 앞에서 언급한 기술의 진보에 대한 결과를 설명하고, 소통의 올바른 방법이나 방향이 마련되지 않았음을 지적하고 있으므로 ②에 들어가는 것이 적절하다.

01

[2021년 국가직 9급]

다음 글에서 추론한 내용으로 적절하지 않은 것은?

> 과학의 개념은 분류 개념, 비교 개념, 정량 개념으로 구분할 수 있다. 식물학과 동물학의 종, 속, 목처럼 분명한 경계를 가지고 대상들을 분류하는 개념들이 분류 개념이다. 어린이들이 맨 처음에 배우는 단어인 '사과', '개', '나무' 같은 것 역시 분류 개념인데, 하위 개념으로 분류할수록 그 대상에 대한 정보가 더 많이 전달된다. 또한, 현실 세계에 적용 대상이 하나도 없는 분류 개념도 있을 수 있다. 예를 들어 '유니콘'이라는 개념은 '이마에 뿔이 달린 말의 일종임' 같은 분명한 정의가 있기에 '유니콘'은 분류 개념으로 인정되는 것이다.
>
> '더 무거움', '더 짧음' 등과 같은 비교 개념은 분류 개념보다 설명에 있어서 정보 전달에 더 효과적이다. 이것은 분류 개념처럼 자연의 사실에 적용되어야 하지만, 분류 개념과 달리 논리적 관계도 반드시 성립해야 한다. 예를 들면, 대상 A의 무게가 대상 B의 무게보다 더 무겁다면, 대상 B의 무게가 대상 A의 무게보다 더 무겁다고 말할 수 없는 것처럼 '더 무거움' 같은 비교 개념은 논리적 관계를 반드시 따라야 한다.
>
> 마지막으로 정량 개념은 비교 개념으로부터 발전된 것인데, 이것은 자연의 사실로부터 파악할 수 있는 물리량을 측정함으로써 만들어진다. 물리량을 측정하기 위해서는 몇 가지 규칙이 필요한데, 그 규칙에는 두 물리량의 크기를 비교하는 경험적 규칙과 물리량의 측정 단위를 정하는 규칙 등이 포함된다. 이러한 정량 개념은 자연에 의해서 주어지는 것이 아니라 우리가 자연현상에 수를 적용하는 과정에서 생겨나는 것이다. 정량 개념은 과학의 언어를 수많은 비교 개념 대신 수를 사용할 수 있게 하여 과학 발전의 기초가 되었다.

① '호랑나비'는 '나비'와 동일한 종에 속하지만, 나비에 비해 정보량이 적다.

② '용(龍)'은 현실 세계에 적용할 수 있는 지시물이 없더라도 분류 개념으로 인정된다.

③ '꽃'이나 '고양이'와 같은 개념은 논리적 관계를 따라야 하는 것은 아니기 때문에 비교 개념에 포함되지 않는다.

④ 물리량을 측정할 수 있는 'cm'나 'kg'과 같은 측정 단위는 자연현상에 수를 적용할 수 있게 해 주었다.

02

[2021년 지방직 9급]

글의 통일성을 고려할 때 (가)에 들어갈 말로 가장 적절한 것은?

> 혼정신성(昏定晨省)이란 저녁에는 부모님의 잠자리를 봐 드리고 아침에는 문안을 드린다는 뜻으로 자식이 아침저녁으로 부모의 안부를 물어 살핌을 뜻하는 말로 '예기(禮記)'의 '곡례편(曲禮篇)'에 나오는 말이다. 아랫목 요에 손을 넣어 방 안 온도를 살피면서 부모님께 문안을 드리던 우리의 옛 전통은 온돌을 통한 난방 방식과 관련 깊다. 온돌을 통한 난방 방식은 방바닥에 깔려 있는 돌이 열기로 인해 뜨거워지고, 뜨거워진 돌의 열기로 방바닥이 뜨거워지면 방 전체에 복사열이 전달되는 방법이다. 방바닥 쪽의 차가운 공기는 온돌에 의해 따뜻하게 데워지므로 위로 올라가고, 위로 올라간 공기가 다시 식으면 아래로 내려와 다시 데워져 위로 올라가는 대류 현상으로 인해 결국 방 전체가 따뜻해진다. 벽난로를 통한 서양식의 난방 방식은 복사열을 이용하여 상체와 위쪽 공기를 데우는 방식인데, 대류 현상으로 바닥 바로 위 공기까지는 따뜻해지지 않는다. 그 이유는 ___(가)___.

① 벽난로에 의한 난방은 방바닥의 따뜻한 공기가 위로 올라가 식으면 복사열로 위쪽의 공기만을 따뜻하게 하기 때문이다.

② 벽난로에 의한 난방이 복사열에 의한 난방에서 대류 현상으로 인한 난방이라는 순서로 이루어졌기 때문이다.

③ 대류 현상을 통한 난방 방식은 상체와 위쪽의 공기만 따뜻하게 하기 때문이다.

④ 상체와 위쪽의 따뜻한 공기는 차가운 바닥으로 내려오지 않기 때문이다.

01

난이도 ★☆☆

해설 ① 1문단 5~6번째 줄을 통해 분류 개념은 하위 개념으로 분류할 수록 그 대상에 대한 정보가 더 많이 전달됨을 알 수 있다. 따라서 '나비'의 하위 개념인 '호랑나비'는 나비에 비해 정보량이 더 많을 것이므로 ①의 추론은 적절하지 않다.

[관련 부분] 하위 개념으로 분류할수록 그 대상에 대한 정보가 더 많이 전달된다.

오답 분석 ② 1문단 7~8번째 줄에서 현실 세계에 적용 대상이 없는 분류 개념도 있음을 설명하고 있다. 따라서 '용'도 분류 개념으로 인정된다.

[관련 부분] 현실 세계에 적용 대상이 하나도 없는 분류 개념도 있을 수 있다.

③ 2문단 3~4번째 줄에서 비교 개념은 분류 개념과는 다르게 논리적 관계가 성립해야 함을 알 수 있다. 따라서 '꽃'과 '고양이'처럼 논리적 관계가 없는 개념은 비교 개념에 포함되지 않는다.

[관련 부분] 분류 개념과 달리 논리적 관계도 반드시 성립해야 한다.

④ 3문단에서 정량 개념은 자연의 사실로부터 파악되는 물리량을 측정함으로써 만들어지며, 자연현상에 수를 적용하는 과정에서 생겨난다는 것을 알 수 있다. 이를 통해 물리량을 측정할 수 있는 단위가 자연현상에 수를 적용할 수 있게 해 주었다는 사실을 추론할 수 있다.

[관련 부분]
• 정량 개념은 비교 개념으로부터 발전된 것인데, 이것은 자연의 사실로부터 파악할 수 있는 물리량을 측정함으로써 만들어진다.
• 정량 개념은 자연에 의해서 주어지는 것이 아니라 우리가 자연현상에 수를 적용하는 과정에서 생겨나는 것이다.

02

난이도 ★★☆

해설 ④ 제시문 끝에서 4~7번째 줄 내용에 따르면, 온돌을 통한 난방은 방바닥의 찬 공기가 데워져서 위로 올라가고 위로 올라간 공기가 식어서 아래로 내려와 다시 데워져 올라가는 대류 현상으로 인해 방 전체가 따뜻해진다고 한다. 이를 통해 벽난로를 이용한 난방에서 바닥 바로 위 공기가 따뜻해지지 않는 이유는 상체와 위쪽에서 데워진 공기가 바닥으로 내려가지 않기 때문임을 추론할 수 있다. 따라서 (가)에 들어가야 할 말로 가장 적절한 것은 ④이다.

오답 분석 ① 끝에서 1~4번째 줄을 통해 벽난로에 의한 난방은 방바닥의 공기를 따뜻하게 데우지 못함을 알 수 있으므로 (가)에 들어갈 내용으로 적절하지 않다.

[관련 부분] 벽난로를 통한 서양식의 난방 방식은 복사열을 이용하여 상체와 위쪽 공기를 데우는 방식인데, 대류 현상으로 바닥 바로 위 공기까지는 따뜻해지지 않는다.

② 벽난로에 의한 난방이 복사열에서 대류 현상의 순서로 이루어졌다는 내용은 제시문을 통해 확인할 수 없다.

③ 끝에서 4~7번째 줄을 통해 온돌을 통한 난방이 대류 현상으로 상체와 위쪽 공기는 물론 방 전체를 따뜻하게 함을 알 수 있으므로 (가)에 들어갈 내용으로 적절하지 않다.

[관련 부분] 방바닥 쪽의 차가운 공기는 온돌에 의해 따뜻하게 데워지므로 위로 올라가고, 위로 올라간 공기가 다시 식으면 아래로 내려와 다시 데워져 위로 올라가는 대류 현상으로 인해 결국 방 전체가 따뜻해진다.

03

[2021년 지방직 9급]

다음 글에서 추론할 수 있는 것은?

포도주는 유럽 문명을 대표하는 술이자 동시에 음료수다. 우리는 대개 포도주를 취하기 위해 마시는 술로만 생각하기 쉬우나 유럽에서는 물 대신 마시는 '음료수'로서의 역할이 크다. 유럽의 많은 지역에서는 물이 워낙 안 좋아서 맨 물을 그냥 마시면 위험하기 때문에 제조 과정에서 안전성이 보장된 포도주나 맥주를 마시는 것이다. 이런 용도로 일상적으로 마시는 식사용 포도주로는 당연히 고급 포도주와는 다른 저렴한 포도주가 쓰이며, 술이 약한 사람들은 여기에 물을 섞어서 마시기도 한다.

소비의 확대와 함께, 포도주 생산을 다른 지역으로 확산시키려는 노력도 계속되어 왔다. 포도주 생산의 확산에서 가장 큰 문제는 포도 재배가 추운 북쪽 지역으로 확대되기 힘들다는 점이다. 자연 상태에서는 포도가 자라는 북방 한계가 이탈리아 정도에서 멈춰야 했지만, 중세 유럽에서 수도원마다 온갖 노력을 기울인 결과 포도 재배가 상당히 북쪽까지 올라갔다. 대체로 대서양의 루아르강 하구로부터 크림반도와 조지아를 잇는 선이 상업적으로 포도를 재배할 수 있는 북방한계선이다.

적정한 기온은 포도주 생산 가능 여부뿐 아니라 생산된 포도주의 질을 결정하는 중요한 요인이다. 너무 추운 지역이나 너무 더운 지역에서는 포도주의 품질이 떨어질 수밖에 없다. 추운 지역에서는 포도에 당분이 너무 적어서 그것으로 포도주를 담그면 신맛이 강하게 된다. 반면 너무 더운 지역에서는 섬세한 맛이 부족해서 '흐물거리는' 포도주가 생산된다(그 대신 이를 잘 활용하면 포르토나 셰리처럼 도수를 높인 고급 포도주를 만들 수 있다). 그러므로 고급 포도주 주요 생산지는 보르도나 부르고뉴처럼 너무 덥지도 않고 너무 춥지도 않은 곳이다. 다만 달콤한 백포도주의 경우는 샤토 디켐(Château d'Yquem)처럼 뜨거운 여름 날씨가 지속하는 곳에서 명품이 만들어진다.

포도주의 수요는 전 유럽적인 데 비해 생산은 이처럼 지리적으로 제한됐기 때문에 포도주는 일찍부터 원거리 무역 품목이 됐고, 언제나 고급품 취급을 받았다. 그런데 한 가지 기억해야 할 점은 이렇게 수출되는 고급 포도주는 오래된 포도주가 아니라 바로 그해에 만든 술이라는 점이다. 우리는 포도주는 오래될수록 좋아진다고 믿는 경향이 있지만, 대부분의 백포도주 혹은 중급 이하 적포도주는 시간이 지날수록 오히려 품질이 떨어진다. 시간이 흐를수록 품질이 개선되는 것은 일부 고급 적포도주에만 한정된 이야기이며, 그나마 포도주를 병에 담아 코르크 마개를 끼워 보관한 이후의 일이다.

① 고급 포도주는 모두 너무 덥지도 춥지도 않은 곳에서 재배된 포도로 만들어졌다.

② 루아르강 하구로부터 크림반도와 조지아를 잇는 선은 이탈리아보다 남쪽에 있을 것이다.

③ 유럽에서 일상적으로 마시는 식사용 포도주는 저렴한 포도주거나 고급 포도주에 물을 섞은 것이다.

④ 병에 담겨 코르크 마개를 끼운 고급 백포도주는 보관 기간에 비례하여 품질이 개선되지는 않을 것이다.

04

[2021년 국회직 8급]

㉠에 들어갈 말로 적절한 것은?

(　　㉠　　) 따라서 인생의 본질은 목표의 설정과 성취가 아니라 유지와 지속이다. 목표 성취가 주는 짧은 행복감이 지나가고 나면 특별한 일 없이 반복되는 무수한 나날들이 기다리고 있다. 학창 시절에 이 사실을 깨닫기 어려운 이유는 인생 초반에는 목표의 설정과 성취가 짧은 주기로 반복되기 때문이다.

3~4년이면 졸업을 할 수 있고 졸업하면 새로운 목표가 기다린다. 대학 졸업 후에도 취업과 결혼, 출산 등은 비교적 가까운 시일 안에 달성 가능한 목표다. 그러나 그런 종류의 이벤트들은 대개 인생의 초반에 한정되어 있다. 따라서 그러한 사건들이 한차례 마무리되는 30대 후반에서 40대 초반에 이르면 삶이 급격히 무의미해진다는 느낌이 든다.

짧은 사이클에 익숙해져 있는 이들은 중노년의 삶이 지루하고 의미 없어 보이기 쉽다. 모두가 똑같아 보이는 저런 삶을 사느니 나만의 특별하고 새로운, 하루하루가 설레는 삶을 살고 싶을 것이다. 그러나 어떤 식으로든, 신선함은 익숙함이 되고 설렘은 가라앉는다. 사람들은 빠르게 상황에 적응하고 즐거움의 강도는 점점 줄어들기 마련이다.

관건은 생각보다 긴 내 삶을 지속해 나갈 방법을 찾는 것이다. 그냥 지속하는 것은 의미가 없다. 기왕에 주어진 삶을 어떻게 의미 있고 행복하게 살아낼 것인가를 고민해야 한다. 불행히도 학교는 그 방법을 가르쳐주지 않는다. 애초에 학교는 삶의 의미를 찾아주거나 행복해지는 법을 가르치도록 만들어진 기관이 아니기 때문이다. 그때그때의 고민을 해결해주거나 위로해줄 수는 있어도 삶의 의미와 행복을 느끼는 지점은 사람마다 다른데 누가 어떻게 그걸 일일이 맞춰줄 수 있을까.

① 삶은 생각보다 지루하다.

② 삶은 생각보다 행복하다.

③ 삶은 생각보다 짧다.

④ 삶은 생각보다 고통스럽다.

⑤ 삶은 생각보다 길다.

03

난이도 ★★☆

해설 ④ 4문단 끝에서 1~5번째 줄을 통해 대부분의 백포도주는 시간이 흐를수록 품질이 떨어지며, 코르크 마개를 끼운 포도주가 시간이 흐를수록 품질이 개선되는 경우는 일부 고급 적포도주에만 해당됨을 알 수 있다. 따라서 코르크 마개를 끼운 고급 백포도주가 보관 기간에 비례하여 품질이 개선되지 않을 것이라는 ④의 추론은 적절하다.

[관련 부분] 대부분의 백포도주 혹은 중급 이하 적포도주는 시간이 지날수록 오히려 품질이 떨어진다. 시간이 흐를수록 품질이 개선되는 것은 일부 고급 적포도주에만 한정된 이야기이며, 그나마 포도주를 병에 담아 코르크 마개를 끼워 보관한 이후의 일이다.

오답분석 ① 3문단 6~8번째 줄과 3문단 끝에서 1~4번째 줄을 통해 더운 지역에서도 고급 포도주를 생산할 수 있음을 알 수 있다. 따라서 모든 고급 포도주가 너무 덥지도 춥지도 않은 곳에서 재배된 포도로 만들어진다는 ①의 추론은 적절하지 않다.

[관련 부분]
• 너무 더운 지역에서는 섬세한 맛이 부족해서 '흐물거리는' 포도주가 생산된다(그 대신 이를 잘 활용하면 포르토나 셰리처럼 도수를 높인 고급 포도주를 만들 수 있다).
• 다만 달콤한 백포도주의 경우는 샤토 디켐(Château d'Yquem)처럼 뜨거운 여름 날씨가 지속하는 곳에서 명품이 만들어진다.

② 2문단 4~9번째 줄을 통해 포도를 재배할 수 있는 북방 한계가 '이탈리아 정도'에서 '루아르강 하구부터 크림반도와 조지아를 잇는 선'까지 올라갔음을 알 수 있다. 따라서 루아르강 하구부터 크림반도와 조지아를 잇는 선이 이탈리아보다 남쪽일 것이라는 ②의 추론은 적절하지 않다.

[관련 부분] 자연 상태에서는 포도가 자라는 북방 한계가 이탈리아 정도에서 멈춰야 했지만, ~ 대체로 대서양의 루아르강 하구로부터 크림반도와 조지아를 잇는 선이 상업적으로 포도를 재배할 수 있는 북방한계선이다.

③ 1문단 끝에서 1~3번째 줄을 통해 유럽에서 일상적으로 마시는 식사용 포도주는 저렴한 포도주이고, 술이 약한 사람은 저렴한 포도주에 물을 섞어 마신다는 것을 알 수 있다. 따라서 유럽에서 일상적으로 마시는 식사용 포도주가 고급 포도주에 물을 섞은 것이라는 ③의 추론은 적절하지 않다.

[관련 부분] 일상적으로 마시는 식사용 포도주로는 당연히 고급 포도주와는 다른 저렴한 포도주가 쓰이며, 술이 약한 사람들은 여기에 물을 섞어서 마시기도 한다.

04

난이도 ★★☆

해설 ⑤ 제시문은 ㉠을 근거로 인생의 본질이 '목표의 설정과 성취'가 아니라 '유지와 지속'이라는 점을 밝히고 있으며 인생 초반 이후에 이어지는 긴 삶을 의미 있게 보내야 한다고 주장하고 있다. 따라서 ㉠에는 ⑤ '삶은 생각보다 길다'가 들어가는 것이 적절하다.

[관련 부분]
• 인생의 본질은 목표의 설정과 성취가 아니라 유지와 지속이다. 목표 성취가 주는 짧은 행복감이 지나가고 나면 특별한 일 없이 반복되는 무수한 나날들이 기다리고 있다.
• 관건은 생각보다 긴 내 삶을 지속해 나갈 방법을 찾는 것이다. 그냥 지속하는 것은 의미가 없다. 기왕에 주어진 삶을 어떻게 의미 있고 행복하게 살아낼 것인가를 고민해야 한다.

05

[2021년 국회직 8급]

⍟에 들어갈 말로 적절한 것은?

> 우리가 이용하는 디지털화된 정보들은 대다수가 아날로그 기반에서 생성된 것이다. 온라인에서 보는 텍스트 정보, 사진, 동영상 대부분이 기존의 종이 매체나 필름에 기록된 것들이다. 온라인 게임을 정보 통신 시대의 독특한 문화양상이라고 하지만, 인기를 끌고 있는 많은 게임은 오래전부터 독자들로부터 사랑받던 판타지 문학에서 유래했다.
>
> 아날로그가 디지털과 결합해 더욱 활성화되기도 한다. 동양의 전통 놀이 중 하나인 바둑과 장기도 그렇다. 전형적인 아날로그 문화의 산물인 바둑이 인터넷 바둑 사이트 덕분에 더욱 대중화된 놀이가 되었다. 예전에는 바둑을 두기 위해 친구와 약속을 잡거나 기원을 찾아야 했지만, 지금은 인터넷에 접속하면 언제든 대국을 즐길 수 있다.
>
> 따라서 (⍟   )

① 디지털 문화와 아날로그 문화를 수직적인 것으로 파악하는 것은 본질과 거리가 멀다.

② 디지털 문화와 아날로그 문화를 수평적인 것으로 파악하는 것은 본질과 거리가 멀다.

③ 디지털 문화와 아날로그 문화를 상호 보완적인 것으로 파악하는 것은 본질과 거리가 멀다.

④ 디지털 문화와 아날로그 문화를 입체적인 것으로 파악하는 것은 본질과 거리가 멀다.

⑤ 디지털 문화와 아날로그 문화를 대립적인 것으로 파악하는 것은 본질과 거리가 멀다.

06

[2020년 국가직 9급]

다음 글의 시사점으로 적절하지 않은 것은?

> 기존의 의학적 연구는 건장한 성인 남성의 몸을 표준으로 삼아 이루어지는 경우가 많았다. 예를 들어 농약과 같은 화학 물질이 몸에 들어와 어떠한 변화를 일으키는지 검토한 연구에서 생리 주기에 따라 변화하는 여성 호르몬이 그 물질과 어떤 상호 작용을 일으킬 수 있는지는 고려되지 않았다. 자동차 충돌 사고를 인체 공학적으로 시뮬레이션 할 때도 특정 연령대 남성의 몸이 연구 대상으로 사용되었고, 여성의 신체 특성이나 다양한 연령대 남성의 신체적 특성은 고려되지 않았다.
>
> 특정 연령대 성인 남성의 몸을 표준화된 인체로 여겼던 사고방식은 여러 문제점을 낳고 있다. 예를 들어 대사율, 피부와 조직 두께 등을 감안한, 사람이 가장 효과적으로 일할 수 있는 사무실 온도는 21℃로 알려져 있다. 그런데 한 연구에서 남성과 여성 직장인에게 각각 선호하는 사무실 온도를 조사한 결과는 남성은 평균 22℃, 여성은 평균 25℃였다. 남성은 기존의 적정 실내 온도에 가까운 답을 했고, 여성은 더 따뜻한 사무실에서 일하기를 원했다.
>
> 이러한 차이의 이유는 무엇일까? 현재 적정 사무실 온도로 알려진 21℃는 1960년대 측정된 자료를 바탕으로 하는데, 당시 몸무게 70kg인 40세 성인 남성을 기준으로 측정된 것이다. 이러한 '표준화된 신체'를 가진 남성의 대사율은 여성이나 다른 연령대 남성들의 대사율과 다르고, 당연히 체내 열 생산의 양도 차이가 있다.

① 표준으로 삼은 대상이 나머지 대상의 특성까지 대표하지 못하므로 앞으로 의학적 연구를 하려면 하나의 표준을 정하기보다 가능한 한 다양한 대상을 선정해서 하는 것이 바람직하다.

② 현재 우리가 알고 있는 의학 지식 중에는 특정 표준 대상만을 연구한 결과인 것이 있으므로 앞으로 이런 의학 지식을 활용하려면 연구한 대상을 살펴봐서 그대로 활용할지를 결정하는 것이 바람직하다.

③ 성별이나 연령대 등에 따라 신체 조건이 같지 않으므로 근무 환경을 조성할 때 근무자들의 성별이나 연령대를 고려하는 것이 바람직하다.

④ 기존의 사무실 적정 실내 온도가 조사된 것보다 낮게 설정되어 있으므로 향후에 모든 공공 기관의 사무실 온도를 조정할 때 현재보다 설정 온도를 일률적으로 높이는 것이 바람직하다.

07

[2020년 국가직 9급]

㉠에 들어갈 주장으로 가장 적절한 것은?

> 경상 지역 방언을 쓰는 사람들은 대체로 'ㅓ'와 'ㅡ'를 구별하지 못한다. 이들은 '증표(證票)'나 '정표(情表)'를 구별하여 듣지 못할 뿐만 아니라 구별하여 발음하지 못하기 십상이다. 또 이들은 'ㅅ'과 'ㅆ'을 구별하지 못하는 경우가 많다. 따라서 이들은 '살밥을 많이 먹어서 쌀이 많이 쪘다'고 말하든 '쌀밥을 많이 먹어서 살이 많이 쪘다'고 말하든 쉽게 그 차이를 알지 못한다. 한편 평안도 및 전라도와 경상도의 일부에서는 'ㅗ'와 'ㅓ'를 제대로 분별해서 발음하지 않는 경우가 종종 있다. 평안도 사람들의 'ㅈ' 발음은 다른 지역의 'ㄷ' 발음과 매우 비슷하다. 이처럼 (㉠   )

① 우리말에는 지역마다 다양한 소리가 있다.

② 우리말은 지역에 따라 다양한 표준 발음법이 있다.

③ 우리말에는 지역에 따라 구별되지 않는 소리가 있다.

④ 자음보다 모음을 변별하지 못하는 지역이 더 많이 있다.

05

난이도 ★☆☆

해설 ⑤ 1문단에서 대다수의 디지털화된 정보들이 아날로그를 기반으로 생성된 것임을 설명하고 2문단에서는 아날로그가 디지털과 결합하여 활성화된 현상을 제시하고 있다. 따라서 ㉠에는 디지털 문화와 아날로그 문화가 대립적인 관계가 아니라 상호보완적인 관계임을 설명하는 내용이 들어가는 것이 적절하므로 답은 ⑤이다.

06

난이도 ★☆☆

해설 ④ 기존의 사무실 적정 실내 온도가 비교적 낮게 설정된 것은 특정 몸무게와 연령대의 성인 남성을 표준으로 삼아 측정된 자료를 활용했기 때문이다. 따라서 사무실 적정 실내 온도는 근무자들의 연령대와 성별 등의 신체 조건을 고려하여 조정하는 것이 바람직하다는 것을 추론할 수 있으므로 모든 공공 기관 사무실의 적정 실내 온도를 일률적으로 높이는 것은 적절하지 않다.

오답분석 ① 3문단을 통해 특정 연령대 성인 남성의 몸을 표준으로 삼은 '표준화된 신체'는 나머지 대상의 특성까지 대표하지 못한다는 것을 알 수 있다. 따라서 하나의 표준을 정하기보다 다양한 대상을 선정해서 의학적 연구를 하는 것이 바람직하다는 것을 추론할 수 있다.

② 1문단을 통해 현재 우리가 알고 있는 의학 지식 중에는 특정 표준 대상만을 연구한 결과인 것이 있음을 알 수 있다. 따라서 앞으로 의학 지식을 활용하려면 연구한 대상에 대한 논의가 추가적으로 필요하다는 것은 시사점으로 볼 수 있다.

③ 3문단을 통해 '표준화된 신체'의 기준을 여성이나 다른 연령대의 남성에게도 적용하는 것은 무리가 있으므로 근무 환경을 조성할 때 근무자들의 성별이나 연령대를 고려하는 것이 바람직하다는 것을 알 수 있다.

07

난이도 ★☆☆

해설 ③ 제시문은 구체적인 사례를 들어 우리나라의 일부 지역에서 특정한 발음이 구별되지 않음을 설명하고 있다. 이를 통해 ㉠에 들어갈 주장은 ③ '우리말에는 지역에 따라 구별되지 않는 소리가 있다'라는 것을 추론할 수 있다.

[관련 부분]
- 경상 지역 방언을 쓰는 사람들은 대체로 'ㅓ'와 'ㅡ'를 구별하지 못한다. ~ 이들은 'ㅅ'과 'ㅆ'을 구별하지 못하는 경우가 많다.
- 한편 평안도 및 전라도와 경상도의 일부에서는 'ㅗ'와 'ㅓ'를 제대로 분별해서 발음하지 않는 경우가 종종 있다.
- 평안도 사람들의 'ㅈ' 발음은 다른 지역의 'ㄷ' 발음과 매우 비슷하다.

오답분석 ① 지역마다 구별되지 않는 소리가 있다는 것을 설명하고 있을 뿐, 지역마다 다양한 소리가 있음을 주장하는 것은 아니다.

②④ 제시문을 통해 알 수 없는 내용이다.

08

[2020년 국가직 9급]

다음 글을 바탕으로 ㉠을 이해할 때 가장 적절한 것은?

나는 ㉠'연극에서의 관객의 공감'에 대해 강연한 일이 있다. 나는 관객이 공감하는 것을 직접 보여 주려고 시도했다. 먼저 나는 자원자가 있으면 나와서 배우처럼 읽어 주기를 청했다. 그리고 청중에게는 연극의 관객이 되어 들어 달라고 했다. 한 사람이 앞으로 나왔다. 나는 그에게 아우슈비츠를 소재로 한 드라마의 한 장면이 적힌 종이를 건네주었다. 자원자가 종이를 받아들고 그것을 훑어볼 때 청중들은 어수선했다. 그런데 자원자의 입에서 떨어진 첫 대사는 끔찍한 내용이었다. 아우슈비츠에 관한 적나라한 증언은 너무나 충격적이어서 청중들은 완전히 압도되었다. 자원자는 청중들의 얼어붙은 듯한 침묵 속에서 낭독을 계속했다. 자원자의 낭독은 세련되지도 능숙하지도 않았다. 그러나 관객들의 열렬한 공감을 이끌어 냈다. 과거 역사가 현재의 관객들에게 생생하게 공감되었다.

이것이 끝나고 이번에는 강연장에 함께 갔던 전문 배우에게 셰익스피어의 희곡 「헨리 5세」에서 발췌한 대사를 낭독해 달라고 부탁했다. 그 대본은 400년 전 아쟁쿠르 전투(백년 전쟁 당시 벌어졌던 영국과 프랑스의 치열한 전투)에서 처참하게 사망한 자들의 명단과 그 숫자를 나열한 것이었다. 그는 셰익스피어의 위대한 희곡임을 알아보자 품위 있고 고풍스럽게 큰 목소리로 낭독했다. 그는 유려한 어조로 전쟁에서 희생된 이들의 이름을 읽어 내려갔다. 그러나 청중들은 듣는 둥 마는 둥 했다. 갈수록 청중들은 낭독자 따위는 안중에도 없다는 듯이 행동했다. 그들에게 아쟁쿠르 전투는 공감할 수 없는 것으로 분리된 것 같아 보였다. 앞서의 경우와는 전혀 다른 반응이었다.

① 배우의 연기력이 관객의 공감을 좌우한다.

② 비참한 죽음을 다룬 비극적인 소재는 관객의 공감을 일으킨다.

③ 훌륭한 고전이라고 해서 항상 청중의 공감을 불러일으킬 수 있는 것은 아니다.

④ 현재와 가까운 역사적 사실을 극화했다고 해서 관객의 공감 가능성이 커지지는 않는다.

09

[2020년 지방직 9급]

다음 밑줄 친 부분의 의미를 풀어 쓴 것으로 적절한 것은?

2004년 1월 태국에서는 한 소년이 극심한 폐렴 증세로 사망했다. 소년의 폐는 완전히 망가져 흐물흐물해져 있었다. 분석 결과, 이전까지 인간이 감염된 적이 없는 인플루엔자 바이러스가 원인으로 밝혀졌다. 소년은 공식적으로 고병원성 조류 인플루엔자 바이러스, H5N1의 첫 사망자가 되었다. 계절 독감으로 익숙한 인플루엔자 바이러스가 이렇게 치명적일 수 있었던 것은 인간의 면역 반응 때문이다. 인류 역사상 단 한 번도 만나본 적이 없는 새로운 바이러스가 침입하자 면역계가 과민 반응을 일으켜 도리어 인체에 해를 끼친 것이다. 이런 현상을 '사이토카인 폭풍'이라 부른다. 사이토카인 폭풍은 면역 능력이 강한 젊은 층일수록 더 세게 일어난다.

만약 집에 ㉠좀도둑이 들었다면 작은 손해를 각오하고 인기척을 내 도둑 스스로 도망가게 하는 것이 상책이다. 그런데 만약 ㉡몽둥이를 들고 도둑과 싸우려 든다면 도둑은 ㉢강도로 돌변한다. 인체가 H5N1에 감염되면 똑같은 일이 벌어진다. 처음으로 새가 아닌 다른 숙주 몸속에 들어온 바이러스는 과민 반응한 면역계와 죽기 살기로 싸운다. 그 결과 50%가 넘는 승률로 바이러스가 승리한다. 그러나 ㉣승리의 대가는 비싸다. 숙주가 죽어버렸기 때문에 바이러스 역시 함께 죽어야만 한다. 이것이 바로 악명을 떨치면서도 조류 독감의 사망 환자 수가 전 세계에서 400명을 넘기지 않는 이유다. 이 질병이 아직 사람 사이에서 감염되는 사례가 나타나지 않은 이유도 바이러스가 인체라는 새로운 숙주에 적응하지 못했기 때문으로 추정할 수 있다.

① ㉠: 면역계의 과민 반응

② ㉡: 계절 독감

③ ㉢: 치명적 바이러스

④ ㉣: 극심한 폐렴 증세

10

[2020년 국가직 7급]

괄호 안에 들어갈 말로 가장 적절한 것은?

> 상등인은 법을 사랑하고, 중등인은 법을 두려워하며, 하등인은 법을 싫어한다. 법을 사랑하는 자는 이를 범하기 부끄러워하고, 법을 두려워하는 자는 이를 범하기 싫어하지만, 법을 싫어하는 자는 이를 범하기 부끄러워하지도 싫어하지도 않는다. 기회만 만나면 하고 싶은 대로 저질러 거리끼는 것이 없다. 그가 다만 죄를 저지르지 않는 까닭은 형편이 그렇지 못하고 처지가 그럴 수 없기 때문이지, 그의 심사가 올바르기 때문이 아니다. 그러나 법률상 인품을 논의하여 세 등급으로 구별한 것은 후천적인 학식의 환경과 지각의 계층에 따른 것이기 때문에, 교화가 넓게 베풀어지는 정도에 따라 범죄 건수가 줄어들고 있다. 이를 통해 본다면, 인간 세상의 풍속을 바로잡는 방법은 (   )

① 법률을 엄격하게 정하고 구체적으로 적용하는 데 있다.

② 법률을 엄격하게 정하고 상황에 맞게 적용하는 데 있다.

③ 법률을 엄격하게 정하는 것보다 교화에 힘쓰는 데 있다.

④ 법률을 엄격하게 정하는 것보다 계층 통합에 힘쓰는 데 있다.

08

난이도 ★★☆

해설 ③ 제시문에서 아우슈비츠를 소재로 한 드라마의 한 장면이 낭독되었을 때는 관객들의 열렬한 공감을 이끌어 냈지만 셰익스피어의 희곡이 낭독되었을 때는 관객들의 공감을 얻지 못했음을 알 수 있다. 따라서 훌륭한 고전이라고 해서 ⊙ '연극에서의 관객의 공감'을 불러일으킬 수 있는 것은 아니라는 점을 추론할 수 있다.

오답분석 ① 전문 배우가 유려하게 희곡의 대사를 낭독했지만 관객의 공감은 이끌어내지 못했으므로, 배우의 연기력이 관객의 공감을 좌우한다고 볼 수 없다.

② 전문 배우가 낭독한 대본 역시 비참한 죽음을 다룬 비극적인 소재임에도 불구하고 관객의 공감을 일으키지 못했음을 알 수 있다.

④ 역사적 사실의 발생 시기에 따라 관객의 공감 가능성이 달라진다는 내용은 제시문에 드러나지 않는다.

09

난이도 ★☆☆

해설 ③ 제시문은 새로운 바이러스가 침입할 때 면역계가 과민 반응을 일으켜 도리어 인체에 해를 끼치는 '사이토카인 폭풍' 현상에 대해 설명하고 있다. 2문단에서 © '강도'는 처음엔 작은 손해를 끼치는 '좀도둑(새로운 바이러스의 침입)'이었지만 주인이 '몽둥이(면역계의 과민 반응)'를 들고 싸우려 하면 돌변하여 생명을 위협하는 존재를 의미한다. 따라서 ©은 '치명적 바이러스'의 의미를 가진다.

오답분석 ① 집에 들어온 ⊙ '좀도둑'은 인체에 침입한 '바이러스(계절 독감)'라고 볼 수 있다.

② © '몽둥이'는 침입한 도둑과 싸우기 위한 도구이므로, 인체에 들어온 새로운 바이러스에 대항하는 '면역계의 과민 반응'이라 볼 수 있다.

④ @ '승리의 대가'는 인체의 면역계와 싸워 바이러스가 승리할지라도, 숙주가 죽었기 때문에 바이러스도 함께 죽을 수밖에 없음을 비유한 것이다.

10

난이도 ★★☆

해설 ③ 제시문은 법을 대하는 태도를 기준으로 상등인, 중등인, 하등인을 분류하고 법을 싫어하는 하등인이 죄를 일으킬 수 있다고 설명하고 있다. 또한 이러한 법률상 인품은 후천적으로 형성되는 것이며, 교화가 베풀어진다면 범죄가 줄어들 것임을 주장하고 있다. 따라서 괄호 안에 들어갈 말로 가장 적절한 것은 교화의 기능을 강조한 ③이다.

11

다음 글을 통해 추론할 수 없는 것은?

자신의 신념과 일치하는 정보는 받아들이고 그렇지 않은 정보는 무시하는 경향을 확증 편향(confirmation bias)이라 한다. 자신의 믿음이나 견해와 일치하는 정보는 수용하고 그에 반대되는 정보는 무시하거나 부정하는 심리 경향이다. 사회 심리학자인 로버트 치알디니는 자신이 가진 기존의 견해와 일치하는 정보는 두 가지 이점을 가지고 있다고 한다. 첫째, 그러한 정보는 어떤 문제에 대해 더 이상 고민하지 않고 마음의 휴식을 취할 수 있게 해 준다. 둘째, 그러한 정보는 우리를 추론의 결과에서 자유롭게 해 준다. 즉 추론의 결과 때문에 행동을 바꿔야 할 필요가 없다. 첫째는 생각하지 않게 하고, 둘째는 행동하지 않게 함을 말한다.

일례로 특정 정치 성향을 가진 사람들을 대상으로 조사했을 때, 사람들은 반대당 후보의 주장에서는 모순을 거의 완벽하게 찾은 반면, 지지하는 당 후보의 주장에서는 모순을 절반 정도만 찾아냈다. 이 판단의 과정을 자기 공명 영상 장치로도 촬영했다. 그 결과, 자신이 동의하지 않는 정보를 접했을 때는 뇌 회로가 활성화되지 않았고, 자신이 동의하는 주장을 접했을 때는 긍정적인 반응을 보이면서 뇌 회로가 활성화되는 것을 확인할 수 있었다.

① 사람에게는 자신의 신념이나 행동을 바꾸려 하지 않는 경향이 있다.

② 사람에게는 정보를 객관적으로 판단하지 못하는 심리적 특성이 있다.

③ 사람에게는 지지자들의 말만을 듣고 자기 신념을 강화하는 경향이 있다.

④ 사람에게는 새로운 정보를 접했을 때 심리적 불안을 느끼는 특성이 있다.

12

다음 글에 대한 이해로 가장 적절한 것은?

자유지상주의자에게 있어서 사회는 개인의 자유가 극대화될 때 정의롭다. 그런데 자유에 대한 자유지상주의자의 입장을 명확하게 이해하기 위해서는 '제약으로부터의 자유'인 '프리덤(freedom)'과 '강제로부터의 자유'인 '리버티(liberty)'가 동의어가 아니라는 것을 알아야 한다. 프리덤이 강제를 비롯한 모든 제약의 전적인 부재라면, 리버티는 특정한 종류의 구속인 강제의 부재로 이해될 수 있다. 일반적으로 강제는 물리적 힘을 직접적으로 행사하거나 피해를 주겠다고 위협하는 형태로 나타난다.

프리덤과 리버티가 동의어일 수 없는 이유는 다음 사례에서 잘 드러난다. 일부 국가의 어떤 시민은 특정 도시에서 생활하고 일하기 위해서 정부의 허가를 받아야 한다. 이때 정부는 법률에 복종하지 않을 경우 피해를 주겠다고 위협하거나 직접적인 물리력을 행사해 해당 시민의 자유를 제한할 수 있다. 이와 달리 A국 시민은 거주지 이전의 허가가 필요 없어서 국가로부터의 어떠한 물리적 저지나 위협도 받지 않는다고 하자. 그렇다고 해서 모든 A국 시민이 원하는 곳에 실제로 이사 갈 수 있는 것은 아니다. 일부 시민은 이사 갈 수 있을 만큼의 돈이 없거나, 이사 가려는 곳에서 원하는 직업을 찾지 못할 수도 있다. 결과적으로 이런 경우는 그들이 원하는 바를 충분히 실현할 자유가 제한되는 것이다. 따라서 어떤 개인이 누릴 수 있는 자유는 국가로부터의 강제와 무관하게 다른 많은 방식으로 제한될 수 있다.

자유지상주의자들이 자유를 극대화해야 한다고 말할 때, 이들이 두 가지 자유를 모두 극대화해야 한다고 주장하는 것은 아니다. 자유지상주의자들은 강제를 극소화하는 것, 특히 정부의 강제적인 간섭을 최소화하는 것을 통해 얻는 자유에 초점을 맞추고 있다.

① 자유지상주의자들은 '제약으로부터의 자유'를 최대한 확보할 때 정의로운 사회가 된다고 주장한다.

② A국 시민들은 다양한 법률이나 제도를 통해 국가로부터 거주지 이전에 관한 '프리덤'을 보장받고 있다.

③ '리버티'에 대한 제한은 직접적인 물리적 힘보다 피해를 주겠다는 위협을 통해 이루어지는 경우가 더 많다.

④ 개인의 행동에 대해 정부 허가가 필요하다면, 그 개인의 '강제로부터의 자유'가 제한되는 것이라고 볼 수 있다.

11

난이도 ★★☆

 ④ 제시문에 따르면 사람에게는 자신의 신념과 일치하는 정보는 받아들이고 그렇지 않은 정보는 무시하거나 부정하는 확증 편향이 있다는 것을 알 수 있다. 따라서 새로운 정보를 접했을 때 심리적 불안을 느끼는 특성이 있다는 내용은 추론할 수 없다.

오답분석 ① 1문단에 제시된 로버트 치알디니의 견해에 따르면 확증 편향에 근거할 때, 사람들은 자신이 가진 기존의 견해와 일치하는 정보에 따라 자신의 행동을 바꿀 필요가 없다는 것을 알 수 있다.

[관련 부분] 사회 심리학자인 로버트 치알디니는 자신이 가진 기존의 견해와 일치하는 정보는 두 가지 이점을 가지고 있다고 한다. ~ 추론의 결과 때문에 행동을 바꿔야 할 필요가 없다.

② 2문단에서 소개하는 특정 정치 성향을 가진 사람들의 조사 결과를 통해 사람에게는 정보를 객관적으로 판단하지 못하는 특성이 있음을 추론할 수 있다.

[관련 부분] 사람들은 반대당 후보의 주장에서는 모순을 거의 완벽하게 찾은 반면, 지지하는 당 후보의 주장에서는 모순을 절반 정도만 찾아냈다.

③ 2문단에서 자신이 동의하는 주장을 접했을 때는 긍정적인 반응을 보이며 뇌 회로가 활성화된다는 점을 설명하고 있는 것으로 보아 사람에게는 지지자들의 말만 듣고 자기 신념을 강화하는 경향이 있다는 것을 추론할 수 있다.

12

난이도 ★★★

해설 ④ 1문단 끝에서 1~3번째 줄을 통해 '강제'가 물리적 힘의 행사나 피해 위협을 의미한다는 것을 알 수 있으며 2문단 4~6번째 줄의 내용을 통해 정부가 '강제'로 시민의 자유를 제한함을 알 수 있다. 따라서 개인의 행동에 대해 정부 허가가 필요하다면 이는 '강제로부터의 자유'를 제한받는 것이라는 추론은 적절하다.

[관련 부분]
• 강제는 물리적 힘을 직접적으로 행사하거나 피해를 주겠다고 위협하는 형태로 나타난다.
• 정부는 법률에 복종하지 않을 경우 피해를 주겠다고 위협하거나 직접적인 물리력을 행사해 해당 시민의 자유를 제한할 수 있다.

오답분석 ① 3문단 끝에서 1~3번째 줄을 통해 자유지상주의자들은 '제약으로부터의 자유'가 아니라 '강제로부터의 자유'를 최대한 확보해야 한다고 주장한다는 것을 알 수 있다.

[관련 부분] 자유지상주의자들은 강제를 극소화하는 것, 특히 정부의 강제적인 간섭을 최소화하는 것을 통해 얻는 자유에 초점을 맞추고 있다.

② 2문단을 통해 A국 정부가 거주지 이전을 제한하지 않더라도 A국 시민들은 경제적 문제와 같은 이유로 인해 원하는 곳으로 이주하는 자유가 제한될 수도 있다는 것을 알 수 있다. 따라서 A국 시민들은 '강제로부터의 자유'인 '리버티'를 보장받고 있으나, '제약으로부터의 자유'인 '프리덤'은 보장받고 있지 않음을 추론할 수 있다.

③ 1문단 끝에서 1~3번째 줄을 통해 '리버티'를 제한하는 '강제'가 물리적 힘의 행사나 피해 위협의 형태로 나타난다는 것을 알 수 있으나, 위협의 방식이 더 많이 사용되는지는 추론할 수 없다.

[관련 부분] 강제는 물리적 힘을 직접적으로 행사하거나 피해를 주겠다고 위협하는 형태로 나타난다.

13

[2020년 국가직 7급]

다음 글을 통해 추론한 것으로 적절하지 않은 것은?

로컬푸드(local food)는 일차적으로 일정한 지역을 기준으로 해당 지역에서 생산되는 농식품을 의미한다. 로컬푸드를 물리적 거리로써 구체적으로 규정하는 경우 좁게는 반경 50km, 넓게는 반경 100km의 농촌 지역 내에서 생산되는 농식품을 지칭하곤 한다. 그렇다고 해서 로컬푸드가 이 정도의 물리적 거리나 농촌을 중심으로 한 지역사회의 농식품에 국한되는 것은 아니다. 일본은 행정구역을 중심으로 로컬푸드를 규정하는 경향이 있고, 미국의 경우 넓게는 반경 160km정도 내에서 생산되는 농식품으로까지 확대하기도 한다. 이는 생산·유통·소비에 있어서 건강성, 신뢰성, 친환경성 등이 유지될 수 있는 거리를 고려한 것이다.

로컬푸드가 일정한 거리 이내에서 생산된 농식품을 의미하는 것이라면, 로컬푸드 운동은 친환경적이고 자립적이며 지속 가능한 먹거리를 생산·유통·소비하고자 하는 공동체적 노력을 일컫는다. 농업의 해체와 식품 안전성의 위기가 만나는 접점은 로컬푸드 운동이 발아하는 배경이 된다. 전통적인 농업은 관련 인구 감소, 농촌 경제 영세화, '종자에서 식탁까지' 지배하는 거대자본의 위협을 받고 있다. 농약의 과다 사용으로 인해 식품은 물론 자연환경이 위기에 처하게 되었다. 이러한 문제점에 대응하기 위해 친환경 먹거리 생산과 건강한 소비를 연결하고, 나아가 지역 정체성을 강화하는 등 대안적 공동체 운동으로 선순환시키려는 노력이 로컬푸드 운동으로 나타났다.

① 로컬푸드의 범위는 경제적 요소를 고려해서 규정될 수 있다.

② 식품 안전성에 주목하는 로컬푸드 운동은 환경보호 운동과도 밀접한 관련을 지닌다고 볼 수 있다.

③ 지역적 정체성을 드러내는 하나의 전략으로 해당 지역에서 산출되는 로컬푸드를 활용할 수 있다.

④ 지역 농가가 거대자본에 의존하여 생산과 소비를 연결하려는 시도는 로컬푸드 운동의 일환일 수 있다.

14

[2020년 국가직 7급]

다음 글을 통해 추론한 생각으로 적절하지 않은 것은?

21세기에 우리가 맞닥뜨린 도전은 나 자신을 위해 가장 좋은 것을 하고 싶은 욕망과 윤리적·도덕적 기준에 맞춰 살아가는 태도 사이에서 균형을 잡는 일이다. 나를 위해 물건을 사고 싶은 충동이 부수적으로 어떤 피해의 원인을 제공하지는 않는지 확실히 따져 보는 것, 나 자신에게 가장 좋은 일을 하는 행동이 생태계와 다른 사람들에게 어떤 피해도 입히지 않도록 노력하는 것, 나에게 이익이 되는 선택을 하고자 하는 욕망과 다른 사람을 돕고자 하는 욕구를 결합하는 것. 이것들이 바로 이기적 이타주의의 자세이다.

우리는 자긍심을 충족하려는 과시적 소비가 이끌었던 소비의 시대에서 더 신중하게 소비하는 이기적 이타주의 시대로의 점진적 전환을 맞고 있다. 이미 몇 세대에 걸쳐 과시적인 소비를 경험했기에 사람들은 쇼핑 중독에서 완전히 벗어나거나 흥미로운 물건을 사는 기쁨을 포기하지는 않을 것이다. 쇼핑이라는 탐험이 사회와 생활 방식에 제공하는 혜택은 많은 사람에게 큰 즐거움을 준다. 자긍심을 높이고자 하는 욕망 또한 언제나 존재할 것이다. 그러므로 사람들이 지금보다 쇼핑을 줄일 것 같지는 않다. 그러나 앞으로 소비 패턴과 품목은 가치관과 태도 변화와 함께 바뀔 것이다.

과시적인 소비는 자긍심을 향한 인간의 욕구로 주도되었지만 사람들은 이런 소비가 가진 함의나 그 영향에 대해서는 별로 신경을 쓰지 않았다. 이기적 이타주의는 개인적 욕구와 사회적 고려 사이에서 균형을 추구한다. 모든 사람들이 갑자기 지나치게 동정심이 많아지거나 비정한 자본주의자에서 사회복지사로 바뀌고 있는 것은 아니다. 또한 어떤 구매 시스템에서 다른 시스템으로 갑자기 옮겨 가지도 않는다. 이기적 이타주의 소비는 단지 우리가 무엇을 구입하고 어떻게 구입할지를 결정하는 과정에서 새로운 균형을 이루는 법을 배우는 것이다.

① 이기적 이타주의 시대에도 소비의 시대와 비교하여 적지 않은 쇼핑 행위가 이루어질 것 같군.

② 가격 대비 성능 비율을 뜻하는 가성비에 집착한 구입이 이기적 이타주의 소비는 아닐 것 같군.

③ 동물 보호를 위해 가죽제품보다 면제품을 사는 경우도 이기적 이타주의 소비의 예에 해당될 것 같군.

④ 이기적 이타주의 소비에 있어서는 소비자의 필요보다 사회적 영향을 더 고려해서 물건을 구매할 것 같군.

13

난이도 ★★☆

해설 ④ 2문단을 통해 전통적인 농업이 거대자본의 위협을 받고 있으며, 이에 대응하기 위해 로컬푸드 운동이 시작되었음을 알 수 있다. 따라서 지역 농가가 거대자본에 의존하여 생산과 소비를 연결하려는 시도가 로컬푸드 운동의 일환이라는 추론은 적절하지 않다.

[관련 부분]
• 전통적인 농업은 관련 인구 감소, 농촌 경제 영세화, '종자에서 식탁까지' 지배하는 거대자본의 위협을 받고 있다.
• 이러한 문제점에 대응하기 위해 친환경 먹거리 생산과 건강한 소비를 연결하고, 나아가 지역 정체성을 강화하는 등 대안적 공동체 운동으로 선순환시키려는 노력이 로컬푸드 운동으로 나타났다.

오답분석 ① 1문단 끝에서 1~3번째 줄을 통해 '생산, 유통, 소비' 등의 경제적 요소가 로컬푸드의 범위를 규정하는 요소로 작용함을 추론할 수 있다.

[관련 부분] 이는 생산·유통·소비에 있어서 건강성, 신뢰성, 친환경성 등이 유지될 수 있는 거리를 고려한 것이다.

② 2문단을 통해 로컬푸드 운동이 농업의 해체와 식품 안정성의 위기가 만나는 접점에서 등장하였으며 농약의 과다 사용으로 인한 자연환경의 위기에도 대응하는 활동임을 알 수 있다. 따라서 로컬푸드 운동이 환경보호 운동과도 밀접한 관련이 있음을 추론할 수 있다.

[관련 부분]
• 농업의 해체와 식품 안전성의 위기가 만나는 접점은 로컬푸드 운동이 발아하는 배경이 된다.
• 농약의 과다 사용으로 인해 식품은 물론 자연환경이 위기에 처하게 되었다. 이러한 문제점에 대응하기 위해 친환경 먹거리 생산과 건강한 소비를 연결하고, 나아가 지역 정체성을 강화하는 등 대안적 공동체 운동으로 선순환시키려는 노력이 로컬푸드 운동으로 나타났다.

③ 1문단 1~2번째 줄을 통해 로컬푸드는 일정한 지역을 기준으로 해당 지역에서 생산되는 농식품임을 알 수 있고, 2문단 끝에서 1~3번째 줄에서 로컬푸드 운동이 지역 정체성을 강화하는 방안이 될 수 있음을 알 수 있으므로 적절하다.

[관련 부분]
• 로컬푸드(local food)는 일차적으로 일정한 지역을 기준으로 해당 지역에서 생산되는 농식품을 의미한다.
• 지역 정체성을 강화하는 등 대안적 공동체 운동으로 선순환시키려는 노력이 로컬푸드 운동으로 나타났다.

14

난이도 ★★☆

해설 ④ 3문단 3~4번째 줄을 통해 이기적 이타주의는 개인적 욕구와 사회적 고려 사이에서 균형을 추구함을 알 수 있다. 따라서 이기적 이타주의 소비가 소비자의 필요보다 사회적 영향을 더 고려하여 물건을 구매할 것이라는 추론은 적절하지 않다.

[관련 부분] 이기적 이타주의는 개인적 욕구와 사회적 고려 사이에서 균형을 추구한다.

오답분석 ① 2문단을 통해 소비의 시대에서 이타적 이기주의 시대로 변화하더라도 과시적인 소비를 경험했던 사람들이 쇼핑을 포기하거나 줄이지는 않을 것임을 알 수 있다.

[관련 부분]
• 사람들은 쇼핑 중독에서 완전히 벗어나거나 흥미로운 물건을 사는 기쁨을 포기하지는 않을 것이다.
• 사람들이 지금보다 쇼핑을 줄일 것 같지는 않다.

② 1문단 1~3번째 줄을 통해 이기적 이타주의는 자신의 욕망과 윤리적·도덕적 기준 사이에서 균형을 잡는 것임을 알 수 있다. 그러나 가성비에 집착한 소비는 가격과 성능만 고려한 소비이므로 이기적 이타주의 소비가 아니라는 추론은 적절하다.

[관련 부분] 나 자신을 위해 가장 좋은 것을 하고 싶은 욕망과 윤리적·도덕적 기준에 맞춰 살아가는 태도 사이에서 균형을 잡는 일이다.

③ 1문단 5~7번째 줄을 통해 자신에게 좋은 일을 하는 행동이 생태계에 어떤 피해도 입히지 않도록 노력하는 것이 이기적 이타주의의 구체적 자세임을 알 수 있다. 따라서 동물 보호를 위해 가죽제품보다 면제품을 사는 경우가 이기적 이타주의 소비에 해당된다는 추론은 적절하다.

[관련 부분] 나 자신에게 가장 좋은 일을 하는 행동이 생태계와 다른 사람들에게 어떤 피해도 입히지 않도록 노력하는 것

15

[2020년 국가직 7급]

다음 글을 통해 추론할 수 있는 것만을 〈보기〉에서 모두 고르면?

'공정하다'는 말은 여러 가지 맥락에서 사용된다. 우리는 종종 어떤 법적 판단에 대해 공정성을 묻기도 하고, 스포츠 경기에서 심판의 판단에 대해서도 공정성을 묻는다. 공정성이 성립하기 위해서는 적어도 두 가지 조건을 충족해야 한다. 첫 번째는 판단의 결과가 가능한 결과들 중 일부분으로 특별히 치우쳐서는 안 된다는 것이다. 이런 조건은 '공평성'이라고 불린다. 두 번째 조건은 '독립성'으로, 이는 관련된 판단들이 외적인 것에 의해서 영향을 받지 않아야 한다는 것을 의미한다.

공정성의 두 조건은 동전 던지기 게임을 사례로 설명할 수 있다. 게임의 규칙은 동전을 던져 뒷면이 나온 사람이 승리하는 것이라고 해 보자. 이 게임이 공평하다는 것은 동전 던지기를 충분히 여러 번 진행했을 때의 가능한 결과, 즉 앞면과 뒷면이 나오는 횟수가 거의 같다는 것을 말한다. 공평성이 성립하지 않는다면 이 게임의 공정성이 성립하지 않는다는 것은 당연하다.

그러면 독립성이 공정성의 조건이 되는 이유는 무엇일까. 동전 던지기 게임이 독립적이라는 것은 동전 던지기의 결과가 동전 자체가 가진 특성 이외의 특별한 장치에 의해서 조작되지 않는다는 것을 말한다. 만일 게임에 사용된 동전이 특별한 외부 장치에 의해 조작되어서 앞면이 두 번 나온 뒤에는 항상 뒷면이 나온다고 가정해 보자. 이때 두 번 연속으로 앞면이 나온 뒤에 게임에 참여하고, 그렇지 않은 경우에는 게임에 참여하지 않는 전략을 채택한 사람은 언제나 패배하지 않을 수 있다. 이와 같이 동전이 외부 장치에 의해 조작될 경우에는 항상 게임에서 패배하지 않을 수 있는 전략을 만들어 낼 수 있다. 언제나 패배하지 않을 수 있는 전략을 만들어 낼 수 있는 게임은 공정하지 않은 게임이다. 이런 점을 생각할 때, 독립적이지 않은 것은 공정하지 않다고 할 수 있다.

〈보기〉

ㄱ. 패배하지 않을 수 있는 전략을 만들어 낼 수 없는 동전 던지기 게임은 독립적이다.

ㄴ. 앞면이 나온 바로 다음에는 반드시 뒷면이 나오고, 뒷면이 나온 바로 다음에는 반드시 앞면이 나오도록 장치가 된 동전 던지기 게임은 공평하지 않다.

ㄷ. 동전 자체의 무게중심이 한쪽으로 쏠려 있어 앞면이 나올 확률과 뒷면이 나올 확률의 차이가 클 때, 그 동전을 이용한 동전 던지기 게임은 공정하지 않다.

① ㄱ, ㄴ   ② ㄱ, ㄷ
③ ㄴ, ㄷ   ④ ㄱ, ㄴ, ㄷ

16

[2020년 지방직 7급]

다음 글에서 추론한 것으로 가장 적절한 것은?

현재 약 7,000개의 언어가 있지만, 그 본질은 다르지 않다. 인간이 언어를 가지게 된 것이 대략 6만 년 전인데, 그동안 많은 언어가 분기하고 사멸하였다. 오늘날의 모든 언어는 나름대로 특별한 역사를 갖는다. 언어는 살아 있는 생명체와 같아서 지금 이 시간에도 변화는 계속되고 있다. 개별 언어들은 발음과 규칙, 그리고 의미의 세밀한 변화를 현재진행형으로 겪고 있다. 또한 '피진(pidgin)'과 같이 의사소통의 편의를 위해 급조된 언어도 있는데, 이 언어를 사용하는 집단의 후대는 자연스럽게 '크리올(creole)'과 같은 새로운 언어를 탄생시키기도 한다. 피진과 크리올은 비교적 근래에 형성된 것이므로 그 변화의 역사적 과정을 살필 수 있다. 이를 통해 고대의 언어들이 명멸하는 과정도 이와 유사했을 것이라고 짐작할 수 있다.

언어 중에는 영어와 같이 국제적으로 세력을 얻어 글로벌 시대에 의사소통의 가교 역할을 하는 언어도 있다. 이러한 언어들을 '링구아 프랑카(lingua franca)'라고 부른다. 과거에 서양에서는 그리스어나 라틴어가, 동양에서는 한자가 그 역할을 수행하기도 했다. 그러나 지금과 같은 글로벌 사회에서는 미디어나 교통수단의 발달에 힘입어 현재의 국제 통용어로 사용되는 영어가 과거의 국제 통용어들보다 훨씬 많은 힘을 발휘하고 있다.

① 교류와 소통이 증가하면 언어의 분기와 사멸의 속도가 빨라질 것이다.

② 그리스어나 라틴어는 서양의 다른 언어보다 발음, 규칙, 의미가 쉽게 변하지 않는다.

③ 국제사회에서 영향력이 강한 나라가 등장하면 그 나라의 언어가 링구아 프랑카가 될 수 있다.

④ '어리다'의 의미가 '어리석다'에서 '나이가 적다'로 변화한 것은 피진에서 크리올로 변화한 사례이다.

15

난이도 ★★★

해설 ② 제시문을 통해 추론할 수 있는 내용은 'ㄱ'과 'ㄷ'이므로 답은 ②이다.

- ㄱ: 3문단에서 언제나 패배하지 않을 수 있는 전략을 만들어 낼 수 있는 동전 던지기 게임은 외부 장치에 의해 조작된 것이므로 독립적이지 않다는 것을 알 수 있다. 이를 통해 언제나 패배하지 않을 수 있는 전략을 만들어 낼 수 없는 동전 던지기 게임은 독립적일 것임을 추론할 수 있다.
- ㄷ: 2문단에서 앞면과 뒷면이 나오는 횟수가 거의 같아야 공정성의 조건인 공평성이 성립한다는 것을 알 수 있으므로 앞면과 뒷면이 나오는 확률에 차이가 큰 동전 던지기 게임은 공정하지 않음을 추론할 수 있다.

오답분석 ㄴ. 2문단에서 앞면과 뒷면이 나오는 횟수가 같다면 동전 던지기 게임에서 공평성이 성립한다는 것을 알 수 있으므로, 앞면과 뒷면이 번갈아 나오는 동전 던지기 게임은 공평하지 않다는 추론은 적절하지 않다.

16

난이도 ★★☆

해설 ③ 2문단 1~4번째 줄을 통해 '링구아 프랑카'란 국제적으로 세력을 얻어 여러 나라에서 통용되는 언어임을 알 수 있다. 따라서 국제 사회에서 영향력이 강한 나라가 등장하면 그 나라의 언어가 링구아 프랑카가 될 수 있다는 ③의 추론은 적절하다.

[관련 부분] 언어 중에는 영어와 같이 국제적으로 세력을 얻어 글로벌 시대에 의사소통의 가교 역할을 하는 언어도 있다. 이러한 언어들을 '링구아 프랑카(lingua franca)'라고 부른다.

오답분석 ① 1문단 3~4번째 줄을 통해 역사상 많은 언어가 생명체처럼 분기하고 사멸하였음을 알 수 있을 뿐, 교류와 소통이 증가하면 언어의 분기와 사멸 속도가 빨라질 것이라는 ①의 내용은 제시문을 통해 추론할 수 없다.

[관련 부분] 그동안 많은 언어가 분기하고 사멸하였다. 오늘날의 모든 언어는 나름대로 특별한 역사를 갖는다.

② 2문단 4~5번째 줄을 통해 과거 서양에서 그리스어나 라틴어가 링구아 프랑카의 역할을 수행했음을 알 수 있을 뿐, 그리스어나 라틴어가 다른 언어보다 발음, 규칙, 의미가 쉽게 변하지 않는다는 ②의 내용은 제시문을 통해 추론할 수 없다.

[관련 부분] 과거에 서양에서는 그리스어나 라틴어가, 동양에서는 한자가 그 역할(링구아 프랑카)을 수행하기도 했다.

④ 1문단 끝에서 4~8번째 줄을 통해 피진은 의사소통의 편의를 위해 급조된 언어이고, 크리올은 피진을 사용하는 집단의 후대가 탄생시킨 새로운 언어임을 알 수 있다. ④에서 '어리다'의 의미가 '어리석다'에서 '나이가 적다'로 변한 것은 의미가 바뀐 것일 뿐 새로운 언어가 탄생한 것이 아니므로 피진에서 크리올로 변한 사례로 보기 어렵다.

[관련 부분] '피진(pidgin)'과 같이 의사소통의 편의를 위해 급조된 언어도 있는데, 이 언어를 사용하는 집단의 후대는 자연스럽게 '크리올(creole)'과 같은 새로운 언어를 탄생시키기도 한다.

17

[2020년 지방직 7급]

다음 글에서 추론한 내용으로 적절하지 않은 것은?

> 금융 회사와 은행 상당수가 파랑을 상징색으로 쓰고 있다. 파랑의 긍정적 속성에는 정직과 신뢰가 있다. 파랑을 사용한 브랜드는 친근성과 전문성이 높아 보인다. 또한 파랑은 테크놀로지 업계에서 선호하는 색이다. 파랑은 소통의 색으로서 소셜 미디어와 잘 어울린다. 페이스북, 트위터, 링크드인의 색을 생각해 보라. 파랑을 상징색으로 사용한 브랜드가 파랑의 긍정적인 가치로 드러날 경우도 있지만, 그렇지 못할 경우에 차갑고 불친절하고 무심한 느낌의 부정적인 가치로 나타나기도 한다.
>
> 파랑은 기업의 단체복에 자주 사용한다. 약간 어두운 톤의 파란색은 친근하고 진지하며 품위 있는 분위기를 전달한다. 어두운 파란색 단체복은 약간의 보수성과 전통을, 밝은 파란색 단체복은 친근한 소통과 창의적인 사고를 표현한다. 이 색은 교복에도 적합하다. 톤을 잘 선택하면 파랑은 집중에 도움을 주고 차분하게 해 주며 활발한 토론과 의견 교환에 도움을 준다.

① 브랜드의 로고를 만들 때 색이 주는 효과를 고려해야 한다.

② 테크놀로지 업계에서 브랜드에 파란색을 써서 성공한 것은 우연한 선택의 결과로 봐야 한다.

③ 색을 효과적으로 사용하려면 색이 주는 긍정적 속성을 잘 파악해야 한다.

④ 색의 톤에 따라 전달하는 분위기가 다르니, 인테리어에 쓸 때 파랑이 지닌 다양한 톤을 알아봐야 한다.

18

[2020년 군무원 7급]

맥락을 고려할 때, ㉠~㉢에 들어갈 말로 가장 적절하게 묶인 것은?

> 영화를 보면 어떤 물체를 3차원 입체 스캐너에 집어넣고 레이저를 이용해서 쓰윽 스캔을 한 뒤 기계가 왔다 갔다 왕복운동을 하면, 무에서 유를 창조하듯 스캐닝 했던 물체와 똑같은 물체가 만들어지는 (㉠)이 나온다. 공상 과학 영화에서나 나오는 이런 허구 같은 상황, 그것이 실제로 일어났다. 물체를 3차원 스캔하거나 3D 모델링 프로그램으로 설계해서 입체 모형으로 만들어내는 이 마법 같은 기계인 3D 프린터가 어느새 우리 생활 속으로 들어왔다.
>
> 3D 프린터가 가장 많이 사용되는 곳은 (㉡) 생산이다. 그간 제품을 개발할 때에는 금형을 만들어서 샘플을 찍어내거나 수작업으로 모형을 만들어냈고, 이후에 수정하거나 설계를 변경하게 되면 엄청난 시간과 비용이 소요되었다. 그러나 3D 프린터로 샘플을 만들어 문제점과 개선점을 확인한 후에 금형을 만들고 제품을 생산하면, 비용 절감은 물론 개발 기간 단축에도 큰 도움이 된다.
>
> 3D 프린터는 (㉢)으로도 유용하게 사용되고 있다. 인체에 무해한 종류의 금속이나 플라스틱 수지 또는 인공뼈 소재를 이용해서 유실된 뼈 부분을 대신하는 용도로 사용되고 있으며, 아주 복잡하고 위험한 수술 전에 실제와 거의 동일한 인체 구조물로 미리 연습을 하도록 돕기도 한다. 또한 큰 사고로 얼굴의 일부가 크게 손상되거나 유실된 환자를 위해 정교하게 제작된 일종의 부분 가면을 만드는 것도 가능하다.
>
> 아직은 3D 프린터가 일반 가정이나 우리의 실생활에 깊게 들어왔다고 보기에는 다소 이르지만 (㉣) 우리 생활에 정말로 녹아든 시대가 올 것이다. 그러나 한국의 3D 프린터 산업은 여전히 걸음마 단계이다. 정부와 대기업의 관심도 아직 미진하여 교육기관의 3D 프린터 도입은 전혀 준비되지 않았다. 더 늦기 전에 우리도 처음 큰 한 걸음을 내딛어 경쟁력을 갖춰 나가야 한다.

	㉠	㉡	㉢	㉣
①	상황	완제품	산업용	언젠가
②	상황	시제품	산업용	조만간
③	장면	완제품	의료용	언젠가
④	장면	시제품	의료용	조만간

19

[2020년 군무원 7급]

다음 글에서 ㉠, ㉡에 들어갈 알맞은 말은?

일의 시간은 오늘날 시간 전체를 잠식해 버렸다. 우리는 휴가 때뿐만 아니라 잠잘 때에도 일의 시간을 데리고 간다. 지쳐 버린 성과 주체는 마비되는 것처럼 그렇게 잠이 든다. 긴장의 이완 역시 노동력의 재충전에 기여한다는 점에서 일의 한 양태에 지나지 않는다. 이른바 (㉠)도, 다른 시간을 만들어내지도 못한다. 그것 역시 가속화된 일의 시간이 낳은 결과일 뿐이다. 일반적으로 받아들여지고 있는 견해와는 달리, (㉡)는 오늘날 당면한 시간의 위기, 시간의 질병을 극복할 수 없다. 오늘날 필요한 것은 다른 시간, 일의 시간이 아닌 새로운 시간을 생성하는 시간 혁명이다.

	㉠	㉡
①	빠르게 살기	빠르게 살기
②	느리게 살기	느리게 살기
③	빠르게 살기	느리게 살기
④	느리게 살기	빠르게 살기

17

난이도 ★★☆

해설 ② 1문단 4번째 줄을 통해 파랑은 테크놀로지 업계에서 선호하는 색임을 알 수 있다. 따라서 테크놀로지 업계에서 브랜드에 파란색을 쓴 것이 우연한 선택이라는 ②의 추론은 적절하지 않다. 또한 제시문을 통해 테크놀로지 업계가 파란색을 브랜드에 사용함으로써 성공했다는 사실은 알 수 없으므로 답은 ②이다.

[관련 부분] 파랑은 테크놀로지 업계에서 선호하는 색이다.

오답분석 ①③ 1문단에서 다양한 회사들은 파란색이 가진 긍정적 속성을 활용하기 위해 브랜드의 상징색으로 파랑을 사용한다고 설명하고 있다. 이를 통해 색이 주는 효과를 고려하고 긍정적 속성을 파악해야 한다는 ①, ③의 추론은 적절하다.

④ 2문단에서 같은 파란색이어도 톤에 따라 전달하는 분위기가 다르다고 설명하고 있으므로 ④의 추론은 적절하다.

18

난이도 ★★☆

해설 ④ 빈칸에 들어갈 말로 적절한 것은 ④이다.

- **장면**: ㉠이 포함된 문장은 영화에서 묘사된 하나의 광경에 대해 설명하는 것이므로 ㉠에 들어갈 말로 적절한 것은 '장면'이다.
- **시제품**: 2문단은 3D 프린터로 샘플(시제품)을 만들었을 때의 장점에 대해 설명하고 있으므로 ㉡에 들어갈 말로 적절한 것은 '시제품'이다.
- **의료용**: 3문단에서 3D 프린터로 '인공뼈', '인체 구조물', '부분 가면'을 만들 수 있다는 내용을 통해 ㉢에 들어갈 말이 '의료용'임을 알 수 있다.
- **조만간**: ㉣의 앞뒤 문장에서 글쓴이는 머지않아 3D 프린터가 우리 생활에 파고들 것임을 확신하고 있다. 따라서 ㉣에는 '앞으로 곧'을 의미하는 '조만간'이 들어가는 것이 적절하다.

19

난이도 ★★☆

해설 ② 필자는 오늘날 일의 시간이 시간 전체를 잠식했다는 문제를 제기한 후 ㉠과 ㉡은 문제를 해결해 줄 수 있는 방안이 아니므로 새로운 시간을 생성하는 시간 혁명이 필요하다고 주장한다. 따라서 ㉠과 ㉡은 모두 제시된 문제 상황에 대한 해결책으로 여겨질 만한 것이므로 ㉠과 ㉡에 들어갈 말이 '느리게 살기'임을 추론할 수 있다.

20

〈보기〉의 ㉠~㉢에 들어가기에 가장 옳은 것으로 짝지은 것은?

───────〈보기〉───────

스토리는 시간적 순서대로 배열된 사건의 서술이다. (㉠)도 사건의 서술이지만 인과관계에 역점을 둔다. '왕이 죽고 왕비가 죽었다'는 스토리이지만, '왕이 죽자 왕비도 슬퍼서 죽었다'는 (㉠)(이)다. 시간적 순서는 마찬가지이지만 인과의 감각이 첨가된다. 또한 '왕비가 죽었다. 그러나 왕의 죽음 때문이라고 알게 될 때까지는 아무도 그 원인을 알 수 없었다'고 한다면 이것은 신비를 간직한 (㉠)(이)며, 고도의 전개가 가능한 형식이다. 그것은 시간의 맥락을 끊고 한계가 허락하는 한 스토리에서 비약시키고 있다. 왕비의 죽음을 생각할 때 만약 그것이 스토리가 될 경우엔 우리는 '(㉡)'하고 물을 것이며, (㉠)의 경우엔 '(㉢)'하고 물을 것이다.

	㉠	㉡	㉢
①	플롯(plot)	왜?	그 다음엔?
②	플롯(plot)	그 다음엔?	왜?
③	테마(theme)	언제?	왜?
④	테마(theme)	그 다음엔?	왜?

21

〈보기〉의 밑줄 친 어휘들 가운데 문맥적 의미가 다른 하나는?

───────〈보기〉───────

불문곡직하는 직설은 사람을 찌른다. 깜짝 놀라게 해서 제압하는 방식이다. 거기 비해 완곡함은 ①틈을 들이면서에 두른다. 듣고 읽는 이가 비켜갈 ②틈을 준다. 그렇다고 완곡함이 곡필인 것도 아니다. 잘못된 길로 접어들도록 하는 게 아니라 화자와 독자의 교행이 이루어지는 ③공간을 준다. 곱씹어볼 말이 사라지고 상상의 여지를 박탈하는 글이 군림하는 세상은 살풍경하다. 말과 글이 세상을 따라갈진대 세상을 갈아엎지 않고 말과 글이 세상과 함께 아름답기는 난망한 일인가. 아마 아닐 것이다. 막힐수록 옛것을 더듬으라고 했다. 물태와 인정이 극으로 나뉘는 세상에서 다산은 선인들이 왜 산을 바라보며 즐기되 그 흥취의 반을 항상 남겨두는지 궁금했다. 그는 미인을 만났던 사람이 적어놓은 글에서 그 까닭을 발견했다. 그가 본 글은 이러했다. '얼굴은 아름다웠으나 그 자태는 기록하지 않았다.'

① 틈   ② 공간
③ 여지   ④ 세상

22

(가)와 (나)를 통해서 추정하기 어려운 내용은?

(가) 찬성공 형제께서 정경부인의 상(喪)을 당하였다. 부윤공의 부인 이 씨가 우연히 언문 소설을 읽다가 그 소리가 밖으로 들렸다. 찬성공이 기뻐하지 않으며 제수를 계단 아래에 서게 하고, "부녀자의 무식을 심하게 책망할 필요는 없지만, 어찌 상중(喪中)에 있으면서 예의에 어긋난 책을 소리 내어 읽어서 스스로 평민과 같아지려 할 수 있는가?" 하고 꾸짖었다.

(나) 전기수: 늙은이가 동문 밖에 살면서 입으로 언문 소설을 읽었는데, 「숙향전」, 「소대성전」, 「심청전」, 「설인귀전」과 같은 전기소설이었다. … 잘 읽었기 때문에 옆에서 구경하는 사람들이 빙 둘러섰다. 가장 재미있고 긴요하여 매우 들을 만한 구절에 이르면 갑자기 침묵하고 소리를 내지 않았다. 사람들이 다음 이야기를 듣고 싶어서 다투어 돈을 던졌다. 이를 바로 '요전법(돈을 요구하는 법)'이라 한다.

① 상층 남성들은 상중의 예법에 대해 매우 엄격하였다.
② 혼자 소설을 보면서 소리 내어 읽기도 하였다.
③ 하층에서도 소설을 창작하는 사람이 많았다.
④ 상층이 아닌 하층에서도 소설을 즐겼다.

23

㉠~㉢에 들어갈 말로 가장 적절한 것은?

근대 국가가 형성되면서 언어의 단일화를 이루기 위한 언어 정책이 (㉠)되었다. 러시아의 경우가 대표적인데, 당시 러시아 사회는 칭기즈 칸의 침략 후 문장어와 방언 사이의 (㉡)가 컸다. 표트르 대제는 불가리아 문장어를 버리고 모스크바어를 (㉢)으로 한 러시아어 표준어 정책을 강력하게 실시했다. 이때부터 푸시킨을 비롯한 국민적 작가에 의해 러시아의 문예어가 발달하기 시작했다. 이렇게 서양에서 봉건제가 붕괴되고 민주 의식이 (㉣)되면서 표준어가 결정되고 국민 문예가 성립하는 과정을 거쳤다. 한 나라의 표준어 형성, 나아가 국어의 통합은 이렇게 문예 작품의 발달과 밀접하게 관련을 맺고 있는 것이다.

	㉠	㉡	㉢	㉣
①	시행	격차	기반	고양
②	시행	편차	기반	지양
③	중단	격차	방식	지양
④	중단	편차	방식	고양

20

난이도 ★★☆

해설 ② ㉠~㉢에는 각각 '플롯(plot)', '그 다음엔?', '왜?'가 순서대로 들어가므로 답은 ②이다.

- ㉠: 시간적 순서대로 배열된 스토리와 달리 인과관계에 역점을 둔 서술을 언급하고 있으므로 '플롯(plot)'이 들어가는 것이 적절하다. 참고로 '플롯(plot)'이란 주제를 효과적으로 표현하기 위해 시간을 인과관계에 따라 유기적으로 배치하는 구성을 의미하며, 테마(theme)란 창작이나 논의의 중심 과제나 주된 내용을 의미한다.
- ㉡: 스토리는 시간적 순서로 배열된 사건의 서술이라고 하였으므로 ㉡에는 시간적 순서를 고려한 질문인 '그 다음엔?'이 들어가는 것이 적절하다.
- ㉢: 플롯은 사건의 서술이지만 인과관계에 역점을 두었다고 하였으므로 ㉢에는 사건의 인과 관계를 고려한 질문인 '왜?'가 들어가는 것이 적절하다.

21

난이도 ★★☆

해설 ④ 제시문은 '직설'과 '완곡함'을 대비하며 서술하고 있다. 이때 '완곡함'은 듣고 읽는 이가 비켜갈 '틈'을 주고, 화자와 독자의 교행이 이루어지는 '공간'을 준다. 또한 상상의 '여지'를 박탈하는 글이 군림하는 세상은 살풍경하다고 하였으므로, ① '틈', ② '공간', ③ '여지'는 '완곡함'과 문맥적 의미가 유사하다. 반면 ④ '세상'은 물태와 인정이 극으로 나뉜다고 하였으므로 '직설'과 문맥적 의미가 유사하다. 따라서 문맥적 의미가 다른 하나는 ④ '세상'이다.

22

난이도 ★☆☆

해설 ③ (나)를 통해 하층에서도 소설을 즐기는 사람들이 많았음은 추론할 수 있으나, 하층에서 소설을 창작하는 사람이 많았다는 내용은 추정하기 어려우므로 답은 ③이다.

오답분석 ① (가)의 끝에서 1~3번째 줄을 통해 상층 남성들은 상중의 예법에 대해 매우 엄격했음을 알 수 있다.
[관련 부분] 어찌 상중(喪中)에 있으면서 예의에 어긋난 책을 소리 내어 읽어서 스스로 평민과 같아지려 할 수 있는가?

② (가)의 1~3번째 줄을 통해 혼자 소설을 보면서 소리 내어 읽기도 하였음을 알 수 있다.
[관련 부분] 부윤공의 부인 이 씨가 우연히 언문 소설을 읽다가 그 소리가 밖으로 들렸다.

④ (가)의 끝에서 2~3번째 줄을 통해 하층에서도 소설을 즐겼음을 알 수 있다.
[관련 부분] 예의에 어긋난 책을 소리 내어 읽어서 스스로 평민과 같아지려 할 수 있는가?

23

난이도 ★★☆

해설 ① ㉠~㉢에 들어갈 말은 순서대로 '시행 – 격차 – 기반 – 고양'이므로 답은 ①이다.

- ㉠: ㉠의 뒤에서 근대 국가가 형성되면서 언어의 단일화를 이루기 위해 노력한 러시아의 사례가 제시된다. 러시아는 러시아어 표준어 정책을 강력하게 실시했다는 설명이 나오고, 이는 곧 언어 정책이 시작되었음을 의미한다고 볼 수 있다. 따라서 ㉠에는 '실지로 행함'을 뜻하는 '시행(施行)'이 들어가는 것이 적절하다.
- ㉡: ㉡이 포함된 문장은 러시아가 표준어 정책을 실시하게 된 배경이 된다. 따라서 ㉡에는 문장어와 방언 사이에 차이가 컸음을 의미하는 단어가 들어가야 하므로 '가격이나 자격, 품등 등이 서로 다른 정도'를 뜻하는 '격차(格差)'가 들어가는 것이 적절하다. 참고로 '편차(偏差)'는 '수치, 위치, 방향 등이 일정한 기준에서 벗어난 정도나 크기'를 뜻한다.

24

[2019년 서울시 7급 (10월)]

〈보기〉에 이어질 내용으로 가장 적절한 것은?

─── 〈보기〉 ───

　미디어의 첫 혁명이라고 불릴 수 있는 인쇄술의 발전은 지식 제도 면에서 몇 가지 중요한 변화를 가져왔다. 그 가운데 가장 현저한 변화는 학교와 교사의 기능에서 생겨났다. 다시 말해서, 학교와 교사 없이도 독학을 할 수 있는 '책'이 나왔던 것이다. 독서에 의한 학습이 이루어짐으로써 학교 제도, 또는 기억이라는 개인의 습관에 대한 의존도가 낮아지게 되었다. 기억의 관습에 가한 변화는 인쇄술 발달이 가져온 중요한 업적이다.

　인쇄술의 발달로 당연히 책이 양산되고 책값 역시 저렴해졌을 뿐 아니라, 주해자/주석자의 중요성은 반감된 채 다양한 책들이 서점과 서가에 등장하게 되었다. 그 결과 여러 텍스트를 대조하고 비교할 수 있는 기회가 많아졌으며, 자연스레 지식 사회에 대한 비판과 검증이 가능해졌다.

① 독점적인 학설이나 학파의 전횡도 줄어들 수밖에 없었고, 특정 학설의 권위주의적인 행보도 긴 생명을 가질 수 없게 되었다.

② 교사의 권위는 책의 내용을 쉽게 설명해줌으로써 독서를 용이하게 해주는 방식으로 더욱 공고해졌다.

③ 독서 대중의 비판과 검증에 대응하기 위해 지식 사회는 지식의 독점과 권력화에 매진하게 되었다.

④ 저자의 권위가 높아짐으로써 책의 내용을 있는 그대로 받아들이는 수동적인 독서 대중이 탄생하였다.

25

[2018년 국회직 8급]

다음 글에서 말하는 '발전 기술'의 효과를 전망한 것으로 적절하지 않은 것은?

　현재 수소 이용 기술 중 가장 유망한 분야로 꼽히고 있는 것이 수소와 산소를 반응시켜 전기를 생산하는 연료 전지 발전(發電)이다. 연료 전지는 전기를 생산하는 데 연소 과정이나 구동 장치가 필요 없으며 에너지 생산의 효율성이 높아 경제적이다. 연료 전지 발전 외에 핵융합 발전도 수소를 이용한 대표적 발전 기술이다. 수소와 같이 가벼운 원소들이 서로 충돌하면서 무거운 원소로 융합하는 것을 응용한 핵융합 발전은 핵분열 반응을 응용한 원자력 발전과 달리 방사능 유출의 위험이 거의 없다. 핵융합 발전은 아직은 실험 단계이지만 머지않아 실용화될 것으로 기대된다. 핵융합 발전과 연료 전지 발전 기술은 모두 화석 연료의 고갈이란 위기에 직면해 있는 인류의 미래를 짊어질 매우 중요한 기술이다.

① 현재보다 환경 오염이 감소될 것이다.

② 에너지 부족에 따른 문제들이 감소하게 될 것이다.

③ 적은 비용으로 많은 에너지를 생산할 수 있게 될 것이다.

④ 실용화 단계에 이르면 보다 안전한 삶이 가능하게 될 것이다.

⑤ 수소 생산 비용을 절감시켜 이와 관련된 산업이 활성화될 것이다.

24

난이도 ★★☆

해설 ① 제시문은 인쇄술의 발전이 지식 사회에 어떠한 영향을 끼쳤는지에 대해 서술하고 있다. 다양한 책의 등장으로 인해 지식 사회에 대한 비판과 검증이 가능해졌다는 내용 이후에는 이러한 결과가 어떤 효과를 불러 일으켰는지 언급되어야 한다. 따라서 지식 사회에 여러 비판과 검증으로 인해 독점적인 지식이나 학파의 힘이 줄어들었다는 내용이 이어지는 것이 적절하다.

오답분석 ② 교사의 권위와 관련된 내용은 책의 등장으로 인해 교사의 기능이 변화하였음을 설명하는 1문단 이후에 이어지는 것이 적절하다.

③ 2문단에서 인쇄술의 발달로 다양한 책들이 서점과 서가에 등장하게 되어 지식 사회에 대한 비판과 검증이 가능해졌음을 알 수 있다. 이때, 다양한 책들이 등장하였다는 것은 지식의 대중화가 이루어졌음을 의미한다고 할 수 있다. 따라서 독서 대중의 비판과 검증에 대응하기 위해 지식의 독점과 권력화에 매진하게 된다는 내용은 2문단의 내용과 상반되는 내용이므로 제시문 다음에 이어질 내용으로 적절하지 않다.

④ 2문단의 2~3번째 줄에서 주해자·주석자의 중요성은 반감되었다는 내용이 있으나, 이것이 곧 저자의 권위가 높아지는 것을 의미하는지는 알 수 없다. 또한 2문단 끝에서 1~3번째 줄에서 여러 텍스트를 대조·비교하고 지식 사회에 대한 비판·검증이 가능해졌다고 하였으므로, 이전에 비해 독서 대중이 능동적인 태도를 지니게 되었음을 추론할 수 있다.

25

난이도 ★★☆

해설 ⑤ 5~6번째 줄을 통해 '발전 기술'에는 연료 전지 발전, 핵융합 발전이 있으며 두 기술 모두 수소를 활용한다는 것을 알 수 있다. 그러나 제시문에서 수소 생산 비용에 관한 내용은 찾을 수 없으므로 수소 생산 비용의 절감으로 관련 산업이 활성화될 것이라는 ⑤의 전망은 적절하지 않다.

[관련 부분] 연료 전지 발전 외에 핵융합 발전도 수소를 이용한 대표적 발전 기술이다.

오답분석 ① 3~4번째 줄과 8~9번째 줄을 통해 환경 오염이 현재보다 줄 것이라고 전망할 수 있다.

[관련 부분]
- 연료 전지는 전기를 생산하는 데 연소 과정이나 구동 장치가 필요 없으며
- 핵융합 발전은 핵분열 반응을 응용한 원자력 발전과 달리 방사능 유출의 위험이 거의 없다.

② 끝에서 1~3번째 줄을 통해 화석 연료 부족에 따른 문제들이 감소할 것임을 전망할 수 있다.

[관련 부분] 핵융합 발전과 연료 전지 발전 기술은 모두 화석 연료의 고갈이란 위기에 직면해 있는 인류의 미래를 짊어질 매우 중요한 기술이다.

③ 4~5번째 줄을 통해 발전 기술은 적은 비용으로 많은 에너지를 생산할 수 있음을 전망할 수 있다.

[관련 부분] 에너지 생산의 효율성이 높아 경제적이다.

④ 8~9번째 줄을 통해 방사능 유출의 위험이 거의 없는 핵융합 발전이 실용화되면 보다 안전한 삶이 가능해질 것이라고 전망할 수 있다.

[관련 부분] 핵융합 발전은 핵분열 반응을 응용한 원자력 발전과 달리 방사능 유출의 위험이 거의 없다.

26

㉠에 들어갈 질문으로 적절하지 않은 것은?

벤담과 같은 고전적인 공리주의에서는 사람들의 행복은 계측과 합계가 가능하다고 생각하기 때문에, 행복에 공통의 기준이 성립되어 있다고 여긴다. 벤담의 효용이라는 개념은 공통의 통화를 제공하는 것이다.

이런 생각을 근거로 한 것이 비용편익분석이다. 어떤 정책이나 행동이 얼마 만큼의 행복을 가져오고 동시에 얼마 만큼의 비용이 드는가를 화폐 가치로 환산해서 그 차액으로 정책이나 행동을 결정하는 것이다.

비용편익분석의 사례로 체코에서 일어난 필립 모리스 담배 문제를 소개할 수 있다. 담배 때문에 사람이 죽게 되는 경우, 살아 있는 동안 국가의 의료비 부담은 늘어나지만, 흡연자는 빨리 사망하기 때문에 연금, 고령자를 위한 주택 등의 예산이 절약되어 국가 재정에는 오히려 도움이 된다. 국민들이 담배를 피울 때 국가의 비용보다 편익이 크므로 국가는 담배를 금지하지 말고 계속 피우게 하는 편이 좋다는 이 결과에 인간의 생명을 경시하는, 비인도적인 발상이라는 비난 여론이 들끓었다. 결국 필립 모리스는 사죄하게 되었다.

포드사는 소형 자동차 핀토의 결함을 수리할 것인가에 대해 판단하기 위해 비용편익분석을 하였다. 차의 결함으로 인한 사고로 죽는 인간의 생명이나 부상자들의 부상을 그들에게 배상해야 할 금액으로 환산해서 이것을 수리의 편익 속에 넣고 결함을 개량하는 데 드는 비용이 편익보다 많기 때문에 인명이 희생되더라도 결함을 개량하지 않는 편이 낫다고 결정했다. 그 외에도 환경보호국의 분석에서 고령자의 생명을 화폐로 환산하면서 할인했다는 예, 자동차의 제한용 편익분석에서 인명을 화폐로 환산해서 인명을 잃은 비용보다 방지대책에 드는 비용이 크다는 이유로 행위나 정책이 정당화되었다는 예도 있다.

결국 비용편익분석과 같은 결과주의의 생각, 즉 인명 희생의 방치나 정당화와 같이 도덕적으로 허용되지 않는 답을 이끌어낸 사례들을 지적하면서 '(㉠)'와 같은 문제를 제기할 수 있다.

① 인간의 행복을 단일한 척도로 측정해도 좋은가?

② 더 큰 이익을 위해 개인은 희생되어도 괜찮은가?

③ 비용과 편익을 분석하는 주체는 ¥가 되어야 하는가?

④ 인간의 생명과 관련된 문제를 화폐로 환산해도 되는가?

27

다음 글에서 추론한 내용으로 가장 적절한 것은?

애리조나주 북부의 나바호 인디언과 유럽계 미국인은 오랜 세월에 걸쳐 서로의 시간 개념을 적응시키고자 노력해 왔다. 나바호인에게 시간은 공간과 같다. 즉 지금 여기만이 실재하며 미래라는 것은 현실감을 거의 주지 못한다. 나바호 마을에서 성장한 나의 옛 친구는 그 점을 다음과 같이 표현했다.

"자네도 알다시피 나바호인은 말[馬]을 사랑하고 경마로 내기하기를 즐기지. 그런데 만약 나바호인에게 '자네 지난 독립기념일에 플래그스태프에서 경주를 온통 휩쓸었던 내 말을 기억하지?' 하고 물었을 때, '그럼, 기억하고말고.'하면서 그 말을 아주 잘 알고 있다는 듯이 끄덕인다 해도 그에게 다시, '그 말을 다음 가을에 자네에게 주겠네.' 하고 말하면 그는 낙담한 표정으로 돌아서서 가 버릴 것이네. 그러나 만약 '내가 방금 타고 온 저 비루먹은 말 알지? 영양실조에다 안짱다리인 저 늙은 말을 해진 안장과 함께 자네에게 줄게. 저놈을 타고 가게나.' 하고 말하면, 그 나바호인은 희색이 만면하여 악수를 청한 다음 자신의 새 말에 올라타서 사라질 것이네. 나바호인은 눈앞에 보이는 선물만을 실감할 뿐, 장래의 이익에 대한 약속은 고려할 가치조차 느끼지 못하는 것이지."

① 나바호인은 기억력이 좋아서 기념일에 선물을 잘 챙긴다.

② 나바호인은 지금 여기만이 실재한다는 인식으로 약속을 잘 지키지 않는다.

③ 나바호인은 앞으로 투자 가치가 있는 마을 구획정리 사업에는 긍정적이지 않다.

④ 나바호인은 기마민족으로 말에 대한 애착이 강하고 말을 최상의 선물로 간주한다.

28

[2019년 국가직 7급]

밑줄 친 곳에 들어갈 말로 가장 적절한 것은?

> 기자: _____
>
> 작가: 내가 작품을 쓰면서 취재에 상당한 시간을 할애했던 것은 작품이 가지고 있는 리얼리티를 살려 놓아야 독자들의 공감대를 넓힐 수 있다고 생각했기 때문이에요. 소설이 아무리 허구적 장르라 해도 사실성에 근거해야 비로소 생동감과 개연성을 확보하기에 습작 시절부터 취재를 우선시했지요. 전집에 실린 「○○기행」, 「○○를 찾아서」 같은 단편들도 거의 취재를 통해서 얻어 낸 자료를 가지고 쓴 작품들이에요. 그렇게 하고 나니 리얼리티가 살아나는 것을 느낄 수 있었고 작품이 힘을 얻을 수 있었지요. 그것은 분명 작가 수업에도 보탬이 됐고 공감을 얻는 데도 기여를 했다고 봐요.

① 선생님은 작품을 쓰면서 언제부터 취재를 하시는지요?

② 선생님의 이번 신작에서 리얼리티가 강조된 이유는 무엇인지요?

③ 선생님의 작품 중 독자들의 공감을 얻은 작품은 어떤 것들인지요?

④ 선생님이 작품 활동에서 취재에 주력하시는 이유가 무엇인지요?

26

난이도 ★★☆

해설 ③ ㉠이 포함된 문단에서 ㉠은 '인명 희생의 방치나 정당화와 같이 도덕적으로 허용되지 않는 답을 이끌어낸 사례'를 지적하면서 제기할 수 있는 질문임을 알 수 있다. 이때 ③은 비용 편익 분석의 주체에 대한 질문으로, 도덕적인 문제와는 무관하다. 따라서 ㉠에 들어갈 질문으로 적절하지 않은 것은 ③이다.

27

난이도 ★★☆

해설 ③ 1문단 3~5번째 줄과 2문단 끝에서 1~3번째 줄을 통해 나바호인에게 미래라는 것은 현실감을 거의 주지 못하며 장래의 이익에 대한 약속은 고려할 가치조차 느끼지 못한다는 것을 알 수 있다. 따라서 나바호인이 '앞으로 투자 가치가 있는 마을 구획정리 사업'에 대해 긍정적이지 않다는 ③의 설명은 적절하다.

[관련 부분]
- 지금 여기만이 실재하며 미래라는 것은 현실감을 거의 주지 못한다.
- 나바호인은 눈앞에 보이는 선물만을 실감할 뿐, 장래의 이익에 대한 약속은 고려할 가치조차 느끼지 못하는 것이지.

오답분석 ① 제시문과 관련이 없는 설명이다.

② 1문단 3~5번째 줄을 통해 나바호인은 지금 여기만이 실재한다는 인식을 가지고 있음을 알 수 있지만 약속을 잘 지키지 않는다는 내용은 추론할 수 없다.

④ 2문단 1~2번째 줄을 통해 나바호인은 말에 대한 애착이 강하다는 것을 알 수 있지만 나바호인이 기마민족인지는 알 수 없으며 말을 최상의 선물로 간주한다는 내용도 추론할 수 없다.

[관련 부분] 자네도 알다시피 나바호인은 말[馬]을 사랑하고 경마로 내기하기를 즐기지.

28

난이도 ★★☆

해설 ④ 제시문에서 작가는 작품을 쓸 때 리얼리티를 살려 독자들의 공감대를 넓히기 위해 많은 시간을 취재에 할애하였다고 밝히고 있다. 이러한 대답을 이끌어내기 위한 적절한 질문은 작품 활동에서 취재에 힘쓰는 이유를 묻는 것이어야 하므로 ④가 적절하다.

29

다음 글에서 추론한 바로 적절하지 않은 것은?

우리는 도시화, 산업화, 고도성장 과정에서 우리 경제의 뒷방살이 신세로 전락한 한국 농업의 새로운 가치에 주목해야 한다. 농업은 경제적 효율성이 뒤처져서 사라져야 할 사양 산업이 아니다. 전 지구적인 기후 변화와 식량 및 에너지 등 자원 위기에 대응하여 나라와 생명을 살릴 미래 산업으로서 농업의 전략적 가치가 크게 부각되고 있다. 농본주의의 기치를 앞세우고 농업 르네상스 시대의 재연을 통해 우리 경제가 당면한 불확실성의 터널을 벗어나야 한다.

우리는 왜 이런 주장을 하는가? 농업은 자원 순환적이고 환경 친화적인 산업이기 때문이다. 땅의 생산력에 기초해서 한계적 노동력을 고용하는 지연(地緣) 산업인 동시에 식량과 에너지를 생산하는 원천적인 생명 산업이기 때문이다. 물질적인 부의 극대화를 위해서 한 지역의 자원을 개발하여 이용한 뒤에 효용 가치가 떨어지면 다른 곳으로 이동하는 유목민적 태도가 오늘날 위기를 낳고 키워 왔는지 모른다. 급변하는 시대의 흐름에 부응하지 못하는 구시대의 경제 패러다임으로는 오늘날의 역사에 동승하기 어렵다. 이런 맥락에서, 지키고 가꾸어 후손에게 넘겨주는 정주민의 문화적 지속성을 존중하는 농업의 가치가 새롭게 조명 받는 이유에 주목할 만하다. 과학 기술의 눈부신 발전 성과를 수용하여 새로운 상품과 시장을 창출할 수 있는 녹색 성장 산업으로서 농업의 잠재적 가치가 중시되고 있는 것이다.

① 고도성장을 도모하는 경제 정책을 추진하는 과정에서 농업 중심의 경제 패러다임을 지양하였다.

② 효율성을 중요한 가치로 내세우는 경제 시스템은 미래 사회를 대비하는 데 한계가 있다.

③ 유목 생활을 하는 민속에 비해 정주 생활을 하는 민족이 농업의 가치 증진에 더 기여할 수 있다.

④ 녹색 성장 산업으로서 농업의 효용성을 드높이기 위해서 과학 기술의 부작용을 성찰할 필요가 있다.

30

다음 글에 대한 추론으로 적절하지 않은 것은?

인류 역사는 끊임없이 변화를 거듭해 왔다. 그 변화의 굽이들 속에서 사람들의 세계관이나 가치관 또한 다양하게 바뀌었다. 어느 세기에는 종교적 믿음이 모든 것을 지배하기도 했고, 어느 때는 이성이 가장 중요한 위치를 차지했으며, 또 어느 시점에서는 전 인류가 기계 문명을 근간으로 한 산업화를 지향하기도 했다. 그리고 21세기가 되었다. 이 세기는 첨단 과학과 정보 통신 기술의 비약적인 발달로 과거 그 어느 때보다 변화의 진폭이 클 것으로 예상되었으며 변화된 모습이 실로 드러나고 있다. 이러한 지속적인 변화의 배경에는 늘 인간의 열망과 상상력이 가로놓여 있었다.

과학 기술의 진보와 이에 발맞춘 눈부신 문명의 진전 과정에서 인간의 열망과 상상력이 우선하였다. 과연 인간이 욕망하지 않고 상상하지 않았다면 이 문명 세계의 많은 것들을 창조하고 혁신할 수 있었을까? 하늘을 날고 싶어 하는 욕망이 없었다면 비행기는 발명되지 못했을 것이며, 좀 더 빠른 이동 수단을 원하지 않았다면 자동차는 나오지 않았을 것이다. 이제껏 상상력은 인류 문명을 가동시켜 온 원동력이었으며 현재 또한 그러하다.

그런 가운데 21세기 디지털 테크놀로지와 신과학들은 이러한 상상력의 위상을 다시 생각하게 한다. 사람들이 실현이 불가능하다고 여겨 공상 수준에 그쳤던 일들이 실로 구현되는 상황이 펼쳐지곤 한다. 3D, 아바타, 사이보그, 가상현실, 인공 생명, 유전 공학, 나노 공학 등 21세기 최첨단 과학 기술에 힘입어 상상력의 지평이 넓어졌다. 과거 시대들이 무엇인가를 상상하고 그것을 만들어 가는 기술을 개발하는 시간들이었다면, 21세기는 상상하는 것을 곧 이루어 낼 수 있는 시대가 된 것이다.

① 현재의 인간이 추구하는 가치를 불변의 절대적 가치로 인정할 수는 없다.

② 인류 역사의 변화 과정에서 인간의 열망과 상상력이 끼친 영향이 크다.

③ 인류 역사의 변화 중에도 인간의 상상력을 바탕으로 실현된 세계의 모습은 변함이 없었다.

④ 21세기에 접어들어 과학 기술과 상상력의 위상 관계에 변화가 일고 있다.

29

난이도 ★★☆

해설 ④ 2문단 끝에서 1~3번째 줄에서 과학 기술의 발전 성과를 농업에 수용해야 한다고 하였으므로 과학 기술의 부작용을 성찰할 필요가 있다는 ④의 추론은 적절하지 않다.
[관련 부분] 과학 기술의 눈부신 성과를 수용하여 새로운 상품과 시장을 창출할 수 있는 녹색 성장 산업으로서의 농업의 잠재적 가치가 중시되고 있는 것이다.

오답분석 ① 1문단 1~3번째 줄에서 고도성장 과정에서 농업이 우리 경제의 뒷방살이 신세로 전락하였다고 하였으므로, 고도성장을 도모하는 경제 정책 추진 과정에서 농업 중심의 경제 패러다임을 지양했음을 추론할 수 있다.
[관련 부분] 우리는 도시화, 산업화, 고도성장 과정에서 우리 경제의 뒷방살이 신세로 전락한 한국 농업의 새로운 가치에 주목해야 한다.

② 2문단 5~7번째 줄에서 효용 가치가 떨어지면 다른 곳으로 이동하는 유목민적 태도가 오늘날의 위기를 낳고 키웠다고 하였으므로, 효율성을 중요한 가치로 내세우는 경제 시스템의 한계를 지적하고 있음을 추론할 수 있다.
[관련 부분] 물질적인 부의 극대화를 위해서 한 지역의 자원을 개발하여 이용한 뒤에 효용 가치가 떨어지면 다른 곳으로 이동하는 유목민적 태도

③ 2문단 5~7번째 줄과 10~12번째 줄에서 유목민적 태도의 한계를 언급하며, 정주민의 농업의 가치를 주목할 만하다고 설명하고 있으므로 유목 생활을 하는 민족에 비해 정주 생활을 하는 민족이 농업의 가치 증진에 더 기여할 수 있음을 추론할 수 있다.
[관련 부분]
• 물질적인 부의 극대화를 위해서 한 지역의 자원을 개발하여 이용한 뒤에 효용 가치가 떨어지면 다른 곳으로 이동하는 유목민적 태도
• 지키고 가꾸어 후손에게 넘겨주는 정주민의 문화적 지속성을 존중하는 농업의 가치가 새롭게 조명 받는 이유에 주목할 만하다.

30

난이도 ★★☆

해설 ③ 1문단 끝에서 1~5번째 줄을 통해 21세기는 인간의 상상력을 바탕으로 첨단 과학과 정보 통신 기술이 발달하여 어느 때보다 큰 폭으로 변화된 모습이 나타나고 있음을 알 수 있다. 따라서 인간의 상상력을 바탕으로 실현된 세계의 모습에 변함이 없다는 내용은 제시문에 대한 추론으로 적절하지 않으므로 답은 ③이다.
[관련 부분] 이 세기는 첨단 과학과 정보 통신 기술의 비약적인 발달로 ~ 늘 인간의 열망과 상상력이 가로놓여 있었다.

오답분석 ① 1문단 2~6번째 줄을 통해 인간이 추구하는 가치가 끊임없이 변하였음을 알 수 있다. 따라서 현재 인간이 추구하는 가치를 불변의 절대적 가치로 인정할 수 없음을 추론할 수 있다.
[관련 부분] 사람들의 세계관이나 가치관 또한 다양하게 바뀌었다. 어느 세기에는 종교적 믿음이 ~ 어느 때에는 이성이 ~ 어느 시점에서는 ~ 산업화를 지향하기도 했다.

② 2문단 1~2번째 줄을 통해 인간의 열망과 상상력이 인류 역사의 변화 과정에 큰 영향을 끼쳤음을 추론할 수 있다.
[관련 부분] 과학 기술의 진보와 이에 발맞춘 눈부신 문명의 진전 과정에서 인간의 열망과 상상력이 우선하였다.

④ 3문단 끝에서 1~3번째 줄을 통해 21세기는 과거와 달리 상상하는 것을 이루어낼 수 있는 시대임을 알 수 있다. 이를 통해 과거에는 상대적으로 과학 기술의 위상이 낮았다면, 21세기에는 과학 기술의 위상이 인간의 상상력을 실현할 만큼 높아졌다고 볼 수 있다. 따라서 과학 기술과 상상력의 위상 관계에 변화가 일고 있음을 추론할 수 있다.
[관련 부분] 과거 시대들이 무엇인가를 상상하고 그것을 만들어 가는 기술을 개발하는 시간들이었다면, 21세기는 상상하는 것을 곧 이루어낼 수 있는 시대가 된 것이다.

31

[2019년 국회직 8급]

다음 글에 따라 추론한 내용으로 옳지 않은 것은?

단어의 형태는 시간의 흐름에 따라 변화한다. 단어들의 형태 변화는 많은 경우 음운의 변화에 의해 나타나게 된다. 중세국어에는 현대국어와 달리 체언 말음에 'ㅎ'을 가진 단어들이 제법 많이 존재하였다. '하늘, 나라'는 중세국어에서 '하놇, 나랗'이었다. 이 단어들은 '하놀'처럼 단독형으로 쓰일 때나 관형격 조사 'ㅅ' 앞에서는 'ㅎ'이 실현되지 않았다. 그러나 '하놀콰, 하놀토'와 같이 'ㄱ, ㄷ'으로 시작하는 조사와 결합할 때에는 'ㅎ' 말음이 뒤에 오는 조사와 결합하여 'ㅋ, ㅌ'으로 축약되었다. 또한 '하놀히'와 같이 모음이나 매개모음으로 시작하는 조사 앞에서는 연음이 되어 나타났다. 현대국어에서는 대체로 'ㅎ'이 탈락하였으나 '안팎, 암캐, 머리카락' 등의 복합어에 그 흔적이 남아 있는 경우도 있고 '짜ㅎ>땅'처럼 받침 'ㅇ'으로 나타나거나 '셓, 넿>셋, 넷'처럼 'ㅅ'으로 나타나기도 한다.

중세국어에는 현대국어와 달리 뒤에 결합하는 조사에 따라 체언이 달리 나타나기도 하였다. 현대국어의 '나무'에 해당하는 중세국어 어형인 '나모'는 '나모, 나모도, 나모와'와 같이 단독형으로 쓰일 때나 자음으로 시작하는 조사나 '와'와 결합할 때는 '나모'로 나타난다. 그런데 '남기, 남군, 남굴'에서 보듯이 '와'를 제외한 모음으로 시작하는 조사와 결합할 때는 '낡'으로 나타났음을 보여 준다. 물론 이 때도 체언과 조사 사이에는 모음조화가 적용되었다. 현대국어에서는 '나무, 나무와, 나무도, 나무가, 나무는'과 같이 하나의 형태로 고정되게 되었다. '구멍'에 해당하는 중세국어의 '구무'도 '나모'와 동일한 양상을 보여 준다.

① 현대 국어의 '하늘과 땅도'는 중세 국어에서는 '하놀콰 짜토'로 나타났겠군.

② '수캐, 수탉'의 단어들을 보면 '수'도 중세 국어에서는 '숳'이었을 가능성이 있겠군.

③ 중세 국어에서는 '셋히, 셋흐로'로 쓰이던 것이 현대 국어에서 '셋이, 셋으로'가 되었겠군.

④ '나무'는 중세 국어에서 '와'를 제외한 모음으로 시작하는 조사와 결합하던 형태가 현대 국어로 오면서 사라진 것이군.

⑤ 중세 국어의 '구무'도 다른 조사와 결합할 때 '구무도, 구무와, 굼기, 굼군'과 같이 쓰였겠군.

32

[2019년 국회직 8급]

다음 글에 따라 추론한 내용으로 옳지 않은 것은?

어떤 타입의 사람에게 "소설이란 무엇을 하는 것입니까?" 하고 물어 보면, 그는 조용히 대답할 것이다. "글쎄요, 잘 모르겠는데요. 질문 치고는 묘한 질문이군요." 이 사람은 온순하고 애매한데, 아마 버스 운전이라도 하면서 문학에 대해서는 필요 이상의 관심이 없는 경우이다. 또 한 사람은 골프장에 있다고 생각해 보지만, 무척 괄괄하고 똑똑할 것이다. 그는 이렇게 대답할 것이다. "소설이 무엇을 하느냐구? 그야 물론 이야기를 하지. 그렇지 않으면 내게는 필요가 없는 물건이야. 난 이야기를 좋아하니까 나로서는 확실히 나쁜 취미이지만, 이야기는 좋단 말이야. 예술도 가져가고 문학도 가져가고 음악도 가져가도 좋지만, 재미있는 이야기는 나를 달라구. 그리구 말이지 이야기는 이야기다운 게 좋더군. 마누라도 역시 그렇대." 그리고 세 번째 사람은 약간 침울하고 불만스러운 듯한 어조로 말한다. "그렇지요. 글쎄 그렇겠지요. 소설은 이야기를 합니다."

① 세 명의 답변은 소설에 대한 공통적 인식을 찾기 어려울 정도로 제각기 다르다.

② 첫 번째 사람의 답변은 단정이 보류된 상태에서 의문이 숨겨져 있다.

③ 두 번째 사람의 답변은 뻔뻔스럽게 느껴질 정도로 단정적이며 자신에 차 있다.

④ 세 번째 사람의 답변은 의문을 지닌 상태에서 단정적인 태도를 보인다.

⑤ 소설의 정의는 한마디로 단정하기 어려운 부분이 있음을 알 수 있다.

31

난이도 ★★☆

해설 ③ 1문단 끝에서 5~6번째 줄을 통해 중세 국어에서 체언 말음에 'ㅎ'을 가진 단어들이 모음이나 매개모음으로 시작하는 조사와 결합하면 연음이 되었음을 확인할 수 있다. 따라서 체언 말음에 'ㅎ'을 가진 단어인 '셓'이 모음으로 시작하는 조사 '이, 으로'와 결합하면 '세히, 세흐로'로 쓰였을 것이므로 중세 국어에서 '셋히, 셋흐로'도 쓰였다는 ③의 추론은 옳지 않다.

[관련 부분] '하놀히'와 같이 모음이나 매개모음으로 시작하는 조사 앞에서는 연음이 되어 나타났다.

오답분석 ① 1문단 5번째 줄의 '하놇'과 13번째 줄의 '싸ㅎ'을 통해 '하늘'과 '땅'은 체언 말음에 'ㅎ'을 가진 단어라는 것을 확인할 수 있다. 또한 1문단 7~9번째 줄을 통해 중세 국어에서는 'ㄱ, ㄷ'으로 시작하는 조사와 결합하면 축약되어 'ㅋ, ㅌ'이 됨을 확인할 수 있으므로 옳은 추론이다.

[관련 부분] 그러나 '하놀콰, 하놀토'와 같이 'ㄱ, ㄷ'으로 시작하는 조사와 결합할 때에는 'ㅎ' 말음이 뒤에 오는 조사와 결합하여 'ㅋ, ㅌ'으로 축약되었다.

② 1문단 끝에서 3~5번째 줄을 통해 현대국어의 복합어에서 뒷말의 첫소리가 축약형으로 나타나면 앞의 단어가 체언 말음에 'ㅎ'의 흔적이 남아 있는 경우임을 확인할 수 있으므로 옳은 추론이다.

[관련 부분] 현대 국어에서는 대체로 'ㅎ'이 탈락하였으나 '안팎, 암캐, 머리카락' 등의 복합어에 그 흔적이 남아 있는 경우도 있고

④ 2문단 6~8번째 줄과 2문단 끝에서 3~4번째 줄을 통해 '나무'는 '와'를 제외한 모음으로 시작하는 조사와 결합할 때 나타나던 '낡'이 현대 국어로 오면서 사라지고 '나무'로 고정되었음을 확인할 수 있으므로 옳은 추론이다.

[관련 부분]
• '남기, 남ㄴ, 남골'에서 보듯이 '와'를 제외한 모음으로 시작하는 조사와 결합할 때는 '낡'으로 나타났음을 보여 준다.
• 현대국어에서는 '나무, 나무와, 나무도, 나무가, 나무는'과 같이 하나의 형태로 고정되게 되었다.

⑤ 2문단 끝에서 1~3번째 줄을 통해 '구무'도 '나무'와 동일한 양상을 보여주므로 자음으로 시작하는 조사 '도' 또는 조사 '와'와 결합하면 '구무도, 구무와'가 됨을 알 수 있다. 또한 '와'를 제외한 모음으로 시작하는 조사인 '이, 은'과 결합하면 '굶'으로 나타나서 '굼기, 굼근'이 됨을 확인할 수 있으므로 옳은 추론이다.

[관련 부분] '구멍'에 해당하는 중세국어의 '구무'도 '나무'와 동일한 양상을 보여 준다.

32

난이도 ★★☆

해설 ① '소설이란 무엇을 하는 것입니까?'라는 질문에 대해 두 번째 사람은 '그야 물론 이야기를 하지'라고 답변하고, 세 번째 사람은 '소설은 이야기를 합니다'라고 답변한다. 따라서 두 번째 사람과 세 번째 사람은 소설에 대한 공통적 인식(소설은 이야기를 한다)을 가지고 있으므로 ①의 추론은 옳지 않다.

오답분석 ② 첫 번째 사람은 '글쎄요, 잘 모르겠는데요'와 같이 질문에 대한 단정을 보류하고, '묘한 질문이군요'와 같이 의문을 숨겨 답변하고 있다.

③ 두 번째 사람은 '그렇지 않으면 내게는 필요가 없는 물건이야'와 같이 소설에 대한 질문에 뻔뻔스럽게 느껴질 정도로 단정적으로 답하며 자신에 차 있는 모습을 보이고 있다.

④ 세 번째 사람은 '글쎄 그렇겠지요'에서 알 수 있듯이 의문을 지닌 상태에서 '소설은 이야기를 합니다'와 같이 단정적인 태도로 대답하고 있다.

⑤ 제시문에서 세 명 모두 소설의 정의를 한마디로 분명하게 하지 못하는 것을 통해 추론할 수 있다.

33

〈보기〉에 이어질 내용으로 가장 적절한 것은?

─〈보기〉─

조선시대 임꺽정에 관한 모든 기록은 그를 의적이 아니라 도둑으로 기록하고 있다. 『명종실록』은 물론 박동량의 『기제잡기』, 이익의 『성호사설』, 안정복의 『열조통기』, 이덕무의 『청장관전서』 등 임꺽정에 대해 언급한 모든 기록들에서 그는 도둑이다. 물론 이런 기록들은 모두 양반 계급이 서술한 것으로서 백정 출신인 그의 행위를 지지할 리 만무하다는 점은 감안해야 할 것이다.

그렇다면 홍명희는 왜 소설 『임꺽정』에서 그를 의적으로 그렸을까? 그 근거는 앞서 인용한 『명종실록』 사관의 "도적이 성행하는 것은 수령의 가렴주구 탓이며, 수령의 가렴주구는 재상이 청렴하지 못한 탓"이라는 분석 및 "윤원형과 심통원은 외척의 명문거족으로 물욕을 한없이 부려 백성의 이익을 빼앗는 데에 못하는 짓이 없었으니, 대도(大盜)가 조정에 도사리고 있는 셈이라"는 기술에서 찾을 수 있다.

① 임꺽정이 의적인지 도적인지 더 철저한 문헌 조사가 필요하다.
② 홍명희가 임꺽정을 지나치게 미화했던 것이다.
③ 도둑이든 의적이든 임꺽정이 실존 인물이라는 것은 틀림없다.
④ 가렴주구에 시달리던 백성들은 임꺽정을 의적으로 상상했을 것이다.

34

문맥상 〈보기〉의 ㉠, ㉡에 들어갈 단어로 가장 적절한 것은?

─〈보기〉─

현실 상황에서 개인들이 문제를 어떻게 해결해 나가는지 이해하기 위해서는 이론의 세계와 경험의 세계를 넘나드는 전략이 필요하다. (㉠) 없이는 서로 다른 상황에서 다양한 형태로 작동하는 일반적인 근본 메커니즘을 이해할 수 없다. 경험적 세계의 퍼즐을 푸는 일에 매달리지 않는 한, 이론적 저작은 경험적 세계를 반영하지 못한 채 스스로의 타성에 의해 (㉡)(으)로부터 빗나가게 된다.

① ㉠ 현실, ㉡ 이론   ② ㉠ 이론, ㉡ 현실
③ ㉠ 경험, ㉡ 현실   ④ ㉠ 이론, ㉡ 경험

35

〈보기〉를 읽고 조선 후기 방각본 소설에 대해 추론한 것으로 가장 적절하지 않은 것은?

─〈보기〉─

방각본 소설은 작품을 나무판에 새긴 뒤 그것을 종이로 찍어낸 소설책을 말한다. 주로 민간인이 돈을 벌기 위해 만들었다. 방각본 소설은 종이와 나무의 공급이 비교적 원활하고, 인구가 많아 독자의 수요가 많은 서울과 전주 지역에서 주로 간행되었다. 그중 서울에서 간행된 것을 경판본, 전주에서 간행된 것을 완판본이라고 부른다. 안성에서 간행된 것도 있으나 그 대부분은 경판을 안성에서 찍어낸 것이다.

① 한 작품 당 여러 판본이 만들어졌을 것이다.
② 방각본 소설책은 제작된 지역에서만 유통되었을 것이다.
③ 이익 산출이 중요하기 때문에 제작비용에 민감했을 것이다.
④ 분량이 긴 작품은 품과 제작비용이 많이 들어 새기기 어려웠을 것이다.

36

〈보기〉의 ㉠, ㉡에 들어갈 단어로 가장 옳은 것은?

─〈보기〉─

민주주의에서 '사회적 합의'는 만장일치의 개념이 아니라, 여러 대안들 간의 경쟁을 통해 다수 의사를 만들어 내는 과정과 그 결과를 말한다. 과거 권위주의 정부도 사회적 합의라는 말을 많이 썼지만, 그때의 사회적 합의란 정부가 일방적으로 제시하는 것이었다. 따라서 권위주의 정부는 대개의 경우 경제 발전과 같은 거시적 성과를 통해 사후적으로 정당성의 취약함을 보완하면서 사회적 갈등을 억압하고자 했다. 민주주의가 권위주의와 다른 것은 사회적 갈등을 억압하지 않는다는 것, 다시 말해 갈등을 정치의 틀 안으로 통합하면서 사회적 합의를 만들어 간다는 데 있다.

그러므로 사회적 (㉠)을(를) 정치의 틀 안으로 가져오고 이를 진지하게 다뤄야 할 공동체 전체의 문제로 전환해 정치적 결정을 위한 (㉡)(으)로 만드는 것이 정당의 역할이다.

	㉠	㉡
①	문제	합의
②	갈등	성과
③	갈등	의제
④	의제	문제

33 난이도 ★☆☆

 ④ 1문단에서 '임꺽정'에 관한 조선시대의 모든 기록은 양반 계급이 서술한 까닭에 임꺽정을 도적으로 기록하고 있음을 설명하고 있다. 또한 2문단에서는 홍명희가 소설에서 임꺽정을 의적으로 그린 이유를 당시 관리의 부패로 인해 도적이 성행하였다는 『명종실록』을 근거로 밝히고 있다. 따라서 〈보기〉에 이어질 내용으로 적절한 것은 가렴주구에 시달리던 백성들은 임꺽정을 의적으로 상상했을 것이라는 ④이다.

오답분석 ① 제시문은 기록하는 주체의 관점에 따라 임꺽정이 도둑 또는 의적으로 다르게 표현됨을 설명하고 있다. 따라서 임꺽정이 의적인지 도적인지 철저한 문헌 조사가 필요하다는 ①의 내용은 이어질 내용으로 적절하지 않다.

② 2문단에서 홍명희가 임꺽정을 의적으로 그린 이유를 『명종실록』의 내용을 근거로 설명하고 있다. 따라서 홍명희가 임꺽정을 지나치게 미화했다는 내용이 이어지는 것은 적절하지 않다.

③ 1문단을 통해 임꺽정이 실존 인물이었음을 알 수 있다. 또한 2문단에서는 홍명희가 임꺽정을 의적으로 그린 이유에 관한 내용이 전개되고 있으므로 임꺽정이 실존 인물이었다는 내용이 이어지는 것은 적절하지 않다.

34 난이도 ★★☆

 ② ㉠과 ㉡에는 각각 '이론', '현실'이 들어가는 것이 적절하다.

• ㉠: ㉠이 포함된 문장에서 ㉠ 없이는 메커니즘(사물의 작용 원리나 구조)을 이해할 수 없다고 하였으므로 ㉠에는 이와 대응하는 '이론'이 들어가는 것이 적절하다.

• ㉡: ㉡이 포함된 문장에서 경험이 부족할 경우 이론이 ㉡으로부터 빗나간다는 것을 알 수 있는데, 제시문의 1~3번째 줄을 통해 이론과 경험은 모두 현실 상황을 이해하는 것과 관련됨을 알 수 있으므로 ㉡에는 '현실'이 들어가는 것이 적절하다.

35 난이도 ★★☆

해설 ② 끝에서 1~4번째 줄을 통해 방각본 소설책은 서울과 안성을 거쳐 제작되고 유통되기도 하였음을 알 수 있으므로 ②의 추론은 적절하지 않다.

[관련 부분] 그 중 서울에서 간행된 것을 경판본, 전주에서 간행된 것을 완판본이라고 부른다. 안성에서 간행된 것도 있으나 그 대부분은 경판을 안성에서 찍어낸 것이다.

오답분석 ① 끝에서 1~4번째 줄을 통해 한 작품 당 여러 판본이 만들어졌음을 추론할 수 있다.

[관련 부분] 그 중 서울에서 간행된 것을 경판본, 전주에서 간행된 것을 완판본이라고 부른다. 안성에서 간행된 것도 있으나 그 대부분은 경판을 안성에서 찍어낸 것이다.

③ 2~3번째 줄을 통해 방각본 제작의 목적은 돈을 벌기 위함임을 알 수 있다. 따라서 제작자들이 이익 산출과 직결되는 제작 비용에도 민감했을 것임을 추론할 수 있다.

[관련 부분] 주로 민간인이 돈을 벌기 위해 만들었다.

④ 1~3번째 줄을 통해 방각본은 나무판에 새긴 글자를 종이에 찍어 만들었으며, 민간인이 수입을 창출하기 위해 제작하였음을 알 수 있다. 따라서 분량이 긴 작품을 방각본으로 제작하려면 품(노동력과 비용)이 많이 들어 어려웠을 것임을 추론할 수 있다.

[관련 부분] 방각본 소설은 작품을 나무판에 새긴 뒤 그것을 종이로 찍어낸 소설책을 말한다. 주로 민간인이 돈을 벌기 위해 만들었다.

36 난이도 ★★☆

해설 ③ 1문단 끝에서 1~4번째 줄을 통해 권위주의와 대비되는 민주주의의 특징은 '갈등'을 정치의 내부로 통합하면서 '사회적 합의'를 만들어 가는 것임을 알 수 있다. 따라서 ㉠에는 정치의 틀 안으로 가져오는 대상인 '갈등'이 들어가는 것이 적절하다. ㉡에는 갈등에 대한 사회적 합의가 일방적으로 제시되는 권위주의적 방식과 달리, 민주주의에서는 갈등이 '논의의 대상'이 됨을 나타내는 단어인 '의제'가 들어가는 것이 적절하다.

[관련 부분] 민주주의가 권위주의와 다른 것은 사회적 갈등을 억압하지 않는다는 것, 다시 말해 갈등을 정치의 틀 안으로 통합하면서 사회적 합의를 만들어 간다는 데 있다.

37

다음 글에서 추론한 내용으로 적절하지 않은 것은?

범죄 용의자의 용모를 파악하기 위해 눈, 코, 입 등 얼굴 각 부분의 인상을 조립하면 하나의 얼굴 사진이 만들어진다. 이렇게 만들어진 사진을 몽타주 사진이라고 부른다. 몽타주는 '조립'을 의미하는 프랑스어이므로 몽타주 사진을 '조립된 사진'이라고 바꿔 부를 수 있다. 이처럼 몽타주에서는 각각의 이미지들이 결합되어 새로운 인상을 창조한다. 예술가들은 이러한 몽타주의 효과를 다양한 예술적 시도를 위해 사용해 왔다. 몽타주 효과는 특히 영화에서 자주 응용되며, 몽타주에 관한 이론은 영화 이론의 하나로 받아들여지곤 한다. 그 이유는 영화 자체가 몽타주에 의해 성립되는 예술이기 때문이다. 대부분의 영화에서는 따로따로 찍은 장면을 이어 붙이는 조립의 과정이 필수적이다. 예를 들어 영화에서 슬픈 장면 뒤에 등장하는 무표정한 얼굴은 슬픔을 억누르고 있는 얼굴처럼 느껴진다. 그런데 같은 무표정한 얼굴이라 해도 앞에 어떤 장면을 배치하는가에 따라 그 얼굴이 드러내는 감정은 얼마든지 다르게 받아들여질 수 있다. 이러한 몽타주를 통해 영화 특유의 시간 감각이 발생한다. 이를테면 우리가 영화를 볼 때 영화 속 침묵이 유난히 더 길게 느껴진다면, 이는 영화의 장면 조립을 통해 창조된 새로운 시간 감각 때문이다. 영화 이론가들은 이러한 영화 특유의 세계를 다루는 이론, 즉 조립에 의해 탄생하는 영화의 세계에 관한 이론을 몽타주 이론이라고 부른다.

① 몽타주 효과는 이미지들의 결합으로 생겨나는 인상의 새로움을 의미한다.
② 동일한 장면이라 해도 그 배치에 따라 의미가 다르게 받아들여질 수 있다.
③ 몽타주 이론은 이어 붙인 장면들을 통해 창조되는 영화의 시간 감각을 다룬다.
④ 표정 연기의 실감을 극대화하여 영상미를 창출함으로써 몽타주의 효과가 생겨난다.

38

다음 글에서 추론할 수 있는 정약용의 생각으로 가장 적절한 것은?

다산 정약용은 『목민심서』에서 공직자들의 절용(節用), 즉 아껴 쓰기를 강조했다. 다산이 말한 절용은 듣기에는 매우 간단한 것 같지만 실제로는 실천하기 어려운 것이었다. 자기 돈은 절용하기 쉽지만 정부 돈은 함부로 쓰기 십상이다. 또한 정책 과정에서 온갖 비리가 발생하기도 한다. 그렇기에 절용은 공직자가 지켜야 할 가장 중요한 덕목이다. 다산은 유배지에서 아들에게 "내가 오랫동안 귀양 살면서 너희에게 유산으로 남겨 줄 재산이 없다. 다만 너희에게 글자 두 자를 유산으로 남겨 준다. 하나는 근(勤)이요, 하나는 검(儉)이다. 너희가 근검 두 글자를 제대로 실천하려고 하면 논 100마지기 200마지기보다 좋다."는 내용의 편지를 보냈다. 청렴해야 자애로울 수 있고 자애로운 것이야말로 백성을 사랑하는 것이니, 다산은 백성을 통치하려면 먼저 절용에 힘쓰라고 말한 것이다. 다산이 말한 청심(淸心)은 맑은 마음, 깨끗한 마음을 의미하는데 이는 공직자의 기본이다. 공직자는 대가성이 없고 법적 처벌을 면할 수 있다 해서 적은 돈이라도 받아서는 안 된다. 다산은 청렴이 천하의 큰 장사라 말했다. 청렴이야말로 가장 큰 이익이 남는 일임을 역설적으로 표현한 것이다. 그래서 다산은 청렴한 사람이 진짜 욕심쟁이라고 했다. 최고의 지위까지 오르려는 공직자는 청렴해야만 그 목표를 이룰 수 있다. 다산은 사람들이 청렴하지 못한 이유를 지혜가 모자란 데서 찾았다. 다산의 청렴 사상은 '청렴한 사람은 청렴함을 편안하게 여기고, 지혜로운 사람은 청렴함을 이롭게 여긴다.'(廉者安廉 知者利廉)는 말로 요약된다. 공자는 목표가 인(仁)인 반면 다산은 목표가 청렴이었다. 인은 너무 높은 성현의 이야기이므로 일반인이 인의 경지에 이르기 힘드니 한 단계 낮추어 청렴을 이야기한 것이다.

① 공직자들은 금품과 선물을 법으로 정한 한도 내에서 주고받아야 한다.
② 관리들이 청렴하고 자애로우면 백성들이 인을 이룰 수 있게 된다.
③ 자손에게 물질적 재산을 남겨 주는 공직자는 청렴하다고 할 수 없다.
④ 지혜로운 관리는 청렴함을 통해 자신에게 이익이 되는 결과를 얻을 수 있다.

37

해설 ④ 5~7번째 줄을 통해 몽타주의 효과는 각각의 이미지들이 결합됨으로써 발생하는 것임을 알 수 있다. 따라서 표정 연기의 실감을 극대화하면 몽타주의 효과가 생긴다는 ④의 추론은 적절하지 않다.

[관련 부분] 이처럼 몽타주에서는 각각의 이미지들이 결합되어 새로운 인상을 창조한다.

오답 분석 ① 5~7번째 줄을 통해 추론할 수 있다.

[관련 부분] 이처럼 몽타주에서는 각각의 이미지들이 결합되어 새로운 인상을 창조한다.

② 끝에서 7~9번째 줄을 통해 추론할 수 있다.

[관련 부분] 같은 무표정한 얼굴이라 해도 앞에 어떤 장면을 배치하는가에 따라 그 얼굴이 드러내는 감정은 얼마든지 다르게 받아들여질 수 있다.

③ 끝에서 3~7번째 줄을 통해 추론할 수 있다.

[관련 부분] 이러한 몽타주를 통해 영화 특유의 시간 감각이 발생한다. 이를테면 우리가 영화를 볼 때 영화 속 침묵이 유난히 길게 느껴진다면, 이는 영화의 장면 조립을 통해 창조된 새로운 시간 감각 때문이다.

38

해설 ④ 끝에서 10~12번째 줄을 통해 다산은 '청렴'을 가장 큰 이익이 되는 일로 보았음을 알 수 있다. 그리고 끝에서 7~8번째 줄을 통해 다산은 사람들이 청렴하지 못한 이유를 지혜가 모자라기 때문이라고 하였음을 알 수 있다. 따라서 지혜로운 관리는 청렴을 통해 이익을 얻을 수 있다는 ④의 설명은 제시문에서 추론할 수 있는 정약용의 생각으로 가장 적절하다.

[관련 부분]
• 다산은 청렴이 천하의 큰 장사라 말했다. 청렴이야말로 가장 큰 이익이 남는 일임을 역설적으로 표현한 것이다.
• 다산은 사람들이 청렴하지 못한 이유를 지혜가 모자란 데서 찾았다.

오답 분석 ① 끝에서 12~14번째 줄을 통해 정약용은 공직자들은 적은 돈이라도 받지 않아야 한다고 생각함을 확인할 수 있다.

[관련 부분] 공직자는 대가성이 없고 법적 처벌을 면할 수 있다 해서 적은 돈이라도 받아서는 안 된다.

② 12~14번째 줄을 통해 정약용은 관리들이 청렴하고 자애로운 것은 백성들을 사랑하는 것이라고 생각함을 알 수 있다. 그러나 이를 통해 관리들의 청렴과 자애로 백성들이 인을 이룰 수 있다고 추론하는 것은 적절하지 않다.

[관련 부분] 청렴해야 자애로울 수 있고 자애로운 것이야말로 백성을 사랑하는 것이니,

③ 7~12번째 줄을 통해 정약용이 아들에게 유산으로 '근(勤)'과 '검(儉)' 두 글자를 남겨주었음을 확인할 수 있다. 그러나 이를 통해 자손에게 물질적 재산을 남겨 주는 공직자는 청렴하지 않다고 추론하는 것은 적절하지 않다.

[관련 부분] 다산은 유배지에서 아들에게 "내가 오랫동안 귀양 살면서 너희에게 유산으로 남겨 줄 재산이 없다. 다만 너희에게 글자 두 자를 유산으로 남겨 준다. 하나는 근(勤)이요, 하나는 검(儉)이다. 너희가 근검 두 글자를 제대로 실천하려고 하면 논 100마지기 200마지기보다 좋다."는 내용의 편지를 보냈다.

39

[2018년 국가직 7급]

다음 글을 바탕으로 추론한 생각 중 적절하지 않은 것은?

소쉬르는 언어를, 기호의 형식에 상응하는 기표(記標)와 기호의 의미에 상응하는 기의(記意)의 기호적 조합이라고 전제한다. 예를 들어 '흑연과 점토의 혼합물을 구워 만든 가느다란 심을 속에 넣고, 겉은 나무로 둘러싸서 만든 필기도구'라는 의미를 표시하는 기표는 한국어에서 '연필'이다. 그런데 '연필'의 기의에 대응되는 영어 기표는 'pencil'이다. 각기 다른 기표가 동일한 기의를 표현한 것이다. 소쉬르는 이처럼 하나의 기의가 서로 다른 기표에 대응되는 것을 두고 기호적 관계가 자의적이라고 주장하는 한편, 이러한 자의성은 사회적 약속과 문화적 약호(code)에 따라 조율된다고 보았다.

① 표준어로 '부추'에 상응하는 표현이 지역에 따라 달리 나타나는 현상에서 기호의 자의성을 엿볼 수 있겠군.

② 어떤 개념을 새롭게 표현한 단어가 널리 쓰이려면 그 개념을 쓰는 사회 성원들의 공통된 합의가 필요하겠군.

③ 같은 종교를 믿으면서 문화적 약호가 유사한 지역에서는 같은 기표에 대응되는 개념이 비슷할 가능성이 높겠군.

④ 사랑이나 진리와 같이 사회 문화적으로 보편적인 개념을 지시하는 각각의 기표들에서 유사한 형식을 도출할 수 있겠군.

40

[2018년 국가직 7급]

다음은 선조 28년 7월에 사헌부에서 올린 보고문이다. 이를 통해 추론할 수 있는 사헌부의 견해로 적절하지 않은 것은?

우리나라는 여러 대 태평을 누리는 동안 문물은 융성하고 교화의 도구는 남김없이 모두 갖추어졌습니다. 선비들은 예법으로 자신을 단속했고, 백성들은 충과 효에 스스로 힘썼습니다. 관혼상제의 법도는 옛날보다 못하지 않았고, 임금을 버리고 어버이를 무시하는 말은 세상에 용납되지 않았습니다. 그러므로 효도로 다스리는 세상에서 윤리에 죄를 얻는 사람이 거의 없었습니다.

난리[임진왜란]를 겪은 뒤로는 금방(禁防)이 크게 무너져 불온한 마음을 품는가 하면, 법도에 벗어나는 말을 외치기도 합니다. 오직 제 몸의 우환만 알고, 부모의 기른 은혜를 까맣게 잊은 나머지 저 들판과 진펄에 매장되지 못한 시신이 버려져 있는가 하면, 상복을 입은 자가 고깃국을 먹는 것을 가리지 않았습니다. 식견이 있는 사람도 이렇게 하거늘, 무지한 이들이야 어떠하겠습니까? 효자의 집안에서 충신을 찾을 수 있는 법인데, 그 어버이를 이처럼 박대한다면 의리를 따라 나라를 위해 죽는 사람은 눈을 씻고 보아도 찾을 수 없을 것입니다.

① 효를 실천하지 않는 이가 나라를 위해 희생할 리 없다.

② 시신을 매장하지 않는 장례 방식이 임진왜란 이후 생겨났다.

③ 전란 이후에 사람들 사이에서 중요한 법도가 무시되고 있다.

④ 무지한 이들은 식견 있는 이들에 비해 윤리적 과오에 더 취약하다.

39 난이도 ★★☆

[해설] ④ 끝에서 2~4번째 줄을 통해 소쉬르는 '기의'와 '기표'들의 대응 관계가 자의적이라고 주장하였음을 알 수 있다. 이는 기호의 의미인 '기의'와 기호의 형식인 '기표' 사이에는 필연적인 관계가 없음을 뜻한다. 따라서 사랑이나 진리와 같은 '기의'를 나타내는 '기표'들에서 유사한 형식을 도출할 수 있다는 ④의 추론은 적절하지 않다.

[관련 부분] 소쉬르는 이처럼 하나의 기의가 서로 다른 기표에 대응되는 것을 두고 기호적 관계가 자의적이라고 주장하는 한편,

[오답분석] ① 제시문은 같은 사물을 두고 한국어로는 '연필', 영어로는 'pencil'이라고 부르는 사례를 통해 기호의 자의성을 설명하고 있다. 따라서 같은 사물인 '부추'를 지역마다 다르게 부르는 것은 기호의 자의성과 관련이 있음을 추론할 수 있다.

② 끝에서 1~2번째 줄을 통해 특정 개념을 새롭게 표현할 단어가 전파되기 위해서는 사회 구성원들의 공통된 합의가 필요할 것임을 추론할 수 있다.

[관련 부분] 자의성은 사회적 약속과 문화적 약호(code)에 따라 조율된다고 보았다.

③ 끝에서 1~4번째 줄을 통해 문화적 약호가 유사하다면 대응되는 개념도 유사할 것이라는 내용을 추론할 수 있다.

[관련 부분] 소쉬르는 이처럼 하나의 기의가 서로 다른 기표에 대응되는 것을 두고 기호적 관계가 자의적이라고 주장하는 한편, 이러한 자의성은 사회적 약속과 문화적 약호(code)에 따라 조율된다고 보았다.

40 난이도 ★★☆

[해설] ② 2문단 1~5번째 줄을 통해 임진왜란 이후 장례를 치르지 않고 시신을 방치하는 경우가 있었음을 알 수 있다. 그러나 이는 새로운 장례 방식이 아니라 법도가 무너져 발생하는 일에 해당하므로 ②는 제시문에 대한 추론으로 옳지 않다.

[관련 부분] 난리[임진왜란]를 겪은 뒤로는 ~ 오직 제 몸의 우환만 알고, 부모의 기른 은혜를 까맣게 잊은 나머지 저 들판과 진펄에 매장되지 못한 시신이 버려져 있는가 하면,

[오답분석] ① 2문단 끝에서 1~3번째 줄을 통해 효를 실천하지 않는 이가 나라를 위해 희생할 리 없을 것임을 추론할 수 있다.

[관련 부분] 효자의 집안에서 충신을 찾을 수 있는 법인데, 그 어버이를 이처럼 박대한다면 의리를 따라 나라를 위해 죽는 사람은 눈을 씻고 보아도 찾을 수 없을 것입니다.

③ 2문단 1~3번째 줄을 통해 전란 이후에 사람들 사이에서 중요한 법도가 무시되고 있음을 추론할 수 있다.

[관련 부분] 난리[임진왜란]를 겪은 뒤로는 금방(禁防)이 크게 무너져 불온한 마음을 품는가 하면, 법도에 벗어나는 말을 외치기도 합니다.

④ 2문단 끝에서 4~5번째 줄을 통해 무지한 이들은 식견 있는 이들에 비해 윤리적 과오에 더욱 취약함을 추론할 수 있다.

[관련 부분] 식견이 있는 사람도 이렇게 하거늘, 무지한 이들이야 어떠하겠습니까?

41

다음 글에서 추론할 수 있는 내용으로 적절하지 않은 것은?

'포스트휴먼'은 그 기본적인 능력이 근본적으로 현재의 인간을 넘어서기 때문에 현재의 기준으로는 더 이상 인간이라 부를 수 없는 존재를 가리키는 표현이다. 스웨덴 출신의 철학자 보스트롬은 건강 수명, 인지, 감정이라는, 인간의 세 가지 주요 능력 중 최소한 하나 이상의 능력에서 현재의 인간이 도달할 수 있는 최대한의 한계를 엄청나게 넘어설 경우 이를 '포스트휴먼'으로 부르자고 제안하였다.

현재 가장 뛰어난 인간이 가질 수 있는 지능보다 훨씬 더 뛰어난 지능을 가지며, 더 이상 질병에 시달리지 않고, 노화가 완전히 제거되어서 젊음과 활력을 계속 유지하는 어떤 존재를 생각해 볼 수 있다. 이 존재는 스스로의 심리 상태에 대한 조절도 자유롭게 할 수 있어서 피곤함이나 지루함을 거의 느끼지 않으며, 미움과 같은 감정을 피하고, 즐거움, 사랑, 미적 감수성, 평정 등의 태도를 유지한다. 이러한 존재가 어떤 존재일지 지금은 정확하게 상상하기 어렵지만 현재 인간의 상태로 접근할 수 없는 새로운 신체나 의식 상태에 놓여 있을 것임은 분명하다.

이러한 포스트휴먼은 완전히 인위적으로 만들어진 인공 지능일 수도 있고, 신체를 버리고 슈퍼컴퓨터 안의 정보 패턴으로 살기를 선택한 업로드의 형태일 수도 있으며, 또는 생물학적 인간에 대한 개선들이 축적된 결과일 수도 있다. 만약 생물학적 인간이 포스트휴먼이 되고자 한다면 유전 공학, 신경 약리학, 항노화술, 컴퓨터-신경 인터페이스, 기억 향상 약물, 웨어러블 컴퓨터, 인지 기술과 같은 다양한 과학 기술을 이용해 우리의 두뇌나 신체에 근본적인 기술적 변형을 가해야만 할 것이다. '포스트휴먼'은 '내가 이런 능력을 가지고 있었으면 얼마나 좋을까' 하고 누구나 한 번쯤 상상해 보았을 법한 슈퍼 인간의 모습을 기술한 용어이다.

① 포스트휴먼 개념에 따라 제시되는 미래의 존재는 과학 기술의 발전 양상에 따른 영향을 현재의 인간에 비해 더 크게 받을 것이다.

② 포스트휴먼 개념은 인간의 신체적 결함을 다양한 과학 기술을 이용해 보완하여 기술적 한계를 극복한 새로운 인간형의 탄생에 귀결될 것이다.

③ 포스트휴먼은 인간의 현재 상태를 뛰어넘는 능력을 가진 새로운 존재일 것으로 예측되지만 그 형태가 어떠할지 여하는 다양한 가능성에 열려 있다.

④ 포스트휴먼은 건강 수명, 인지 능력, 감정 등의 측면에서 현재의 인간보다 뛰어나기 때문에 포스트휴먼 사회에서는 인간에 대한 개념이 새로 구성될 것이다.

42

다음 글을 읽은 후의 반응으로 가장 적절한 것은?

역사 드라마는 역사적 인물이나 사건 혹은 역사적 시간이나 공간에 대한 작가의 단일한 재해석 또는 상상이 아니라 현재를 살아가는 시청자에 의해 능동적으로 해석되고 상상됨으로써 다중적으로 수용된다는 점에서 과거와 현재의 대화라는 역사의 속성을 견지한다. 이는 곧 과거의 시공간을 배경으로 한 텔레비전 역사 드라마가 현재를 지향하고 있음을 의미한다. 그래서 역사적 시간과 공간적 배경 속에 놓여 있는 등장인물과 지금 현재를 살아가는 시청자들이 대화를 나누기도 하고, 시청자들이 역사 드라마를 주제로 삼아 사회적 담론의 장을 열기도 한다.

① 현재와 밀접하게 관련되는 소재로만 역사 드라마를 만들어야겠군.

② 역사 드라마를 통해 시청자들이 사회적 화젯거리를 만들 수 있겠군.

③ 작가가 강조하는 역사적 교훈을 배우기 위해 역사 드라마를 시청해야겠군.

④ 부정적인 평가를 받는 인물은 역사 드라마에서 항상 악인으로만 그려지겠군.

41
난이도 ★★★

해설 ② 3문단 1~4번째 줄을 통해 포스트휴먼은 '인위적으로 만들어진 인공 지능'일 수도 있고, '신체를 버린 형태'일 수도 있음을 확인할 수 있다. 따라서 포스트휴먼의 개념이 신체적 결함을 보완한 새로운 인간형의 탄생으로 귀결될 것이라는 ②의 내용은 제시문에 대한 추론으로 적절하지 않다.
[관련 부분] 포스트휴먼은 완전히 인위적으로 만들어진 인공 지능일 수도 있고, 신체를 버리고 슈퍼컴퓨터 안의 정보 패턴으로 살기를 선택한 업로드의 형태일 수도 있으며,

오답 분석 ① 3문단을 통해 포스트휴먼은 높은 수준의 과학 기술이 필요한 인공 지능 또는 슈퍼컴퓨터와 관련된 형태이거나, 다양한 과학 기술을 이용해 두뇌나 신체에 변형을 가한 생물학적 인간임을 알 수 있다. 따라서 포스트 휴먼 개념에 따라 미래의 존재는 현재의 인간에 비해 과학 기술의 발전 양상에 더 큰 영향을 받을 것임을 추론할 수 있다.

③ 2문단을 통해 포스트휴먼은 현재 인간의 상태를 능가하는 새로운 존재이지만, 그 형태는 상상하기 어려울 것임을 추론할 수 있다.

④ 1문단 1~3번째 줄을 통해 포스트휴먼은 현재의 인간보다 뛰어난 능력을 지니고 있으며 그렇기에 '인간'에 대한 개념을 재정립하게 될 것임을 추론할 수 있다.
[관련 부분] '포스트휴먼'은 그 기본적인 능력이 근본적으로 현재의 인간을 넘어서기 때문에 현재의 기준으로는 더 이상 인간이라 부를 수 없는 존재를 가리키는 표현이다.

42
난이도 ★★☆

해설 ② 끝에서 1~3번째 줄을 통해 시청자들은 역사 드라마를 주제로 사회적 담론의 장을 열기도 함을 확인할 수 있다. 이를 통해 시청자들이 역사 드라마를 통해 사회적 화젯거리를 만들 수 있음을 추론할 수 있다. 따라서 제시문을 읽은 후의 반응으로 가장 적절한 것은 ②이다.
[관련 부분] 시청자들이 역사 드라마를 주제로 삼아 사회적 담론의 장을 열기도 한다.

오답 분석 ① 제시문에서 다루고 있지 않은 내용이다.

③④ 1~4번째 줄을 통해 시청자들은 작가의 생각을 그대로 받아들이지 않고 다중적으로 수용한다는 것을 알 수 있다. 따라서 작가가 강조하는 역사적 교훈을 배우기 위해 역사 드라마를 시청해야 한다는 반응과 부정적인 평가를 받는 인물이 역사 드라마에서 항상 악인으로만 그려진다는 추론은 적절하지 않다.
[관련 부분] 역사 드라마는 역사적 인물이나 사건 혹은 역사적 시간이나 공간에 대한 작가의 단일한 재해석 또는 상상이 아니라 현재를 살아가는 시청자에 의해 능동적으로 해석되고 상상됨으로써 다중적으로 수용된다는 점에서

43

[2016년 국가직 9급]

다음 글을 읽고 추론한 내용으로 가장 적절한 것은?

> 한 연구원이 어떤 실험을 계획하고 참가자들에게 이렇게 설명했다.
>
> "여러분은 지금부터 둘씩 조를 지어 함께 일을 하게 됩니다. 여러분의 파트너는 다른 작업장에서 여러분과 똑같은 일을, 똑같은 노력을 기울여 할 것입니다. 이번 실험에 대한 보수는 각 조당 5만 원입니다."
>
> 실험 참가자들이 작업을 마치자 연구원은 참가자들을 세 부류로 나누어 각각 2만 원, 2만 5천 원, 3만 원의 보수를 차등 지급하면서, 그들이 다른 작업장에서 파트너가 받은 액수를 제외한 나머지 보수를 받은 것으로 믿게 하였다.
>
> 그 후 연구원은 실험 참가자들에게 몇 가지 설문을 했다. '보수를 받고 난 후에 어떤 기분이 들었는지, 나누어 받은 돈이 공정하다고 생각하는지'를 묻는 것이었다. 연구원은 설문을 하기 전에 3만 원을 받은 참가자가 가장 행복할 것이라고 예상했다. 그런데 결과는 예상과 달랐다. 3만 원을 받은 사람은 2만 5천 원을 받은 사람보다 덜 행복해했다. 자신이 과도하게 보상을 받아 부담을 느꼈기 때문이다. 2만 원을 받은 사람도 덜 행복해한 것은 마찬가지였다. 받아야 할 만큼 충분히 받지 못했다고 생각했기 때문이다.

① 인간은 공평한 대우를 받을 때 더 행복해한다.

② 인간은 남보다 능력을 더 인정받을 때 더 행복해한다.

③ 인간은 타인과 협력할 때 더 행복해한다.

④ 인간은 상대를 위해 자신의 몫을 양보했을 때 더 행복해한다.

44

[2016년 국가직 7급]

다음 글에 이어질 내용으로 가장 적절한 것은?

> 페니실린은 약품으로 정제된 이후 인류의 건강을 위협하는 많은 세균과 질병을 치료하는 데 매우 효과적으로 작용했다. 그런데 문제는 항생제 사용이 잦아지자 세균들이 내성을 갖기 시작했다는 점이다. 항생제는 사람에게는 해를 주지 않으면서 세균만 골라 죽이는 아주 유용한 물질인데, 이 물질을 이겨내는 세균들이 계속 등장했다. 플레밍 또한 『뉴욕타임스』와의 인터뷰에서 페니실린에 내성인 세균이 등장할 수 있음을 경고했다. 이는 불과 몇 년 지나지 않아 현실화되었다. 페니실린에 내성을 가진 황색 포도상구균이 곧 등장했고 전 세계적으로 확산되었다.
>
> 이후 새로운 항생제를 개발하여 감염증을 치료하려는 인류와, 항생제 내성을 획득하여 생존하려는 세균 간의 전쟁이 지금까지 치열하게 벌어지고 있다. 세균은 인류가 개발한 항생제에 내성을 갖추어 맞서고, 인류는 내성을 가진 세균에 대응하기 위해 또 다른 항생제를 만들어 반격을 하는 식이다.
>
> 이를테면 페니실린에 내성을 가진 황색 포도상 구균은 메티실린 제제가 개발되면서 치료의 길이 열렸다. 메티실린은 포도상 구균을 물리치며 맹활약했지만 세균도 가만 있지는 않았다. 메티실린의 효과가 듣지 않는 강력한 세균들이 등장했고, 이에 인류는 반코마이신을 개발해 탈출구를 열었다. 이들 치료제로 효과를 볼 수 없었던 그람 음성 세균은 카바페넴으로 대응했다. 하지만 최강의 항생제인 카바페넴에 내성을 획득한 다제 내성균(슈퍼 박테리아)도 등장했다.

① 인류는 더 강력한 세균에 의해 멸망할 것이다.

② 항생제 사용은 법으로 엄격히 금지해야 한다.

③ 인류는 다제 내성균을 치료할 항생제를 개발할 것이다.

④ 앞으로 항생제에 내성이 없는 세균이 나타날 것이다.

45

괄호 안에 들어갈 내용으로 가장 적절한 것은?

> 인간의 역사는 어떻게 보면 소유사(所有史)처럼 느껴진다. 보다 많은 자기네 몫을 위해 끊임없이 싸우고 있는 것 같다. 소유욕에는 한정도 없고 휴일도 없다. 그저 하나라도 더 많이 갖고자 하는 일념으로 출렁거리고 있다. 물건만으로는 성에 차질 않아 사람까지 소유하려 든다. 그 사람이 제 뜻대로 되지 않을 경우는 끔찍한 비극도 불사하면서. 제정신도 갖지 못한 처지에 남을 가지려 하는 것이다.
> (   ) 그것은 개인뿐 아니라 국가 간의 관계도 마찬가지다. 어제의 맹방들이 오늘에는 맞서게 되는가 하면, 서로 으르렁대던 나라끼리 친선 사절을 교환하는 사례를 우리는 얼마든지 보고 있다. 그것은 오로지 소유(所有)에 바탕을 둔 이해관계 때문이다. 만약 인간의 역사가 소유사에서 무소유사로 그 방향을 바꾼다면 어떻게 될까. 아마 싸우는 일은 거의 없을 것이다. 주지 못해 싸운다는 말은 듣지 못했다.

① 소유의 역사(歷史)는 이제 끝났다.
② 소유욕은 불가역적(不可逆的)이다.
③ 소유욕은 이해(利害)와 정비례한다.
④ 소유욕이 없어진 세상이 올 것이다.

43

난이도 ★☆☆

해설 ① 끝에서 1~5번째 줄을 통해, 인간은 공평한 대우를 받을 때 더 행복해함을 추론할 수 있다. 따라서 답은 ①이다.

[관련 부분] 3만 원을 받은 사람은 2만 5천 원을 받은 사람보다 덜 행복했다. ~ 2만 원을 받은 사람도 덜 행복해한 것은 마찬가지였다. 받아야 할 만큼 충분히 받지 못했다고 생각했기 때문이다.

44

난이도 ★★☆

해설 ③ 1~2문단에서는 '인류의 항생제 개발 - 내성을 가진 세균의 등장 - 새로운 항생제를 통한 반격'의 내용이 제시되었고, 3문단에서는 1~2문단 내용에 대한 예시가 나열되었다. 이때 3문단의 마지막 부분이 '내성을 가진 세균의 등장'으로 끝났으므로 다음에 이어질 내용으로는 '새로운 항생제를 통한 반격'에 관한 내용이 이어지는 것이 적절하다.

45

난이도 ★★☆

해설 ③ 괄호 뒤에서 국가 간 관계의 사례를 들고, 그것은 소유에 바탕을 둔 이해관계 때문이라고 설명하고 있다. 선택지 중 이러한 내용과 맥락이 통하는 것은 ③이다.

오답분석 ①④ 인간의 역사를 소유사(所有史)로 본 1, 2문단의 맥락과 반대되는 내용이므로 괄호 안에 들어가기에 적절하지 않다.

② 괄호 뒤의 내용을 통해 국가 간의 관계가 변하는 것은 이해(利害)에 따라 소유욕이 변화하기 때문임을 알 수 있다. 따라서 소유욕이 불가역적(不可逆的, 환경 변화에 따라 쉽게 변하지 않는 것)이라는 것은 글의 맥락에 어긋난다.

01

다음 글에 대한 이해로 적절하지 않은 것은?

학습심리학에서 '전이'란 이전에 수행되었던 학습 및 훈련의 경험이 이후의 학습 및 훈련에 영향을 미치는 것을 말한다. 전이가 이루어질 때, 두 경험이 어떠한 영역에 속하는가에 따라 전이의 종류를 구분할 수 있다. '동종 전이'는 기존의 경험과 새로운 경험이 동일한 영역에 속하는 것이다. 예컨대 새로운 인간면역결핍 바이러스(HIV)의 실험을 설계하기 위해 기존의 HIV 실험 설계를 참조한다면 이는 동종 전이에 해당한다. 기존의 경험과 새로운 경험이 인접한 영역에 해당한다면 이는 '계열 전이'이다. HIV 실험 설계를 또 다른 미생물 실험의 설계에 참조하는 것이 그 예가 될 수 있다. 마지막으로 기존의 경험과 새로운 경험이 전혀 다른 영역에 속하는 경우가 '원거리 전이'이다. 화학자 케쿨레는 꿈속에서 본 뱀의 모습으로부터 벤젠의 화학적 결합 구조에 대한 아이디어를 얻은 것으로 알려져 있는데, 이것이 원거리 전이이다.

한편, 전이는 영향 관계에 있는 두 경험의 위계 수준에 따라 구분할 수도 있다. 기존의 경험이 새로운 경험을 위해 필수적이며 기본적인 전제 조건이 될 때, '수직적 전이'가 발생한다. 반면 두 경험이 유사한 구조를 띠고 있어 기존의 경험이 새로운 경험에 유의미한 영향을 미치지만, 새로운 경험을 위해 기존의 경험이 필수적으로 전제되어야 하는 것은 아닐 경우 '수평적 전이'에 해당한다.

① 의사가 대장암에 대한 의학적 지식을 적용하여 대장암 환자를 치료해낸다면 동종 전이라고 볼 수 있다.

② 천문학자가 물체의 운동에 대한 공식을 활용하여 혜성의 이동 속도를 계산해낸다면 계열 전이라고 볼 수 있다.

③ 문학 비평가가 아동심리학 이론을 인용하여 동화 속 인물의 심리 현상을 분석한다면 원거리 전이라고 볼 수 있다.

④ 초등학생이 사각형의 넓이 계산법을 이용하여 사각형인 교실의 면적을 구한다면 수직적 전이라고 볼 수 있다.

⑤ 수직적 전이와 수평적 전이를 구분하는 기준은 영향 관계에 있는 두 경험의 위계 수준이라고 볼 수 있다.

02

다음 글의 내용을 잘못 이해한 사람은?

심리학에서는 동조(同調)가 일어나는 이유를 크게 두 가지로 설명한다. 첫째는, 사람들은 자기가 확실히 알지 못하는 일에 대해 남이 하는 대로 따라 하면 적어도 손해를 보지는 않는다고 생각한다는 것이다. 둘째는, 어떤 집단이 그 구성원들을 이끌어 나가는 질서나 규범 같은 힘을 가지고 있을 때, 그러한 집단의 압력 때문에 동조 현상이 일어난다는 것이다. 만약 어떤 개인이 그 힘을 인정하지 않는다면 그는 집단에서 배척당하기 쉽다. 이런 사정 때문에 사람들은 집단으로부터 소외되지 않기 위해서 동조를 하게 된다. 여기서 주목할 것은 자신이 믿지 않거나 옳지 않다고 생각하는 문제에 대해서도 동조의 입장을 취하게 된다는 것이다.

동조는 개인의 심리 작용에 영향을 미치는 요인이 무엇이냐에 따라 그 강도가 다르게 나타난다. 가지고 있는 정보가 부족하여 어떤 판단을 내리기 어려운 상황일수록, 자신의 판단에 대한 확신이 들지 않을수록 동조 현상은 강하게 나타난다. 또한 집단의 구성원 수가 많거나 그 결속력이 강할 때, 특정 정보를 제공하는 사람의 권위와 지위, 그에 대한 신뢰도가 높을 때도 동조 현상은 강하게 나타난다. 그리고 어떤 문제에 대한 집단 구성원들의 만장일치 여부도 동조에 큰 영향을 미치게 되는데, 만약 이때 단 한 명이라도 이탈자가 생기면 동조의 정도는 급격히 약화된다.

① 영희: 줄 서기의 경우, 줄을 서 있는 사람이 많을수록 나중에 오는 사람들이 그 줄 뒤에 설 확률이 더 높아.

② 철수: 특히 응집력이 강한 집단에 항거하는 것은 더 어려운 일이야. 이런 경우, 동조 압력은 더 강할 수밖에 없겠지.

③ 갑순: 동조 현상에 영향을 미치는 요인은 우매한 조직의 결속력보다 개인의 신념이라고 볼 수 있겠군.

④ 갑돌: 아침에 수많은 정류장 중 어디에서 공항버스를 타야 할지 몰랐는데 스튜어디스 차림의 여성이 향하는 정류장 쪽으로 따라갔어. 이 경우, 그 스튜어디스 복장이 신뢰도를 높였다고 할 수 있겠네.

01

난이도 ★★☆

해설 ③ 1문단 끝에서 4~6번째 줄을 통해 원거리 전이는 기존의 경험과 새로운 경험이 다른 영역에 속하는 경우임을 알 수 있다. 그러나 기존의 경험인 '아동심리학 이론'과 새로운 경험인 '동화 속 인물의 심리 현상 분석'은 인접한 영역에 속하므로 '원거리 전이'로 볼 수 없다.

[관련 부분] 기존의 경험과 새로운 경험이 전혀 다른 영역에 속하는 경우가 '원거리 전이'이다.

오답 분석 ① 1문단 4~6번째 줄을 통해 '동종 전이'는 기존의 경험과 새로운 경험이 동일한 영역에 속할 때 일어남을 알 수 있다. 따라서 기존의 경험인 '대장암에 대한 의학적 지식'과 새로운 경험인 '대장암 환자 치료'는 동일한 영역에 속하므로 ①은 '동종 전이'로 볼 수 있다.

[관련 부분] '동종 전이'는 기존의 경험과 새로운 경험이 동일한 영역에 속하는 것이다.

② 1문단 끝에서 7~9번째 줄을 통해 '계열 전이'는 기존의 경험과 새로운 경험이 인접한 영역에 속할 때 일어남을 알 수 있다. 따라서 기존의 경험인 '물체의 운동에 대한 공식'과 새로운 경험인 '혜성의 이동 속도 계산'이 인접한 영역에 속하므로 ②는 '계열 전이'로 볼 수 있다.

[관련 부분] 기존의 경험과 새로운 경험이 인접한 영역에 해당한다면 이는 '계열 전이'이다.

④ 2문단 2~4번째 줄을 통해 '수직적 전이'는 기존의 경험이 새로운 경험을 위해 필수적이며 전제 조건이 될 때 일어남을 알 수 있다. 이때 새로운 경험인 '사각형 교실의 면적을 구하기' 위해서는 기존의 경험인 '사각형의 넓이 계산법'이 전제되어야 하므로 ④는 '수직적 전이'로 볼 수 있다.

[관련 부분] 기존의 경험이 새로운 경험을 위해 필수적이며 기본적인 전제 조건이 될 때, '수직적 전이'가 발생한다.

⑤ 2문단 1~2번째 줄을 통해 영향 관계에 있는 두 경험의 위계 수준에 따라 전이가 '수직적 전이'와 '수평적 전이'로 구분됨을 알 수 있다.

[관련 부분] 전이는 영향 관계에 있는 두 경험의 위계 수준에 따라 구분할 수도 있다.

02

난이도 ★★☆

해설 ③ 동조 현상에 영향을 미치는 요인이 우매한 조직의 결속력보다 개인의 신념이라는 내용은 제시문에서 찾을 수 없으므로, 제시문의 내용을 잘못 이해한 사람은 ③ '갑순'이다.

오답 분석 ① 2문단 5~8번째 줄을 통해 집단의 구성원 수가 많을 때 동조 현상이 강하게 일어남을 확인할 수 있다. 따라서 줄을 서 있는 사람이 많을수록 사람들이 줄 뒤에 설 확률이 높다는 ① '영희'의 설명은 옳다.

[관련 부분] 집단의 구성원 수가 많거나 그 결속력이 강할 때, ~ 동조 현상은 강하게 나타난다.

② 1문단 4~10번째 줄과 2문단 5~8번째 줄을 통해 응집력이 강한 집단에 항거하는 일은 매우 어려우며, 이때 동조 압력은 더욱 강해짐을 확인할 수 있다. 따라서 ② '철수'의 설명은 옳다.

[관련 부분]
- 어떤 집단이 그 구성원들을 이끌어 나가는 질서나 규범 같은 힘을 가지고 있을 때 ~ 동조 현상이 일어난다는 것이다. 만약 어떤 개인이 그 힘을 인정하지 않는다면 그는 집단에서 배척당하기 쉽다. ~ 사람들은 집단으로부터 소외되지 않기 위해서 동조를 하게 된다.
- 그 결속력이 강할 때 ~ 동조 현상은 강하게 나타난다.

④ 2문단 3~8번째 줄을 통해 정보가 부족한 상황과 특정 정보를 제공하는 사람에 대한 신뢰도가 높을 때 동조 현상이 강하게 일어남을 확인할 수 있다. 따라서 스튜어디스의 복장이 신뢰도를 높였다는 ④ '갑돌'의 설명은 옳다.

[관련 부분] 정보가 부족하여 어떤 판단을 내리기 어려운 상황일수록, ~ 특정 정보를 제공하는 사람의 권위와 지위, 그에 대한 신뢰도가 높을 때도 동조 현상은 강하게 나타난다.

03

[2018년 국가직 9급]

㉠~㉣의 예를 추가할 때 가장 적절한 것은?

논리학에서 비형식적 오류 유형에는 우연의 오류, 애매어의 오류, 결합의 오류, 분해의 오류 등이 있다.

우선 ㉠우연의 오류란 거의 대부분의 경우에 적용되는 일반적인 원리나 규칙을 우연적인 상황으로 인해 생긴 예외적인 특수한 경우에까지도 무차별적으로 적용할 때 생기는 오류이다. 그 예로 "인간은 이성적인 동물이다. 중증 정신 질환자는 인간이다. 그러므로 중증 정신 질환자는 이성적인 동물이다."를 들 수 있다. ㉡애매어의 오류는 동일한 한 단어가 한 논증에서 맥락마다 서로 다른 의미를 지니는 것으로 사용될 때 생기는 오류를 말한다. "김 씨는 성격이 직선적이다. 직선적인 모든 것들은 길이를 지닌다. 고로 김 씨의 성격은 길이를 지닌다." 가 그 예이다. 한편 각각의 원소들이 개별적으로 어떤 성질을 지니고 있다는 내용의 전제로부터 그 원소들을 결합한 집합 전체도 역시 그 성질을 지니고 있다는 결론을 도출하는 경우가 ㉢결합의 오류이고, 반대로 집합이 어떤 성질을 지니고 있다는 내용의 전제로부터 그 집합의 각각의 원소들 역시 개별적으로 그 성질을 지니고 있다는 결론을 도출하는 경우가 ㉣분해의 오류이다. 전자의 예로는 "그 연극단 단원들 하나하나가 다 훌륭하다. 고로 그 연극단은 훌륭하다."를, 후자의 예로는 "그 연극단은 일류급이다. 박 씨는 그 연극단 일원이다. 그러므로 박 씨는 일류급이다."를 들 수 있다.

① ㉠ – 모든 사람은 죽는다. 소크라테스는 사람이다. 그러므로 소크라테스는 죽는다.

② ㉡ – 부패하기 쉬운 것들은 냉동 보관해야 한다. 세상은 부패하기 쉽다. 고로 세상은 냉동 보관해야 한다.

③ ㉢ – 미국 아이스하키 선수단이 이번 올림픽에서 금메달을 차지했다. 그러므로 미국 선수 각자는 세계 최고 기량을 갖고 있다.

④ ㉣ – 그 학생의 논술 시험 답안은 탁월하다. 그의 답안에 있는 문장 하나하나가 탁월하기 때문이다.

04

[2016년 지방직 9급]

밑줄 친 부분과 가장 유사한 속성을 지닌 현대인의 삶의 태도는?

근대 이후 인간들은 불안감과 고독감에서 벗어나기 위해 자신에게 주어진 자유로부터 도피하려는 경향을 보인다. 그중 하나가 복종을 전제로 하는 권위주의적 양태이다. 이는 개인적 자아의 독립을 포기하고 자기 이외의 어떤 존재에 종속되고자 하는 것으로, 사라진 제1차적 속박 대신에 새로운 제2차적 속박을 추구하는 양상을 띤다. 이것은 때로 상대방을 자신에게 복종시킴으로써 심리적 안정과 만족을 얻으려는 형태로 나타나기도 한다. 일견 대립적으로 보이는 이 두 형태는 불안감과 고독감으로부터 벗어나기 위한 권위주의적 양상이라는 점에서는 동일한 것이다.

① 소속된 집단의 이익이나 정의보다는 개인의 이익이나 행복만을 추구하는 태도

② 집안에서 어떤 일을 결정할 때 부모나 어른의 의견보다는 아이들의 요구를 먼저 고려하는 태도

③ 어떤 상황에 대해 자신의 견해를 가지기보다는 언론 매체의 의견을 무비판적으로 수용하는 태도

④ 직업을 통해서 얻는 삶의 만족보다는 취미 활동을 통해서 얻는 삶의 즐거움을 더 중시하는 태도

05

[2016년 지방직 7급]

다음 글에서 설명한 '정의'에 가장 적절한 것은?

> 글에서 다루게 되는 대상을 명확하게 규정해 주는 방법을 정의라고 한다. 이때 정의하고자 하는 대상을 피정의항이라고 하고, 그 나머지 진술 부분을 정의항이라고 한다. 정의를 할 경우에는 다음 사항에 유의해야 한다. 첫째, 개념을 명확하게 드러낼 수 있도록 풀이해야 한다. 둘째, 정의하고자 하는 대상이나 개념이 정의항에서 되풀이되어서는 안 된다. 셋째, 정의항이 부정적인 진술로 나타나서는 안 된다. 넷째, 대상에 대한 묘사나 해석은 정의가 아니다.

① 책이란 지식만을 보존해 두는 것이 아니다.
② 입헌 정치란 헌법에 의하여 행해지는 정치이다.
③ 딸기는 빨갛고 씨가 박혀 있는 달콤한 과일이다.
④ 문학은 언어로 인간의 사상과 감정을 표현한 예술이다.

03

난이도 ★★☆

해설 ② 첫 번째 문장 '부패하기 쉬운 것들은 냉동 보관해야 한다'의 '부패하다'는 '단백질이나 지방 등의 유기물이 미생물의 작용에 의하여 분해되다'의 뜻으로 쓰였고, 두 번째 문장 '세상은 부패하기 쉽다'의 '부패하다'는 '정치, 사상, 의식 등이 타락하다'의 뜻으로 쓰였다. 이처럼 '부패하다'의 의미가 다른데도 마지막 문장에서 '세상은 냉동 보관해야 한다'라고 진술하였으므로 ⓒ은 '애매어의 오류'의 예로 적절하다.

오답분석 ① 연역법에 따라 적절하게 논리를 전개하였으므로 오류의 예시에 해당하지 않는다.
• 모든 사람은 죽는다 (대전제)
• 소크라테스는 사람이다 (소전제)
• 그러므로 소크라테스는 죽는다 (결론)
③ 집합인 '아이스하키 선수단'의 기량이 뛰어나다는 전제를 통해 개별 원소인 '아이스하키 선수 개인'의 실력이 뛰어나다는 결론을 도출하였으므로 ⓔ '분해의 오류'의 예에 해당한다.
④ 개별 원소인 '답안 속 각 문장'이 탁월하다는 전제를 통해 집합인 '시험 답안'이 탁월하다는 결론을 도출하였으므로 ⓒ '결합의 오류'의 예에 해당한다.

04

난이도 ★☆☆

해설 ③ 4~5번째 줄을 통해 밑줄 친 부분의 속성이 '개인적 자아의 독립을 포기하고 자기 이외의 어떤 존재에 종속되고자 하는 것'임을 알 수 있다. 이와 가장 유사한 것은 자신의 견해를 가질 자유를 버리고 언론의 의견을 그대로 수용하는 태도를 보이는 ③이다.

05

난이도 ★☆☆

해설 ④ 제시문에서는 '정의의 구성'과 '정의를 할 때의 유의점'에 대해 설명하고 있다. 이를 고려했을 때 정의의 예로 가장 적절한 것은 ④ '문학은 언어로 인간의 사상과 감정을 표현한 예술이다'이다. 이때 피정의항은 '문학'이고 정의항은 '언어로 인간의 사상과 감정을 표현한 예술이다'이다. 그리고 ④는 '정의'를 할 때의 유의점이 모두 고려된 진술이다.

오답분석 ① 책(피정의항)이란 지식만을 보존해 두는 것이 아니다(정의항): 정의항이 부정적인 진술로 나타났으므로 정의의 예로 적절하지 않다.
② 입헌 정치(피정의항)란 헌법에 의하여 행해지는 정치이다(정의항): 정의하고자 하는 대상이 정의항에서 되풀이되므로 정의의 예로 적절하지 않다.
③ 딸기(피정의항)는 빨갛고 씨가 박혀 있는 달콤한 과일이다(정의항): 대상(딸기)을 묘사하고 있으므로 정의의 예로 적절하지 않다.

MEMO

2022 대비 최신판

해커스공무원

단원별
기출문제집

국어 **2권 | 비문학**

초판 2쇄 발행 2021년 12월 20일
초판 1쇄 발행 2021년 9월 3일

지은이	해커스 공무원시험연구소
펴낸곳	해커스패스
펴낸이	해커스공무원 출판팀

주소	서울특별시 강남구 강남대로 428 해커스공무원
고객센터	1588-4055
교재 관련 문의	gosi@hackerspass.com
	해커스공무원 사이트(gosi.Hackers.com) 교재 Q&A 게시판
	카카오톡 플러스 친구 [해커스공무원강남역], [해커스공무원노량진]
학원 강의 및 동영상강의	gosi.Hackers.com

ISBN	2권: 979-11-6662-631-9 (14710)
	세트: 979-11-6662-629-6 (14710)
Serial Number	01-02-01

최단기 합격 공무원학원 1위,
해커스공무원 gosi.Hackers.com

해커스 공무원

· **해커스공무원 학원 및 인강**(교재 내 인강 할인쿠폰 수록)
· 해커스 스타강사의 **공무원 국어 무료 동영상강의**
· '회독'의 방법과 공부 습관을 제시하는 **해커스 회독증강 콘텐츠**(교재 내 할인쿠폰 수록)
· 필수어휘와 사자성어를 편리하게 학습할 수 있는 **해커스 매일국어 어플**